Chère lectrice,

A quoi ressemblerait notre vie si nous nous laissions arrêter par les apparences, si nous faisions toujours confiance à nos premières impressions ? Elle serait plus calme, sans doute, mais aussi moins intense, car les plus belles histoires d'amour ne commencent-elles pas souvent par des rencontres explosives ? Et si, au fond, les caractères les plus opposés étaient ceux qui s'accordaient le mieux ?

Je suis sûre en tout cas que les héroïnes des romans que j'ai choisis pour vous ce mois-ci seraient d'accord avec moi, et en particulier Georgia, l'héroïne d'*Un papa pour Noah* (n° 1434) : si, le jour où Jackson Bradshaw a débarqué chez elle, fou de rage, elle l'avait mis dehors comme la raison le lui commandait, elle serait passée à côté d'un bonheur inouï. Tout comme Maddie, l'héroïne d'*Une délicieuse épreuve* (n° 1434), si ses amis ne lui avaient pas joué le mauvais tour de l'obliger à vivre pendant toute une semaine avec l'insupportable Clay !

Alors qui sait, chère lectrice, peut-être qu'après avoir lu ces romans, vous regarderez d'un œil nouveau certaines personnes autour de vous...

La Responsable de collection

Le fiancé rêvé

*

Un tendre ennemi

MAUREEN CHILD

Le fiancé rêvé

Collection *Passion*

*éditions*Harlequin

Cet ouvrage a été publié en langue anglaise
sous le titre :
MOM IN WAITING

Traduction française de
MARIEKE MERAND-SURTEL

HARLEQUIN®

est une marque déposée du Groupe Harlequin
et Passion® est une marque déposée d'Harlequin S.A.

Originally published by SILHOUETTE BOOKS,
division of Harlequin Enterprises Ltd.
Toronto, Canada

Toute représentation ou reproduction, par quelque procédé que ce soit, constituerait une contrefaçon sanctionnée par les articles 425 et suivants du Code pénal.
© 1999, Maureen Child. © 2006, Traduction française : Harlequin S.A.
83-85, boulevard Vincent-Auriol, 75013 PARIS — Tél. : 01 42 16 63 63
Service Lectrices — Tél. : 01 45 82 47 47
ISBN 2-280-08462-7— ISSN 0993-443X

— En fait, je déteste ce genre de rassemblement, maugréa Tracy Hall dans le combiné du téléphone sans fil.

Au départ, ça lui paraissait pourtant une bonne idée : retourner quelques jours dans l'Oregon pour participer à une réunion regroupant les quarante dernières promotions du minuscule lycée de Juneport, la ville de son enfance.

Mais maintenant que l'heure du départ avait sonné, elle remettait sérieusement en question son plan qu'elle trouvait si brillant quelques semaines plus tôt, et qui lui semblait aujourd'hui tout à fait idiot.

Sans cesser de ronchonner, elle s'affala lourdement sur le dessus de sa valise. Il y avait là-dedans assez de vêtements pour faire le tour du monde. Sans compter un sac de voyage flambant neuf rempli à ras bord de robes, escarpins et sacs à main assortis, plus un vanitycase qui contenait des tonnes de maquillage et autres produits de beauté.

En équilibre instable sur le couvercle prêt à craquer, elle se pencha pour boucler les fermetures l'une après l'autre. Lorsqu'elle se releva avec un soupir de triomphe, la valise émit un craquement sinistre, mais elle l'ignora.

Une nervosité croissante lui nouait l'estomac. Et si ça ne marchait pas ? Et si quelqu'un découvrait son jeu ? Le simple fait d'imaginer les hurlements de rire qu'on lui décernerait lui fit serrer les dents.

— Pourquoi je fais ça ? s'interrogea-t-elle à voix haute.

— Parce que ce sera super sympa, répondit la voix dans le téléphone.

— Mouais, répliqua Tracy sans conviction.

Rien que la préparation de ce petit retour dans le passé l'avait épuisée. Sans parler de celle de son Plan — même en pensée, elle y mettait une majuscule.

— Franchement, Tracy, la sermonna sa sœur Meg du ton sévère qu'elle employait avec ses enfants, tu pourrais au moins *essayer* d'éprouver un peu d'enthousiasme.

Tracy songea qu'elle en avait éprouvé beaucoup quelques semaines auparavant. C'est-à-dire la première fois qu'elle avait eu cette idée saugrenue. Mais maintenant qu'elle était vraiment sur le point de la mettre à exécution, la notion d'enthousiasme perdait une bonne part de sa puissance.

Elle se regarda dans le miroir qui lui faisait face. L'image était floue, aussi ferma-t-elle l'œil gauche. L'appel de Meg l'avait interrompue alors qu'elle mettait ses nouveaux verres de contact, ce qui expliquait sa semicécité présente.

La femme dans son reflet semblait élégante, compétente, sûre d'elle — si on oubliait ses yeux plissés de myope. Cela prouvait combien les apparences pouvaient être trompeuses ! Parce que sous le vernis de cette nouvelle allure éblouissante, elle restait l'ancienne Tracy Hall. La première de la classe. La paria binoclarde. Le vilain petit canard toujours dans l'ombre du cygne Meg, sa sœur aînée.

Bon, jamais elle ne serait un top model. Cela, elle avait appris à vivre avec. Mais même les vilains petits canards grandissent, non ? Et deviennent des canards potables à défaut de cygnes sublimes.

La voix de Meg l'arracha à ses pensées.

— Tracy ? Tu es toujours là ?

— Oui, je suis là, répondit-elle, souriant au vacarme qui augmentait à l'autre bout du fil. Qu'est-ce qui se passe ?

— Oh, comme d'habitude, soupira sa sœur avant de hurler : Tony ! Ne saute pas du haut des escaliers. Tu vas te rompre le cou !

Tracy se représenta aussitôt son jeune neveu prêt à se lancer dans son prochain exploit de trompe-la-mort.

— Il se prend pour Zorro ? demanda-t-elle.

— Ma pauvre, tu es totalement à côté de la plaque, répliqua Meg. Zorro et consorts sont dépassés depuis longtemps. Nous en sommes à *Action Man* et aux *Power Rangers*.

Une pointe aiguë de regret transperça le cœur de Tracy. Oui, elle était à côté de la plaque, et le savait. A vingt-huit ans, elle n'était pas plus près d'avoir des enfants qu'à treize. La seule différence était qu'aujourd'hui, elle finissait par accepter l'idée qu'elle n'aurait sans doute jamais la famille dont elle rêvait à l'époque.

Travailler seule chez soi n'était pas la meilleure méthode pour rencontrer des hommes célibataires, ça, c'était sûr.

— Je ferais mieux d'y aller, reprit Meg avec un soupir excédé. Jenny porte son costume de Xena, la princesse guerrière, et elle s'apprête à défier Action Man dans un duel à mort.

Un sourire étira les lèvres de Tracy. Peut-être ne serait-elle jamais maman, mais elle adorait être tante. Et, réunion des anciens du lycée ou pas, elle grillait d'impatience à l'idée de passer quelques jours avec ses quatre neveux et nièces.

— Où sont les aînés, Becky et David ? demanda-t-elle.

— A coup sûr en train de vendre des billets pour le combat, répondit sa sœur. La moitié du voisinage a débarqué pendant notre conversation.

Soudain, un coup de Klaxon attira l'attention de Tracy qui s'approcha de la fenêtre. Une grosse Range Rover noire s'engageait dans son allée.

— A propos de débarquement, marmonna-t-elle, Rick vient d'arriver.

Elle cligna l'œil droit contre le rayon de soleil et ferma le gauche, mais ne parvint pas à distinguer le conducteur. Comme elle plissait les deux yeux, ce qui lui parut ressembler à une immense tache informe sortit de la voiture puis en ferma la portière.

— Il est comment ? s'enquit Meg.

— Flou.

— Mets tes lunettes !

Un soupir exaspéré suivit cet ordre péremptoire.

Sans quitter la masse floue du regard, Tracy lui posa la question suivante :

— Que t'a-t-il dit *exactement* quand tu lui as demandé de m'emmener à Juneport dans sa voiture ?

— Il a dit : « bien sûr », répondit Meg d'un ton patient.

Cette idée était une erreur, songea Tracy. Peut-être même une très grave erreur.

— Tu sais, reprit-elle à voix haute, Jimmy, mon garagiste, assure que ma voiture est réparée. Finalement, je devrais pouvoir conduire moi-même sans problème.

— Ah bon ? ironisa Meg. C'est celui qui l'avait déjà réparée la dernière fois ?

— Euh, oui, répliqua Tracy en fronçant les sourcils, car la masse floue s'approchait de sa porte d'entrée. Mais il a fait de gros progrès depuis.

— Je l'espère pour toi, marmonna Meg.

— C'est en forgeant que l'on devient forgeron. Et puis, il faut encourager les jeunes qui se lancent, non ?

Encore qu'encouragement ne signifiait pas confiance aveugle dans les compétences de Jimmy au point d'oser faire la route jusqu'en Oregon toute seule…

— Tu peux encore prendre l'avion, la taquina Meg.

— Oh non, se récria Tracy. Les avions pèsent bien plus lourd que l'air. Donc ils tombent. Et de très haut. Pas question que j'y mette un pied. Mais pourquoi pas le train ?

— Tracy, pour l'amour du ciel, soupira sa sœur avec impatience. Où est le problème ? De toute façon, Rick vient jusqu'à chez nous en voiture. Alors ?

Alors, rien. Rick était basé à Camp Pendleton, à

12

une trentaine de kilomètres de chez elle, donc Tracy se trouvait effectivement sur sa route vers le nord.

Camp Pendleton. Combien de fois, ces deux dernières années, n'avait-elle pas été tentée de s'y rendre pour voir Rick, en souvenir du bon vieux temps. Mais elle s'en était toujours dissuadée à temps.

Tout compte fait, elle aurait peut-être bien fait de céder à ses impulsions auparavant. Car aujourd'hui, voyager dans sa voiture lui semblerait bien moins difficile !

— Je ne sais pas, grommela Tracy, penchée vers la vitre pour tenter de l'apercevoir. Ça me fait tout drôle, c'est tout. Je ne l'ai pas vu depuis plus de dix ans. Et si on n'avait rien à se dire ? La route est longue jusqu'en Oregon.

Meg éclata de rire.

— Depuis quand discuter te pose des problèmes ?

Exact. Une fois sortie de son adolescence ingrate, Tracy avait rattrapé le temps perdu. Son père la prétendait capable d'épuiser même une statue à force de bavardages…

Bien sûr, les hommes très séduisants parvenaient encore à la mettre mal à l'aise et à lui clouer le bec. D'autant que là, il s'agissait de Rick Bennet.

Elle sentit une bonne vieille crise d'angoisse lui

13

vriller les nerfs. Et aussitôt, ses vieux démons affluè-
rent dans son mémoire. Elle frissonna.

Comme si elle devinait ses pensées, Meg
ajouta :

— Je suis certaine qu'il a oublié ta tendance
pathologique à le traquer.

— A le traquer ? s'insurgea Tracy. Je ne le traquais
pas. Je… *l'observais*. A distance respectueuse.

— C'est ça, gloussa Meg. Derrière chaque arbre
ou buisson du quartier.

Tracy se tut. Le souvenir de cette époque lointaine
réveillait aussi l'écho du tourment de ses années
adolescentes. Lorsqu'elle aimait Rick Bennet, le
petit ami de sa sœur aînée.

Provenant de l'étage inférieur du duplex, des coups
vigoureux frappés à la porte retentirent. Refermant
sa mémoire, Tracy revint au présent et décida qu'il
était temps de passer à l'action.

— Je dois y aller, Meg. A très bientôt.

Le téléphone raccroché, elle se rua dans la salle
de bains. Rick attendrait une minute. Pas question de
se présenter devant lui avec un seul verre de contact.
Si elle voulait que son Plan fonctionne, il fallait que
tout soit impeccable dès le début.

Allumant la lumière, elle récupéra la seconde
lentille et renversa la tête. Malgré déjà une semaine
de pratique avec ces fichus machins, elle avait encore

14

beaucoup de mal à se coller des objets étrangers dans les yeux.

Mais elle allait s'améliorer. Il le fallait. Ses grosses lunettes de taupe faisaient partie de l'ancienne Tracy. Celle qui n'assisterait *pas* à la réunion du lycée.

— Voilà, se dit-elle, en relevant la tête.

Elle essaya d'arrêter le clignement furieux de son œil gauche. A croire que sa paupière tentait à tout prix de retenir la lentille mal placée.

Le carillon de l'entrée — un enchaînement de cloches tintinnabulantes — retentit, insistant. Sans doute Rick s'était-il lassé de cogner sur la porte.

Maugréant entre ses dents, Tracy plaqua une main sur son œil larmoyant et se précipita vers l'escalier. Elle allait revoir Rick pour la première fois depuis des siècles, et il fallait que ce soit avec une tête de pirate borgne ! Tant pis. Pas le temps de recommencer toute l'opération « lentilles ».

Elle devait ouvrir avant que Rick ne déclenche de nouveau la stupide sonnette installée par le précédent propriétaire. Depuis son emménagement six mois plus tôt, elle n'avait pas eu le temps de la remplacer, débordée par la mise en place de son activité à son compte, puis par sa propre transformation physique pour ce qui s'annonçait comme une très intéressante réunion d'anciens élèves.

Du moins, si la chance lui souriait.

15

Dévalant les marches, elle étouffa un gros mot, tandis que son œil douloureux larmoyait sous sa paume. Elle s'interdit de le frotter, de peur d'expédier la lentille dans les confins de ce qui lui restait de cerveau.

Le carillon prétentieux résonna de nouveau, et vibrait encore lorsque, la porte enfin ouverte, elle se retrouva face à un pan essentiel de son passé.

Toujours aussi flou devant ses yeux. Mais sa mémoire en redessina aussitôt les traits, tandis que son estomac entamait une série de bonds et de galipettes. Exactement comme autrefois.

Misère ! Le voyage risquait d'être épineux…

— Tracy ?

— Salut, glapit-elle, horrifiée du son de sa propre voix.

Celle de Rick, en revanche, lui faisait toujours le même effet : une décharge électrique le long de sa colonne vertébrale. Elle déglutit péniblement, mais s'abstint de prononcer d'autres paroles dans l'immédiat. Elle se contenta de l'inviter à entrer d'un geste de sa main libre, tout en se rappelant qu'elle n'avait plus quatorze ans. L'adolescente timide et empotée de l'époque s'était muée en génie de l'informatique extrêmement sollicité pour ses capacités professionnelles.

16

En ce cas, pourquoi lui semblait-il presque sentir le cercle métallique des bagues sur ses dents ?

— Entre donc, articula-t-elle enfin, non sans peine.

La stupéfaction clouait Rick Bennet sur place. Il n'avait accepté d'emmener Tracy dans sa voiture que pour rendre service à Meg, son ancienne petite amie. Mais la Tracy de ses souvenirs ne ressemblait en rien à la femme devant lui.

Celle dont il se rappelait était timide, un peu boulotte, se rongeait les ongles, et l'agaçait prodigieusement. L'inévitable petite sœur à queue-de-cheval qu'il devait supporter dès qu'il arrivait chez les Hall pour voir Meg. La gamine qui passait et repassait vingt fois par jour devant chez lui. Qui le suivait partout comme une ombre tenace.

Or, à l'évidence, les temps — et Tracy — avaient changé.

Un élan de pure admiration virile le submergea soudain. Cela faisait longtemps qu'une femme ne lui avait pas fait un tel effet, songea-t-il. Un désir foudroyant lui cingla les reins tandis qu'il la parcourait du regard.

Les boucles légèrement ébouriffées de sa courte chevelure blonde donnaient envie d'y mêler les doigts, d'en ressentir la douceur soyeuse. Vêtue d'une longue robe d'été en mousseline jaune pâle, elle portait des sandales à fines brides lacées autour de ses pieds délicats. Ses orteils étaient vernis, et Rick nota avec surprise que l'un d'eux arborait un anneau d'argent. De longs pendentifs modernes, également en argent, étincelaient à ses oreilles, accrochant la lumière. Avec son bronzage doré qui soulignait ses cheveux clairs et ses immenses yeux bleus, la Tracy d'aujourd'hui semblait une publicité vivante de la jeunesse saine en Californie du Sud.

Rick en avait l'eau à la bouche. Et si son esprit rechignait à croire que cette créature désirable était bien Tracy Hall, son corps s'en moquait éperdument.

— Dis donc, tu es superbe, murmura-t-il.

Puis il remarqua la main de Tracy plaquée sur un œil et le fait qu'elle louchait de l'autre.

— Ouais. Une princesse pirate borgne, marmonna Tracy.

— Un problème ?

— Non, répliqua-t-elle en s'effaçant pour le laisser entrer. Juste ces sales lentilles de contact.

Voilà qui expliquait l'absence des épaisses lunettes de son souvenir, se dit Rick. Mais qu'est-ce qui expliquait le reste de la métamorphose ? Tel un papillon sorti de sa chrysalide, Tracy Hall était devenue une

18

fille sublime. Il ne parvenait pas à en détacher le regard.

— Ecoute, poursuivit-elle en claquant la porte sans lâcher sa paupière. Assieds-toi un moment dans le salon pendant que je fonce essayer de retirer ce truc sans me crever les yeux, d'accord ?

Sans attendre de réponse, elle releva l'ourlet de sa robe et escalada à toute allure l'escalier menant au deuxième étage. Rick la suivit du regard, admirant au passage ses jambes parfaites et la courbe prometteuse de ses fesses.

Cela le prit de court. Quoi ? Il était en train d'admirer le derrière de Tracy ? De la petite Tracy Hall ? La surdouée matheuse toujours fourrée dans ses bouquins ?

Incrédule, il se frotta la nuque et se dirigea vers la porte ouvrant sur le salon.

Là, il eut droit à une nouvelle surprise. Beaucoup moins sensuelle, mais néanmoins intéressante. Sans raison précise, il n'aurait pas imaginé que Tracy vive dans un cadre aussi raffiné. Deux canapés blancs se faisaient face, leur sobriété immaculée réchauffée de nombreux coussins multicolores. Une table basse en acajou brut les séparait, soutenant une pile impeccable de magazines. Une paire de fauteuils rembourrés, des petites tables design et plusieurs lampadaires complétaient le mobilier de cette pièce très spacieuse.

Des bibliothèques recouvraient entièrement deux des murs et une cheminée flanquée d'un panier de bûches occupait le dernier pan. Le parquet luisait doucement sous les rayons de soleil traversant les vitres sans rideaux qui donnaient sur l'océan.

Décidément, il n'avait pas fini de s'étonner ! En acceptant d'emmener Tracy en Oregon, il s'était attendu, Dieu sait pourquoi, à la trouver retranchée du monde dans un petit appartement sans âme. Stupide de sa part, de supposer qu'une femme adulte serait à peu près le reflet de ce qu'elle était à quatorze ans, non ? Que Tracy ait passé l'essentiel de son adolescence cachée derrière ses bouquins ne signifiait pas forcément qu'il en soit de même aujourd'hui.

Une question le taraudait : la personnalité de Tracy avait-elle autant changé que son apparence ?

Parvenue à l'étage, Tracy traversa sa chambre, se cogna la hanche contre l'angle de la commode, puis se rua dans la salle de bains en grimaçant sous la douleur. Encore un nouveau bleu, songea-t-elle. A force de marques de coups sur sa peau, les gens finiraient par croire qu'elle était une femme battue.

Pourtant, il ne s'agissait pas vraiment de maladresse. Simplement, elle était toujours pressée et en mouvement, l'attention fixée d'avance sur ce qu'elle allait faire plutôt que sur ce qu'elle faisait sur le moment.

Là, par exemple, elle pensait aux trois prochains jours, qu'elle allait passer dans une voiture — sans parler des motels le soir — en compagnie de Rick Bennet.

Posant les deux paumes bien à plat sur le bord du lavabo, elle inspira plusieurs fois, profondément. Seigneur, gémit-elle en son for intérieur, pourquoi fallait-il que ce garçon soit *toujours* aussi beau ? Pourquoi n'avait-il pas développé, au cours de ces dix dernières années, une peau ridée, des dents abîmées et des épaules voûtées ?

Son trac augmenta encore, si c'était possible. Un seul regard posé sur Rick avait suffi pour que son cœur s'emballe et que ses genoux se dérobent sous elle.

Mieux valait ne pas imaginer sa réaction s'il était arrivé dans son uniforme de marine. A cette pensée, ses orteils se crispèrent dans ses sandales toutes neuves.

Qu'est-ce qui lui plaisait tant chez Rick Bennet ? Petite fille déjà, elle l'observait en permanence et rêvait qu'il quittait sa sœur Meg pour elle. Chaque soir, elle s'endormait en embrassant son oreiller comme si elle le serrait dans ses bras. Elle remplissait des dizaines de journaux intimes en rapportant le moindre mot qu'il lui adressait — ce qui n'était guère difficile compte tenu de leurs conversations, le plus souvent limitées à « Salut, Rick » pour elle et « Salut la môme, Meg est là ? » pour lui.

N'empêche que ces maigres échanges suffisaient à échauffer le cœur romanesque d'une gamine de quatorze ans.

Tandis qu'aujourd'hui il lui avait carrément fait un compliment ! A l'évidence, son changement de look valait le prix qu'il coûtait jusqu'au dernier centime.

Fixant son reflet dans le miroir, Tracy se sourit avec ironie.

— Oh oui, tu es une véritable beauté, ma fille.

Puis elle écarquilla l'œil et parvint, après une bonne minute d'efforts, à remettre la lentille récalcitrante en place.

Tout en étudiant de nouveau son apparence flambant neuve, elle se demanda si tout cela valait vraiment le coup. Pas les lentilles, sans doute finirait-elle par s'y habituer. Non, elle commençait à douter du bien-fondé de son Plan tout entier.

Bon, mais ce genre de réunion ne se présentait pas tous les jours. En outre, elle avait entendu des tonnes de gens raconter comment, revenus dans leurs anciens lycées, ils avaient menti comme des arracheurs de dents à propos de leur réussite dans la vie. Après tout, ce n'était pas comme si elle rentrait à Juneport en prétendant être présidente des Etats-Unis ou quelque chose de ce genre...

La lumière une fois éteinte, elle revint dans sa chambre. Le soleil filtrait à travers les lamelles du store et déposait des rayures dorées sur le couvre-lit. Un peu comme le soleil à travers des barreaux de prison. Sauf que les rayures, en l'occurrence, étaient horizontales et non verticales, et qu'on n'allait pas en prison pour mensonges, n'est-ce pas ?

Un sentiment de culpabilité l'oppressa une fois de plus.

— Heureusement que tu n'as pas choisi de devenir une criminelle, grommela-t-elle à voix basse en ramassant les sacs qui jonchaient son lit. Ou une espionne. Tu n'as pas assez d'estomac pour ça, ma pauvre.

Mais enfin, qui croyait-elle berner ? Ce n'était pas l'idée de mentir à la réunion des anciens élèves qui l'angoissait autant. C'était le fait de revoir Rick. Le fait d'éprouver de nouveau à son égard les mêmes sentiments qu'autrefois. Le fait de constater que certaines choses ne changeaient pas en dépit de toutes les années passées.

S'armant de son sac de voyage, elle ploya sous son poids, puis releva la poignée de sa valise à roulettes.

Enfin, elle saisit son vanitycase de sa main libre et se dirigea vers la porte de sa chambre d'un pas lourd.

Comme celui d'un homme, ou plutôt d'une femme en l'occurrence, se dirigeant vers l'échafaud.

— Oh, Tracy, un peu de nerfs, dit-elle à voix haute.

Franchement, si elle devait passer la semaine suivante à avoir des sueurs froides à chaque pieux mensonge — pardon, à chaque *exagération* — elle n'y arriverait jamais.

Et elle ferait également mieux de surmonter les palpitations nerveuses qui l'envahissaient dès qu'elle se trouvait à portée de Rick. Il rendait service à sa sœur, rien de plus, par simple amitié. En aucun cas, il ne se trouvait à son côté en tant que petit ami. Ou amant.

Le concept Rick-amant électrisa son corps. Elle dut longuement inspirer avant de retrouver un semblant d'équilibre mental. Enfin un peu plus sous contrôle, elle releva le menton et se sermonna à voix haute :

— Tu peux le faire. Il ne s'agit que d'un tête-à-tête de quelques jours avec lui. Ensuite, tu ne le reverras plus pendant dix nouvelles années. Rien de bien difficile.

Quelque chose lui disait que cette phrase méritait de figurer dans son journal intime sous la rubrique « dernières paroles historiques ».

24

2.

Les kilomètres défilaient à toute vitesse. Quelques heures auparavant, la voiture de Rick avait quitté l'agglomération encombrée de Los Angeles, et ils roulaient depuis à vive allure sur une autoroute bordée de champs et de cultures. Orangers et pommiers succédaient aux vignes et aux pistachiers. A mesure qu'ils s'éloignaient de la ville, le ciel semblait plus bleu, le soleil plus vif et l'air plus pur.

Tracy regardait défiler le paysage, notait au passage les bosquets de vieux chênes de Californie — maintenant officiellement protégés — sur les flancs des collines. Des fermes disséminées apportaient de temps à autre des touches de couleur à tout ce vert rafraîchissant. Plus la distance entre sa maison et son travail s'étirait, plus elle se détendait sur le siège capitonné de la Range Rover de Rick.

Finalement, ce n'était pas si terrible, se dit-elle. En fait, le voyage s'était révélé jusqu'ici plutôt agréable.

Elle n'avait pas bégayé une seule fois au cours de la conversation, et s'était presque habituée à se retrouver dans un espace aussi confiné avec Rick.

Bon, bien sûr, elle se sentirait encore mieux s'il n'était pas là du tout.

Elle lui décocha un regard en biais. Les deux mains fermement posées sur le volant, il fixait la route avec attention. Mais même de profil, sa séduction suffisait à inciter les fantasmes les plus fous chez n'importe quelle femme moins sensible à son charme qu'elle.

Malgré leur coupe toute militaire, ses cheveux châtains très courts gardaient la trace des mèches souples d'autrefois. Des lunettes d'aviateur à verres miroir masquaient ses yeux d'un vert intense. Même assis, on remarquait sa haute taille, et son polo bleu marine moulait un torse puissant, preuve que la musculation ne constituait pas pour lui un passe-temps occasionnel.

Elle laissa son regard s'abaisser subrepticement vers le jean délavé et les chaussures de bateau qu'il portait. Seigneur, quel homme magnifique !

Retenant un gémissement de convoitise, elle ramena fermement les yeux sur la route.

— L'inspection est terminée ? s'enquit Rick d'un ton placide.

— Pardon ?

— J'ai réussi l'examen de passage ?

Son expression ironique prouvait qu'il n'était pas dupe de la feinte incompréhension de Tracy, dont l'examen furtif ne lui avait pas échappé. Elle prit un air contrit.

— Ah, tu as remarqué ?

— La discrétion n'a jamais été ton fort, Tracy Hall, dit Rick tandis qu'un demi-sourire relevait un coin de sa bouche.

— Toujours pas, admit-elle en se tournant vers lui. Mais aujourd'hui, je ne me cache plus derrière les arbres.

Le sourire de Rick s'élargit.

— Quoi qu'il en soit, poursuivit-elle, je constate que tu n'as pas beaucoup changé, depuis tout ce temps.

— Tandis que toi, si, objecta Rick, qui lui décocha un regard appréciateur. Tu es magnifique, maintenant.

— Merci *quand même*.

Rick émit un rire bref.

— Oh, excuse-moi, ce n'est pas ce que je voulais dire.

— C'est bon. Je sais ce que tu voulais dire, trancha Tracy, repoussant avec impatience une mèche que le vent venant de la fenêtre ouverte rabattait dans ses yeux.

Elle devrait être contente, songea-t-elle. Après tout, la Tracy qu'il voyait était précisément celle qu'elle voulait montrer à tout le monde, non ? Changée. Belle. Différente de l'ingrate adolescente binoclarde de Juneport, autrefois. Alors, pourquoi le fait que Rick admirait l'image qu'elle avait élaborée avec tant d'efforts, l'agaçait-il autant ?

Peut-être parce qu'au fond, elle aurait voulu qu'un homme soit attiré par la vraie Tracy Hall. Comment ne pas se demander ce qu'elle aurait ressenti si Rick l'avait trouvée belle telle qu'elle était d'habitude, en jeans et T-shirt ?

La voix de Rick l'arracha à ses interrogations.

— Alors, pourquoi ce retour aux sources ? demanda-t-il en baissant le volume de la radio.

— Probablement pour les mêmes raisons que toi. Voir la famille. Retrouver les vieux copains. Vérifier que le lycée est aussi horrible que dans mon souvenir.

— Horrible ? répéta Rick, incrédule. J'ai toujours cru que tu adorais l'école.

— Pourquoi ? Parce que je passais ma vie dans les bouquins et que je collectionnais les bonnes notes ?

— Eh bien, oui.

Elle soupira, tout en admettant que c'était une hypothèse bien naturelle de la part de Rick. Il n'aurait jamais envisagé qu'elle passe autant de temps à étudier parce qu'elle était trop timide pour se faire des amies, et trop mal dans sa peau pour attirer les garçons. En fait, l'école s'avérait être le seul endroit où elle brillait, ce qui contribuait largement à la fierté de ses parents, mais aussi à sa réputation de première de la classe ringarde. Bien entendu, sauter une année avait scellé son destin : la plus jeune élève, si brillante soit-elle, était forcément une petite fayotte niaise et infréquentable. Chaque fois qu'un prof la citait en exemple, le ressentiment des autres à son égard montait d'un cran.

A l'époque, sa seule véritable amie était sa sœur Meg, ce qui rendait sa passion pour Rick encore plus embarrassante…

— J'ai eu ma mère au téléphone la semaine dernière, reprit Rick, l'obligeant à reporter son attention sur le présent. Il paraît que Meg attend encore un bébé ?

Tracy acquiesça, tandis que son cœur se gonflait d'un mélange d'excitation et d'envie. Elle repoussa fermement ce dernier sentiment dans les oubliettes de son âme. Comme elle aurait aimé être mère, elle aussi !

— Ça lui en fait combien ? poursuivit Rick.

— C'est son cinquième, répondit Tracy, savourant d'avance le bonheur de cajoler un nouveau nourrisson.

Rien ne lui plaisait tant que la sensation d'un petit corps tiède et doux contre sa poitrine. Elle prendrait quelques jours de vacances lorsque le futur neveu — ou nièce — naîtrait, afin de profiter pleinement de son statut de tante. Et d'assouvir un peu son envie frustrée de dorloter un bébé.

— Cinq gosses ! s'exclama Rick après un long sifflement.

— En quoi ça te gêne ? s'insurgea-t-elle, aussitôt sur la défensive.

— Eh, du calme, Tatie Tracy. J'ai juste un peu de mal à imaginer Meg — ou John, par la même occasion — avec cinq mômes.

Tracy baissa un peu la garde.

— Ah bon, je pensais que tu sous-entendais autre chose. Tu sais, tellement de gens critiquent le fait qu'elle ait autant d'enfants. A mon avis, cela ne regarde que John et elle. D'ailleurs, qui a décrété que la famille idéale se limitait à 2,5 enfants ?

— Pas moi, gloussa Rick. Même si je ne vois aucun intérêt à avoir des enfants. Comme tu dis, ça les regarde.

— Tant mieux. Parce que je suis certaine que Meg tiendra à te présenter sa progéniture au complet.

Les yeux de Rick, soudain tout pâle, s'agrandirent au point de ressembler à ceux d'un gibier traqué. Apparemment, l'idée d'être au milieu d'une brochette

30

d'enfants terrifiait ce redoutable marine. Encore un célibataire endurci, songea Tracy avec un soupir de regret. Non qu'elle ait jamais eu une chance de devenir mère avec lui, de toute façon. Mais elle voulait un homme avec les mêmes envies qu'elle. Une maison pleine d'enfants. Et un bon gros chien plein de poils.

— Tu meurs d'envie de revoir tes neveux, hein ?

— Ça se voit tant que ça ? s'étonna-t-elle.

— Oh, oui ! répliqua Rick. Dès que tu en parles, ton visage s'éclaire et tes yeux brillent.

— Je suis une tante en or.

— Je n'en doute pas.

Rick devinait que Tracy excellait dans tout ce qu'elle entreprenait. Mais elle avait toujours eu le cœur tendre. Et même si le souvenir de l'enquiquineuse primait, il se rappelait également combien elle était intelligente. Comme il lui revenait clairement à l'esprit le sentiment d'humiliation qu'il ressentait lorsque, à peine âgée de quatorze ans, elle lui donnait des cours de géométrie. Sans son aide, il serait encore assis dans la classe de M. Molino, s'efforçant de déchiffrer les signes kabbalistiques tracés sur le tableau.

A l'époque, la seule chose qui l'intéressait, hormis jouer au football, était de passer un maximum de temps avec Meg. Elle avait été son premier grand amour, et il avait cru dur comme fer qu'ils vivraient ensemble le reste de leurs vies.

Un profond soupir lui échappa comme il se remémorait la nuit où ce rêve s'était brisé. C'était le lendemain de la remise des diplômes de fin d'études. Meg et lui devaient se retrouver dans le gymnase du lycée, et de là gagner Reno pour s'y marier. Un projet stupide, estimait-il aujourd'hui, mais tellement romantique, sur le moment !

Sa valise bouclée, toutes ses économies en poche, il s'était garé sur le parking du gymnase pour l'attendre. Les heures passant, il avait d'abord pensé qu'elle n'avait pas réussi à s'échapper de la maison. Puis il lui avait trouvé d'autres excuses, plus complexes, avant de finir par s'endormir sur le volant. Lorsque l'aube l'avait réveillé, Meg ne l'avait toujours pas rejoint.

Bien sûr, il s'était aussitôt précipité chez elle, convaincu que seule une jambe cassée ou une fièvre brutale l'avait empêchée de venir à leur rendez-vous. Quelle n'avait été sa surprise en la voyant sortir tranquillement à sa rencontre !

Des années plus tard, il entendait encore la voix teintée de regrets de Meg.

— Désolée, Rick. Je n'ai pas pu le faire.

— Pourquoi ? avait-il demandé en tendant la main vers elle, mais Meg avait vivement reculé.

— Je ne peux pas vraiment t'expliquer. Ça ne me semblait pas une bonne idée, c'est tout.

— Bien sûr que si, c'est une bonne idée, avait-il plaidé. Puisque nous nous aimons.

Une larme au coin des yeux, Meg avait hoché la tête.

— Non. Je ne peux pas t'épouser. Pas maintenant. Pas comme ça.

— Quand, alors ?

— Rick, je t'en supplie, comprends-moi, avait-elle murmuré. Je ne… je ne peux pas…

Ensuite, elle s'était détournée et avait fui dans la maison.

Resté seul dans le silence matinal, il avait ramassé les morceaux de son cœur brisé, les avait drapés dans sa fierté meurtrie, puis avait ramené ses dix-huit ans blessés chez lui. Le lendemain, il était parti très tôt, et avait passé l'été à travailler le plus loin possible de Juneport, Oregon.

Meg lui avait écrit plusieurs mois plus tard, s'excusant de nouveau de l'avoir déçu avant de lui annoncer qu'elle s'était fiancée avec son meilleur ami, John Bingham.

Rick pensait aujourd'hui qu'elle leur avait à tous deux rendu un fier service en ruinant leurs projets.

Certes, les blessures d'amour saignent beaucoup, mais lorsque l'on est jeune, elles cicatrisent vite.

Après la fac, il avait intégré le corps des marines en tant qu'officier. Il adorait son métier. Il adorait sa vie. Et de temps à autre, il remerciait mentalement Meg d'avoir autrefois fait preuve de plus d'intelligence que lui.

En outre, s'imaginer qu'il aurait pu être à la place de John et avoir fabriqué *cinq* gosses ? Tatie Tracy pouvait dire ce qu'elle voulait, l'image d'une couvée de cinq enfants le faisait frémir.

Il n'était pas pressé de se marier et à trente-deux ans, il avait soigneusement évité les affres d'une liaison à long terme. Non qu'il soit contre l'idée du mariage. D'ailleurs, ne venait-il pas d'une longue lignée de mariages heureux ? Aucun couple n'avait jamais divorcé dans sa famille, et il n'avait aucune intention d'être le premier à rompre cette belle tradition.

Mais Dieu savait qu'il était bien placé pour connaître l'impact de la vie militaire sur la vie conjugale. Dans l'armée, les relations se désagrégeaient avec une régularité d'horloge. Il ne risquait pas de se marier alors qu'il savait pertinemment ne pas être en mesure d'offrir à son épouse toute l'attention et le dévouement qu'elle était en droit d'attendre. Car il était un marine avant tout. Ce que peu de femmes pouvaient comprendre, encore moins accepter.

Tracy le tira de ses rêveries en l'interrogeant sur ses frères.

— Aucun des deux n'a fait de toi un oncle ?

L'idée le fit éclater de rire.

— Grands dieux, non ! Il n'existe pas une femme au monde capable de supporter l'un ou l'autre.

— Je vois, commenta-t-elle avec un sourire entendu.

Avait-elle déjà cette ravissante fossette autrefois ? se demanda Rick après un coup d'œil furtif.

— Ils sont marines aussi, n'est-ce pas ? poursuivit Tracy.

— Oui. Andy est lieutenant, et Jeff, officier d'artillerie. Rien d'étonnant à cela, avec un père sergent-chef à la retraite ! Tous deux rentrent aussi à la maison pour assister à la réunion du lycée.

— Tu as hâte de les voir, hein ?

— Ah ça oui ! s'exclama Rick. Cela fait des années que la famille Bennet ne s'est pas retrouvée au complet.

Tracy acquiesça en riant, et Rick sourit au son doux, flûté de son rire. Puis quelque chose en lui se figea lorsqu'il comprit qu'il appréciait pleinement ce moment.

En compagnie de Tracy.

Brusquement agacé, il se somma de ramener son attention sur sa conduite plutôt que sur les fantasmes ridicules qui commençaient à tourbillonner dans son esprit.

— Tu te rappelles quand Andy a oublié sur la plage le vélo qu'il t'avait piqué, reprit ensuite Tracy, et que la marée l'a emporté ?

Soulagé de détourner ses pensées sur un terrain moins… sensible, Rick gloussa doucement.

— Tu t'en souviens aussi ? Il me doit toujours trente-cinq dollars pour ce vélo, d'ailleurs. J'avais distribué des journaux pendant des mois et des mois pour me l'offrir.

— Pauvre chou, le taquina Tracy.

— Tu ne compatis guère, on dirait.

— Evidemment non, s'esclaffa-t-elle. C'est un de mes meilleurs souvenirs. Ce jour-là, ton frère m'a emmenée faire un tour, assise sur le guidon. J'étais avec lui quand le vélo est parti pour sa dernière grande traversée.

— Tu te fiches de moi ?

— Je ne me permettrais pas, protesta Tracy en redoublant de rire. Andy et moi avons poursuivi à la nage cette bicyclette de malheur, mais Neptune devait avoir besoin d'un nouveau moyen de transport, parce qu'elle a très vite sombré dans l'océan.

Rick tenta d'imaginer la gamine nageant derrière

36

son vélo, mais l'image ne collait pas du tout avec la femme assise à côté de lui.

— Andy ne m'a jamais raconté ça, marmonna-t-il.

— Un criminel ne balance jamais ses complices, ironisa Tracy.

— Sauf aujourd'hui ?

Elle hocha la tête, toujours hilare.

— Mettons qu'il y a prescription, depuis le temps.

— C'est ton point de vue, Pop-corn, riposta Rick, retrouvant sans réfléchir le surnom dont il l'avait affublée des années plus tôt. Je vais pouvoir régler mes comptes avec chacun de vous deux. Tu me dois dix-sept dollars cinquante.

Mais Tracy resta silencieuse.

— Quelque chose cloche ? la pressa-t-il. Tu refuses de payer, c'est ça ?

Comme elle ne disait toujours rien, Rick lui décocha un regard en biais. Elle avait un air troublé et étonné à la fois.

— Tu m'as appelée Pop-corn, murmura-t-elle enfin.

— Oui, c'est vrai, gloussa Rick.

Etrange, d'ailleurs. Il n'avait pas repensé à ce surnom depuis des années. En revanche, il se souvenait très bien de son origine : chaque été, sous l'effet du soleil, des taches de rousseur couleur maïs soufflé semblaient éclater sur les joues rondes et le nez de Tracy. Il se rappelait aussi que l'adolescente n'appréciait guère qu'il se moque ainsi d'elle.

Après un nouveau coup d'œil, il s'éclaircit la gorge.

— Excuse-moi. Ça m'a échappé, je ne sais pas pourquoi.

— Oh, ne sois pas désolé, répliqua Tracy en lui mettant une main sur le bras.

Les yeux de Rick regardèrent furtivement les longs doigts fins posés sur sa peau tannée. Le contact l'électrisa, dispersant une foudre brûlante au plus profond de son corps. Simple réaction virile devant une jolie femme, se dit-il, la bouche sèche. Mais il savait fort bien qu'il ne s'agissait pas uniquement de cela. Tracy retira sa main beaucoup trop tôt à son goût, et même lorsqu'elle ne le toucha plus, la surprenante fébrilité perdura en lui.

Il baissa sa vitre, dans l'espoir que l'air frais apaise quelque peu la pulsion sexuelle qui le consumait soudain.

— Seigneur, cela fait cent ans que je n'ai plus pensé à ce nom, murmura Tracy comme pour elle-même.

— Et moi, je ne sais pas pourquoi il m'est revenu.

38

Mal à l'aise, il remua sur son siège. Non, les sentiments qu'il éprouvait actuellement n'avaient rien à voir avec la Tracy d'autrefois.

— En fait, reprit celle-ci, je ne t'ai jamais avoué l'importance de ce surnom pour moi.

Sa voix basse et pensive incita Rick à rejoindre la file de droite. Profitant de la circulation moins dense, il jeta un autre regard à la Tracy d'aujourd'hui. Ses yeux bleus se perdaient dans le vague. Chatoyants comme une eau limpide. Terriblement beaux. Trop.

— Si je me souviens bien, tu m'en voulais à mort, en ce temps-là, souligna-t-il, se détournant des prunelles fascinantes.

— Oh, bien sûr, admit Tracy. Je jouais les gamines offensées. Il faut dire que mes taches de rousseur ressortaient monstrueusement après deux heures au soleil. Meg obtenait toujours un bronzage de rêve, alors que moi, je devenais hideuse.

— On dirait que ça s'est plutôt arrangé, de ce côté-là, remarqua Rick en observant le subtil hâle doré.

— Pas vraiment, avoua-t-elle. Simplement, les taches de rousseur ne surgissent plus sur mon visage, maintenant.

Aussitôt, Rick s'imagina en quels autres endroits de son corps se cachaient les mystérieuses taches de son. Il sentit son pouls s'accélérer, et réprima un gémissement.

Bon sang, qui aurait pensé que la petite Tracy Hall serait capable de chambouler ses hormones ?

— Mais lorsque tu m'appelais Pop-corn…, poursuivit-elle.

— Ce n'était pas très sympa de ma part. Mais je n'étais qu'un ado, la coupa Rick pour se justifier.

— … j'adorais ça.

Il ralentit derrière un semi-remorque.

— Vraiment ?

— Oh oui, affirma Tracy, qui repoussa à deux mains ses boucles blondes en arrière, lui offrant ainsi la courbe délicate de sa gorge, tandis que les boucles d'argent scintillaient au soleil. Tu comprends ? Moi, j'avais enfin le sentiment que tu me remarquais, pour une fois.

Rick songea qu'en ce moment même, il la *remarquait* tout à fait, mais qu'elle ne semblait même pas s'en apercevoir.

— Oh si, je te remarquais, Tracy, protesta-t-il. Difficile de faire autrement compte tenu des milliers d'allers-retours que tu faisais avec ton chien devant chez moi.

Un sourire exquis sur ses lèvres pleines, elle releva vers lui des yeux rieurs.

— Comme à mon habitude, toujours aussi discrète,

hein ? En tout cas, lorsque ta mère t'a interdit de m'appeler Pop-corn, j'ai cru que mon cœur se brisait en mille morceaux. Il m'a bien fallu trois pleines pages de journal intime pour y coucher mon chagrin.

Rick eut un petit rire étranglé.

— Tu aurais dû me le dire. Cela m'aurait évité une semaine de sermons.

— Eh, plaida Tracy en écho à son excuse quelques instants auparavant, je n'étais qu'une ado.

« Plus maintenant », faillit-il répliquer, mais il parvint, Dieu sait comment, à se retenir. Bon sang, il ne s'était pas senti dans un état pareil depuis qu'il était ado lui-même.

Ses mains étaient moites, son cœur bourdonnait à ses oreilles, et il se demandait vraiment si le destin ne lui jouait pas un drôle de tour... Car, dix ou quinze ans plus tôt, il avait été l'objet involontaire du désir de Tracy — du moins, un certain temps. Or, il semblait aujourd'hui que les rôles se fussent inversés.

— Où allons-nous ? demanda Tracy comme il dirigeait la voiture sur une voie de sortie.

— Faire le plein d'essence. Nous pourrions en profiter pour manger quelque chose.

Et surtout quitter un moment cette voiture, marcher un peu pendant qu'il en était encore capable, compléta-t-il pour lui-même. La nuit était loin de tomber, et ils rouleraient encore plusieurs heures avant de s'arrêter pour la nuit dans un motel.

« Un motel. Avec Tracy ». A cette pensée, il réprima difficilement un gémissement sourd.

Bon sang ! La situation finissait par devenir risible.

— D'accord ! Et pour notre première soirée sur la route, c'est moi qui invite, déclara-t-elle.

Rick se gara devant la station-service, puis adressa à Tracy un sourire qu'il espéra naturel.

— A condition que le repas vaille au moins dix-sept dollars cinquante.

— Marché conclu.

3.

La cafétéria de la station-service était bondée, signe que la nourriture valait mieux que le décor. Du moins l'espérait Tracy qui, affamée, trompait son impatience en parcourant la salle du regard.

Des panneaux de bois sombre recouvraient les murs, et des corbeilles aux couleurs criardes pendaient du plafond, dégoulinant de lierre en plastique. L'ambiance se prétendait western au moyen de sombreros aux teintes farfelues cloués aux murs, ainsi que des roues de chariot déguisées en chandeliers, dont les ampoules en forme de bougies dispensaient au lieu une chiche lueur de cave.

Néanmoins, la serveuse se révéla chaleureuse, et prit leur commande avec diligence. Lorsqu'elle retourna vers la cuisine, Tracy en profita pour contempler Rick tout son soûl.

Plusieurs heures en sa compagnie ne lui avaient pas suffi pour se repaître de son visage. Aussi, examina-t-elle de nouveau la ligne ferme de sa mâchoire, celle de son nez droit, l'intensité de ses yeux verts pailletés d'or, sans parler de son sourire à l'effet absolument ravageur.

Elle était étonnée d'être aussi troublée par son sourire, persuadée que le poids des années aurait depuis longtemps étouffé son ancienne passion pour lui. Eh bien, elle devait admettre qu'il n'en était rien !

Assise devant lui, elle sentait le feu repartir de plus belle. Sauf qu'aujourd'hui, elle percevait des sensations encore plus puissantes, plus vives. Et aussi, bien plus... précises, devait-elle admettre, maintenant qu'elle était devenue adulte, et savait mieux comment définir les émotions qu'elle ressentait au creux de son ventre.

La serveuse efficace déposa deux verres de thé glacé devant eux avant de disparaître de nouveau dans la cuisine. Eprouvant le besoin urgent d'occuper ses mains, Tracy agrippa l'énorme gobelet comme un homme qui se noie agrippe une bouée. Elle le tourna et le retourna entre ses paumes, dessinant une succession de ronds humides sur la table en Formica.

Pourvu que la fraîcheur du thé apaise quelque peu la lave brûlante qui courait dans ses veines !

— Bon, commença Rick.

— Bon, répéta-t-elle en écho.

Bizarre, non ? La conversation ne leur avait posé aucun problème dans la voiture. Alors, pourquoi une telle gêne, à présent ? Parce qu'être assis l'un en face de l'autre dans un restaurant ressemblait à un dîner en tête à tête ?

Afin de se prouver que son imagination faisait fausse route, elle enchaîna :

— Tu disais que Jeff et Andy n'étaient pas mariés. Et toi ?

— Moi non plus, répondit posément Rick après une gorgée de thé glacé.

Ce fut seulement lorsqu'elle recommença à respirer que Tracy comprit qu'elle avait retenu son souffle en attendant sa réponse. Un frisson de jubilation la parcourut. Même si elle savait qu'il s'agissait là d'un bonheur illusoire, elle n'avait pas la moindre envie d'entendre parler d'une sublime petite amie. Et encore moins d'une fiancée ou, pire, d'une épouse.

— Evidemment, maman nous bassine à propos de petits-enfants, depuis quelques années, poursuivit Rick avec un rire contrit. Mais je crains qu'elle ne soit déçue, du moins dans un futur proche. Je ne vois ni Jeff ni Andy jouant les papas.

— Et toi ?

— Comment ça, moi ?

— Tu ne veux pas d'enfants ? lança Tracy malgré

elle, avant de se ressaisir. Oh, pardon, cela ne me regarde pas.

A peine avait-elle énoncé cette phrase qu'elle ne put s'empêcher de se représenter un Rick version miniature plus craquant encore que son papa.

La version adulte lui décocha un sourire désarmant.

— En principe, il faut être marié pour avoir des enfants. Or, comme je n'ai pas l'intention de me passer la bague au doigt, je suppose que je ne veux pas d'enfants non plus.

Tracy repoussa la pointe de déception qui lui pinça le cœur. En quoi le fait que Rick veuille ou non des enfants la concernait-il ? En rien, se sermonna-t-elle. Mais elle aimerait bien savoir *pourquoi* il se disait si opposé au mariage. Elle avait le droit à une simple curiosité, non ?

La question lui échappa malgré elle.

— Tant qu'à me montrer indiscrète, qu'as-tu contre le mariage ?

— Oh, je n'ai rien contre l'idée en général, répliqua Rick. Mais pas pour moi.

— Il y a une raison ?

— Plein de raisons, répondit-il d'un ton désinvolte. Peut-être suis-je simplement trop vieux.

A ses yeux, Rick avait vieilli comme du bon vin. Plus fort, plus charpenté. Développant toute la plénitude de ses qualités. Cette comparaison lui fit monter le rouge aux joues. De nouveau, elle tenta de faire preuve d'objectivité, et revint à un bavardage anodin entre deux connaissances de longue date — à défaut d'amis.

— Tu as trente-deux ans, Rick. Ce n'est pas encore l'âge de Mathusalem.

— Merci quand même, riposta-t-il en souriant.

— Alors quelle est la vraie raison ?

Et pourquoi tenait-elle tant à savoir, à la fin ?

Rick l'étudia durant un long moment, comme s'il se demandait s'il allait lui répondre franchement ou non. Enfin, il déclara simplement :

— J'ai déjà prêté serment.

Tracy le regarda d'un air interrogatif. Rick ajouta alors d'une voix égale :

— Aux marines.

Tracy en fut étonnée. Quel rapport entre son engagement dans l'armée et son refus du mariage ?

— Etre marine et avoir une famille sont incompatibles ?

— Non, si c'est avec la bonne épouse, répondit Rick.

— Soit. Et c'est quel genre, la bonne épouse ?

La réponse l'intéressait bien plus qu'elle ne l'admettait, mais ça, Rick n'avait pas besoin de le savoir.

— Ah, répliqua Rick, s'adossant à la paroi du box.

Une fille qui se moque de déménager tous les trois ans ou presque. Qui supporte les absences fréquentes de son mari. Certains régiments sont envoyés pour des missions de six mois. Sans que les familles suivent, bien entendu. Tu serais surprise d'apprendre combien d'épouses s'en plaignent.

Après une nouvelle gorgée de thé, il leva les yeux vers le plafond et grimaça en détaillant une des ignobles plantes en plastique qui en pendouillait.

Sans le quitter du regard, Tracy songea que si une femme épousait un militaire, elle le faisait en connaissance de cause. Et que par conséquent, elle n'avait aucun droit de critiquer ou de se plaindre des exigences de son métier, n'est-ce pas ?

Mais qu'en savait-elle, après tout ? Si l'idée de voyager dans le monde entier — en bateau, surtout pas en avion — lui plaisait, elle comprenait que certaines femmes n'y trouvent aucun épanouissement.

— En fait, conclut Rick, la vie militaire peut soit renforcer, soit détruire un mariage.

— Et tu refuses de prendre le risque ?

— Exact. J'ai entendu trop de copains se lamenter sur la fin de leurs couples. Non seulement ils sont malheureux comme les pierres…, mais la vie de leurs enfants est ruinée aussi. Non merci, ajouta-t-il en regardant Tracy droit dans les yeux. Ce n'est pas pour moi. Je ne veux pas être le premier de ma

48

famille à divorcer. Et il est hors de question que je fasse des enfants pour me retrouver ensuite obligé de me battre afin d'obtenir un droit de garde partagé.

— Tous les mariages ne finissent pas ainsi, tout de même, objecta doucement Tracy.

— Bien trop à mon goût.

— Mais il y a au moins autant qui réussissent, non ?

— Oui, admit Rick. J'ai quelques amis qui sont mariés depuis toujours. Mais leurs épouses n'ont pas l'existence facile. Vivre sur la base est déjà une épreuve en soi, ajouta-t-il en secouant la tête. D'abord, on n'est jamais sûr de trouver un logement disponible. Et quand c'est le cas, il date le plus souvent de la Seconde Guerre mondiale. Voire de la Première. Bref, rien d'une maison de rêve.

Sans doute était-elle une indécrottable romantique, mais Tracy se demandait si l'endroit où l'on vivait comptait plus que *la personne* avec qui l'on vivait.

— Peut-être, riposta-t-elle. Mais tu as toi-même grandi sur beaucoup de bases différentes. Cela t'a perturbé ?

— Pas du tout, admit Rick avec un petit sourire. Au contraire, mes frères et moi trouvions ça plutôt drôle. Pas toujours évident pour se faire des copains, mais nous étions déjà trois ensemble. D'accord, nous changions très souvent d'école. Mais du coup, nous n'avions pas le temps de nous mettre des profs à dos avant de repartir pour un nouveau territoire.

— Jusqu'à votre arrivée à Juneport ?

— Exact. Lorsque papa a quitté l'armée, cela nous a beaucoup coûté, au début, avoua-t-il en reprenant son gobelet de thé. En fait, il nous a paru longtemps plus difficile de rester au même endroit que de déménager tout le temps.

Tracy se retint de sourire. Difficile pour lui, peut-être. Mais le jour où les Bennet s'étaient installés dans le même pâté de maisons que les Hall, restait pour elle un des temps forts de son adolescence. Evidemment, pas question de l'avouer tout haut. Rick se souvenait déjà suffisamment bien d'elle gamine l'observant sans cesse comme un vieux chien devant son maître.

Elle préféra lancer d'un ton ironique :

— Ah, c'est sûr ! Tu avais soudain tout le loisir de t'attirer les foudres des profs. Comme celles de M.Molino, par exemple.

Rick leva les yeux au ciel de manière exagérée.

— Seigneur ! La géométrie. J'en fais encore des cauchemars.

Etrange de constater à quel point deux personnes percevaient une même situation de façon différente. Pour sa part, elle avait toujours éprouvé de la gratitude envers la nullité de Rick en mathématiques. Ces séances de tutorat mises en place entre élèves au lycée lui avaient permis de l'avoir pour elle seule, et largement alimenté ses rêves de gamine de quatorze ans.

— Bon, assez parlé de moi, conclut brusquement Rick en plantant ses yeux dans les siens. Et toi, que deviens-tu ? Meg affirme que tu es une sorte de superstar de l'informatique.

Ainsi, il avait interrogé Meg à son sujet ? Pourquoi se serait-il intéressé à la petite crétine de son souvenir ?

— Non, pas vraiment, objecta-t-elle avec modestie. Je crée des logiciels et des jeux pour ordinateurs.

— Mais encore ? protesta Rick. Tu ne t'en sortiras pas comme ça. Tu m'as tiré les vers du nez. A ton tour, maintenant. Raconte-moi exactement ce que tu fais.

Ne sachant pas si la requête de Rick relevait d'un réel intérêt ou de la simple politesse, elle lui fit un bref résumé de son travail. Puis, comme il insistait sur certains points, elle s'enflamma sur le sujet, et dépassa probablement le niveau d'informations qu'il attendait. Les subtilités de l'informatique la passionnaient tellement !

Mais en voyant soudain le regard vert devenir vague,

elle comprit qu'une fois encore, la même chose se reproduisait. Elle se serait donné des claques !

Elle aurait dû s'en douter : ça ne ratait jamais ! Chaque fois qu'un homme l'interrogeait sur son métier, son enthousiasme pour son travail finissait par l'emporter, et son interlocuteur par s'endormir.

Et ayant ainsi prouvé combien elle était barbante, elle se voyait rarement proposer un second rendez-vous, et sa vie privée restait un désert. Ce qui, à vingt-huit ans, commençait à l'inquiéter sérieusement.

Aussi comprit-elle qu'elle devait conclure rapidement son exposé. Elle n'eut aucun mal à y réussir dès lors qu'elle se remémora avec fermeté que « la bête en informatique » qu'elle était ne faisait pas partie du voyage vers sa ville natale. C'était la nouvelle, la passionnante, la *séduisante* Tracy qui se rendait en Oregon. A condition qu'elle trouve le moyen d'y parvenir, saperlipopette !

— Eh bien, dis donc, murmura Rick avec admiration.

— Excuse-moi, dit-elle en baissant les yeux sur son thé glacé. J'ai parfois tendance à déborder un peu quand il s'agit de mon travail.

— Eh bien, acquiesça Rick, moi aussi. Je suis incorrigible et pourtant, je devrais savoir que les femmes ont peu d'intérêt pour les dessous de la carrière militaire, en général.

52

Tracy lui décocha un sourire reconnaissant, et son embarras disparut, faisant place à un doux sentiment de complicité. Rick comprenait que l'on puisse aimer son travail au point d'en parler pendant des heures.

Le silence s'installa pendant quelques secondes, nullement pesant.

— Bon, reprit Rick après un instant, les maths et tout ce qui en découle, notamment l'informatique, ne sont toujours pas mon fort. Je dois t'avouer que je n'ai pas compris la moitié de ce que tu m'as raconté…

Tracy sentit son moral retomber dans ses chaussettes. Avec cette remarque, Rick, la faisait se sentir un phénomène de foire. Un sentiment qu'elle ne connaissait que trop bien. Pourquoi ne se faisait-elle pas tatouer « crack en maths » ou « monstre d'informatique » sur le front ? Cela aiderait les hommes à mieux l'éviter.

— … n'empêche que tu m'as vraiment impressionné, ajouta-t-il.

— C'est vrai ?

Incrédule, elle étudia son visage, à la recherche d'un signe révélateur de simple politesse. Ou, pire encore, de pure curiosité devant la fascinante et surdouée bête de laboratoire.

Mais non. Seule l'admiration éclairait le regard de

Rick. Décontenancée par cette réaction inhabituelle, elle ne sut plus quoi dire.

— J'en déduis donc que tu as un poste de très haut niveau dans une énorme boîte de logiciels ? poursuivit Rick.

— Pas du tout. Je suis à mon compte.

Non qu'on ne lui ait pas proposé des ponts d'or pour intégrer une grosse entreprise, bien au contraire. Mais, comme disait souvent sa mère, elle préférait jouer seule dans son coin. En outre, elle n'aimait guère les horaires plan-plan et les structures trop rigides. Sa nature la portait plutôt à travailler par à-coups effrénés mais enthousiastes, laissant libre court à des inspirations créatrices qui survenaient le plus souvent vers 1 heure du matin.

La mimique de Rick était on ne peut plus explicite.

— J'ai toujours trouvé que tu étais la plus intelligente de nous tous, déclara-t-il. Ainsi, tu es ton propre patron ?

Une fierté inhabituelle envahit Tracy.

— Oui, et c'est génial. Je travaille chez moi, sans avoir de comptes à rendre ni d'uniforme de cadre sup' à enfiler.

Rick lui jeta un regard, appréciant d'un rapide coup d'œil la ravissante tenue estivale.

54

— Je te comprends. Pourquoi irais-tu gâcher une allure pareille avec un uniforme ?

Une nouvelle sensation déferla en elle, non de fierté, cette fois, mais de plaisir purement féminin. Oh, bien entendu, si Rick la voyait dans sa *véritable* tenue de travail — un vieux blue-jean et un maxi T-shirt — sans doute n'en dirait-il pas autant. Mais pour la dizaine de jours à venir, et surtout pendant la fête du lycée, cette bonne vieille Tracy Hall avait été mise au rancart. Il n'y avait que la nouvelle version améliorée — c'est-à-dire une jeune femme qui était passée entre les mains de plusieurs professionnels du relooking : une conseillère de mode, une maquilleuse géniale et le meilleur coiffeur qu'elle ait trouvé. Mais ça, elle n'était pas obligée d'en informer quelqu'un ! D'autant plus que cette démarche, à en croire le regard de Rick, valait amplement la somme que cela lui avait coûté.

Aussi ignora-t-elle délibérément la petite part en elle qui aurait souhaité qu'il porte le même regard sur la *vraie* Tracy.

— Il y a un petit ami tapi dans l'ombre, dont je doive me méfier ? demanda ensuite Rick.

Aussitôt, la belle humeur de Tracy s'assombrit.

— Non, répondit-elle d'un ton raide.

— Non ? répéta Rick avec surprise avant de lui adresser un sourire qui la remplit de gratitude.

Tu veux dire qu'aucun amant jaloux ne risque de me casser la figure parce que je t'ai pour moi seul pendant trois jours ?

— Fais-moi confiance. Tu ne cours aucun danger. Le bon candidat ne s'est pas encore présenté. Ou alors ce n'était pas le moment. Ou bien je ne l'ai pas vu.

Hochant la tête, il la regarda longuement, comme si l'idée qu'elle n'ait pas de petit ami était inconcevable.

— Je m'étonne qu'aucun homme n'ait réussi à te convaincre de lui accorder un peu de ton temps.

« N'est-ce pas ? » songea Tracy avec un brin de regret. Mais elle se secoua. La remarque de Rick était on ne peut plus positive en fait. De quoi lui remonter le moral.

— Nous assisterons donc à la réunion du lycée tous deux en tant que célibataires et disponibles, ironisa Rick. Tu es consciente que nous serons entourés d'anciens camarades de classe flanqués d'épouses et armés des photos de leurs rejetons ?

— Oh oui !

C'était précisément la raison pour laquelle elle avait conçu son Plan des semaines plus tôt.

— Minoritaires et noyés dans un océan d'albums de famille, gémit Rick avec un soupir exagéré. Et sans moyen de défense. Nous devrions unir nos

56

forces, Tracy. Protéger nos flancs. Surveiller nos arrières.

Un instant, l'idée d'être une sorte de « frère d'armes » de Rick Bennet la ravit autant que le clin d'œil complice qui accompagnait sa proposition. Mais toute tentante soit-elle, Tracy avait bien autre chose en tête. Et elle y avait beaucoup travaillé, refusant de se présenter au lycée sous l'enveloppe « Pauvre petite Tracy, encore vieille fille ».

Rien que d'imaginer les regards compatissants de celles qui avaient toujours eu du succès auprès des garçons, suffisait à conforter sa résolution. Pas question de revenir à Juneport aussi célibataire qu'elle l'était en partant.

— Navrée, mon pote, déclara-t-elle avec une moue contrite. Mais tu es tout seul sur ce coup.

Un éclair traversa le regard de Rick. Etonnement, mais aussi déception. Il s'adossa contre la paroi du box, croisa les bras sur son torse remarquablement musclé puis, les yeux rivés sur ceux de Tracy, lança :

— Merci, vieux. Je croyais que la camaraderie, c'était « qui se ressemble s'assemble ». Je me trompe, alors ?

Réprimant un sourire, Tracy s'efforça d'imiter son ton léger.

— Je n'ai rien contre le fait de m'assembler avec toi…

Rick leva un sourcil.

— … mais, poursuivit-elle, la gorge soudain sèche de son audace, je me suis déjà occupée du problème. Du moins, en ce qui me concerne.

Rick se redressa brusquement, et, posant les coudes sur la table, pencha vers elle un visage attentif.

— D'accord, Petit Génie, tu m'intrigues. Raconte-moi ton plan.

Tracy s'apprêtait à révéler ce qu'elle avait mani-gancé, certaine qu'il trouverait tout cela absurde, mais elle n'en eut pas le temps, la serveuse étant de retour.

— Désolée d'avoir été si longue, je suis débordée, s'excusa celle-ci en déposant devant eux leurs assiettes fumantes. Encore un peu de thé ?

— Volontiers, Bonnie, répondit Tracy avec un grand sourire. Merci beaucoup.

— De rien, mon chou, répliqua la femme aux traits tirés, lui rendant son sourire.

— Comment connais-tu son nom ? demanda Rick lorsque la serveuse fut repartie chercher le thé.

Tracy haussa les épaules.

— Il est écrit sur son badge.

— Ah bon.

Il hocha la tête, la regarda d'un air pensif, puis

saisit fourchette et couteau, prêt à attaquer son steak au poivre.

— Revenons à nos moutons. Ton plan, Tracy ?

Celle-ci jeta un coup d'œil à son filet de poulet, et comprit aussitôt qu'elle ne pourrait pas en avaler une bouchée tant qu'elle n'aurait pas tout déballé. D'ailleurs, songea-t-elle, ce n'était pas plus mal. L'occasion de tester son idée, en somme. La réaction de Rick lui donnerait un aperçu de celle des gens à Juneport.

Après une profonde inspiration, elle attrapa son sac et en fouilla les profondeurs à tâtons. Le regard interloqué de Rick sur elle la rendait encore plus gauche que d'habitude. Elle s'ordonna mentalement de trier le contenu de cette besace dès que possible. A croire que plus le sac était grand, plus elle trouvait de choses à y fourrer.

Plusieurs minutes lui furent nécessaires pour dénicher enfin le petit coffret. Les doigts un peu tremblants, elle l'ouvrit, puis effleura la pierre nichée sur le velours frappé du nom du joaillier. Elle récapitula dans sa tête son Plan si brillant. Et si Rick se moquait d'elle ?

Seigneur, comme tout cela lui semblait stupide, soudain ! Si puéril. Une brusque nervosité lui noua l'estomac. Mais il était trop tard pour reculer maintenant, Rick la regardait, attendant ses explications.

Reposant le sac sur la banquette, elle glissa à son doigt la très impressionnante bague achetée la semaine précédente. Ensuite, se préparant mentalement à toutes les réactions possibles, elle leva la main et la brandit sans mot dire devant les yeux de Rick.

Il lui saisit le poignet et, bouche bée, étudia le diamant étincelant. A l'évidence, la surprise le rendait muet.

— Oh, mon Dieu ! s'exclama Bonnie qui surgissait à ce moment précis.

Elle planta le pichet de thé glacé entre eux, regarda leurs mains jointes, puis la bague, et enfin, Tracy.

— Vous venez de vous fiancer, c'est ça ? reprit-elle. Je peux voir ?

Evitant soigneusement de croiser le regard de Rick, Tracy tendit à la serveuse sa main soudain extrêmement pesante. Bonnie s'extasia bruyamment sur le bijou.

— C'est pas génial, ça ? s'écria-t-elle après une minute d'admiration toute féminine. Des fiançailles pile pendant mon service !

Elle leur adressa à tous deux un immense sourire radieux avant de poursuivre avec autant de chaleur :

60

— Ça m'était jamais arrivé. Comme c'est romantique ! Attendez que mon patron soit au courant. Mince alors, vous autres, toutes mes félicitations, hein !

— Merci, Bonnie, mais…, commença Tracy.

— La maison vous offre le dessert, la coupa la serveuse avec enthousiasme. Choisissez. Tarte aux pommes ou gâteau au chocolat ?

Tracy ne savait comment se tirer de cette situation embarrassante. Elle ne voulait pas décevoir Bonnie, ni la priver de son humeur joyeuse, qui l'allégeait sans doute un peu de la fatigue de son travail. Mais d'un autre côté, elle refusait d'accepter une part de gâteau au chocolat sous un prétexte fallacieux. Espérant découvrir un moyen de se tirer d'embarras, elle jeta un coup d'œil à Rick.

Celui-ci soutint pensivement son regard durant un moment. Puis il se détourna vers la serveuse qui souriait toujours aux anges, et annonça :

— C'est gentil à vous, Bonnie. Je crois que ma fiancée et moi-même optons ensemble pour le gâteau au chocolat.

4.

— Deux parts de gâteau pour les amoureux. C'est comme si c'était fait, mon grand, assura Bonnie, qui tourna les talons vers la cuisine, un grand sourire aux lèvres.

— Pourquoi fais-tu ça, Rick ? demanda Tracy, outrée.

— Pour ne pas lui gâcher son plaisir, répliqua-t-il sans la quitter des yeux. Bien que je n'aurais jamais cru employer un jour l'expression « ma fiancée ». Bon, maintenant que nous revoilà seuls…, peux-tu m'expliquer ? J'avais cru comprendre qu'il n'y avait aucun petit ami dans les parages…

Tracy concentra son regard sur son assiette.

— Il n'y en a pas, confirma-t-elle.

— Ah.

Rick étudia son steak en songeant que la réponse de Tracy ne le rassurait pas le moins du monde. *Quelqu'un* lui avait forcément offert cette fichue bague. Et pourquoi avait-il ressenti une sensation désagréable au creux de l'estomac lorsqu'elle lui avait brandi sa main devant les yeux ?

Bon sang, il se moquait bien que Tracy Hall soit fiancée ou pas, non ?

Il s'éclaircit la gorge puis, d'un ton qu'il espérait neutre, posa la question qui lui brûlait les lèvres.

— En ce cas, qui t'a donné cette bague ?

Tracy releva brièvement les yeux vers lui, tressaillit, puis se pencha de nouveau sur son repas.

— Je n'ai pas encore décidé, répondit-elle, évasive.

Quoi ? Rick ferma un instant les yeux et entreprit de compter mentalement jusqu'à dix.

A trois, il lâcha prise et s'enquit :

— J'aimerais comprendre. A quoi joues-tu, bon sang ?

Posément, Tracy termina sa bouchée, posa sa fourchette, but une gorgée de thé, se recula sur son siège puis dévisagea Rick en cachant la bague sur ses genoux.

— De ce dont nous parlions il y a à peine cinq minutes.

Décontenancé, Rick l'interrogea du regard. A quel moment avaient-ils discuté d'une bague de fiançailles surgie de nulle part ?

— Bon, écoute, se lança Tracy après une profonde

inspiration. Tu te rappelles quand tu disais qu'à la réunion du lycée, nous serions tous les deux noyés au milieu d'un océan de couples bienheureux ?

— Oui, eh bien ?

Quel rapport avec ce fichu diamant que soi-disant personne ne lui avait offert ?

— Eh bien, j'ai décidé de monter dans un canot de sauvetage, à la place, voilà tout, résuma Tracy.

« Tu parles d'une explication ! »

Que voulait-elle dire ?

— Je ne comprends toujours pas, insista-t-il.

Regarder l'expression de Tracy se modifier sous la lumière tamisée le fascina. Il songea qu'elle ferait une piètre joueuse de poker. Son visage trahissait tous ses sentiments. En ce moment, elle semblait partagée entre gêne et impatience.

— C'est très simple…, commença-t-elle.

Elle s'interrompit aussitôt, reprit une bouchée de poulet qu'elle mâcha avec application, tandis que Rick trépignait en son for intérieur attendant qu'elle eût avalé.

— Je ne vais pas affronter tous ces gens qui me voient comme la reine des ringardes sans une bague à mon doigt.

Rick émit un petit rire dédaigneux.

— Je vois. Tu es une féministe enragée.

— Cela n'a rien à voir avec du féminisme, protesta-t-elle. Il s'agit de moi. De *ma* vie. Ou plutôt, de ce qu'il y manque. En l'occurrence, un fiancé.

— Tracy…

— Non, tu as voulu savoir, alors tu m'écoutes jusqu'au bout.

— Bien.

Il repoussa son assiette pour lui accorder toute son attention.

— Tu n'imagines pas ce que ça a été, commença-t-elle d'une voix sourde, dans laquelle il perçut la trace de chagrins anciens. Pauvre Tracy, continua-t-elle avec un timbre de voix de personne affligée. Surdouée, d'accord, mais incapable d'attraper un homme, même avec un piège à éléphant.

Elle hocha la tête avant de poursuivre :

— Pas question d'entendre encore ce genre de trucs ! Je ne supporterai pas de passer le week-end avec tous ces regards méprisants ou pleins de pitié posés sur moi.

Rick éprouva un pincement de remords en pensant à Tracy adolescente. Jeune idiot à ce moment-là, jamais il ne s'était demandé ce qu'elle pouvait ressentir. A l'époque, il ne songeait qu'à s'en débarrasser afin de passer un maximum de temps avec sa sœur, la jolie Meg.

Sa mémoire redessina peu à peu les traits flous, estompés par le temps, de la gamine que Tracy avait été. Gigantesques lunettes glissant sans cesse de son nez criblé de taches de rousseur. Bagues dentaires, queue-de-cheval, sweat-shirts informes, tennis éculés complétaient le portrait.

Il sourit lorsque l'image s'effaça, remplacée par le visage de la femme assise devant lui. Elle arborait un teint de pêche que rehaussaient deux touches pourpres sur ses joues. Des yeux bleus limpides qui brillaient d'un éclat particulier, un reste de colère, sans doute, car ses lèvres pleines tremblaient un peu.

— Fais-moi confiance, Tracy, la taquina-t-il. Personne ne te regardera en disant : pauvre Tracy.

— Tu ne les connais pas ! A commencer par ma mère.

— Ta mère ? s'étonna Rick. Que vient faire ta mère dans cette histoire ? Elle est super !

Tracy acquiesça en souriant.

— Oui, c'est vrai. Mais d'un autre côté, j'en ai ras le bol de devoir lui répéter : Non, maman, je n'ai pas encore rencontré le prince charmant.

Rick esquissa une grimace, car il savait exactement de quoi parlait Tracy. Ses discussions avec sa propre mère devenaient plutôt tendues depuis quelques années. Patty Bennet désirait avoir des petits-enfants avant que, soulignait-elle avec un certain cynisme, « tes frères ou toi ayez à les traîner de force pour me rendre visite à l'asile de vieux ».

66

D'ailleurs, pour être tout à fait honnête, il lui arrivait, — rarement — de souhaiter aussi que sa vie fût moins solitaire.

Mais, bon sang, pourquoi une fille comme Tracy devrait-elle avoir recours à un fiancé imaginaire ?

— Du coup, tu vas aussi mentir à ta mère ?

Tracy se raidit, brusquement mal à l'aise.

— Ce n'est pas vraiment un mensonge, argua-t-elle. Maman verra la bague et en tirera ses propres conclusions.

— Ah, tu crois ?

Bien que fasciné par l'imagination culottée de Tracy, il se fit l'avocat du diable. Ce plan était dingue, ne marcherait jamais. Il comportait trop de variables. Une surdouée des maths comme Tracy aurait dû les déceler tout de suite.

— Et quand ta mère voudra savoir le nom de l'heureux élu ? Tu vas aussi la laisser le deviner toute seule ?

— Mais non, riposta Tracy avec une moue amusée. Je vais me créer un prince charmant.

Comment sa bouche pincée de bibliothécaire provinciale s'était-elle transformée en exquises lèvres pulpeuses ? se demanda Rick qui revint à la charge :

— Donc, tu vas mentir à ta mère. A ton père. A ta sœur. Et à toute la ville.

Tracy pâlit un peu, et ses yeux bleus s'agrandirent.

— Oh, arrête ! Dit comme ça, c'est vrai que ça a l'air monstrueux.

— Non, juste un peu dangereux, tempéra Rick devant l'expression coupable de Tracy.

— Pourquoi dangereux ?

— Parce que quelqu'un finira forcément par découvrir la vérité, Tracy. D'autant que tu n'es pas à proprement parler la championne des menteuses.

Du moins ne l'était-elle pas autrefois, complétat-il en son for intérieur. Sa personnalité aurait-elle changé autant que son apparence ? C'était peu probable. Pourtant, la remarque suivante de Tracy ne le rassura qu'à moitié.

— Je pourrais le devenir, avec un peu de pratique.

Ce serait dommage, songea Rick. Il avait croisé trop de femmes qui mentaient avec l'aisance des politiciens les plus véreux. Ce qui faisait qu'il ne les connaissait jamais vraiment. Tandis que Tracy était une femme qu'il avait très envie de *mieux* connaître.

Il insista, feignant ignorer sa dernière phrase :

— Et ensuite, que feras-tu lorsque le mariage tant attendu n'aura pas lieu ?

Aussitôt, Tracy se détendit. Elle lui décocha un

sourire qui l'électrisa littéralement, l'obligeant à inspirer à fond afin de tenter d'apaiser le brusque incendie dans ses reins.

Voilà plutôt une réaction à laquelle il ferait bien de réfléchir au lieu de vouloir la sonder sur la manière dont elle allait *ne pas* se marier !

— Ça, tu vois, c'est la meilleure partie de mon plan, confessa-t-elle. Un mois ou deux après la réunion du lycée, j'annoncerai à mes parents que j'ai annulé mes fiançailles.

Décidément, le brillant cerveau avait tout prévu !

— Mais tu ne crois pas que cela provoquera une nouvelle attaque de « pauvre Tracy » ?

— Non, affirma-t-elle en lui dédiant un nouveau sourire éblouissant et tout aussi incendiaire. Parce que cette fois, c'est *moi* qui aurais rompu, donc personne ne compatira.

— Incroyable, murmura Rick.

— N'est-ce pas ?

En fait, le plus incroyable dans l'histoire, était que Tracy ait eu besoin de monter ce plan stupide. Il y avait certainement une douzaine de types bavant d'admiration pendus à ses basques, non ? Pourquoi une fille aussi sublime était-elle encore célibataire ?

Dire qu'il avait envisagé ce voyage en voiture comme

un moment de détente. Une occasion de se changer les idées. Au lieu de quoi, il était obsédé par Tracy. Ses jambes. Son sourire. Ses yeux magnifiques.

A ce propos, le bleu de ses yeux n'était-il dû qu'à la nature ? Ou bien portait-elle des lentilles de couleur ? Il n'avait jamais vu des yeux d'un bleu aussi cristallin, presque électrique. Ni emplis d'une telle innocence.

— Pourquoi m'avoir dit la vérité ? demanda-t-il.

— Eh bien, répondit Tracy en fixant la bague à son doigt. Il faut que je m'habitue à porter ce truc, tu ne crois pas ?

— Sans doute.

Il évita soigneusement de regarder le bijou. L'idée d'un fiancé de Tracy, prétendu ou pas, l'agaçait, sans qu'il sache très bien pourquoi.

— De plus, poursuivit-elle, nous avons trois jours de route devant nous. J'ai pensé que pendant ce temps, tu pourrais m'aider à imaginer mon prince charmant. Non ? En souvenir du bon vieux temps, en bons copains ?

Copains ? Ils ne s'étaient pas vus depuis des années. Comment pouvaient-ils être *copains* ? D'autant que leurs relations lorsqu'ils étaient ados méritaient difficilement d'être qualifiées de très amicales. En outre, son corps aujourd'hui réagissait à celui de

Tracy comme jamais auparavant. Aucune femme n'était parvenue à l'enflammer ainsi, d'un simple regard, d'un simple sourire.

S'agissait-il là de réactions venant de la part d'un *copain* ?

Dieu merci, l'arrivée de Bonnie lui évita de répondre à sa propre question sur le champ. Bonnie était accompagnée de trois autres serveuses.

— Oh non, gémit-il devant leurs visages radieux.

— Quoi ? demanda Tracy en suivant son regard. Oh, mince !

Parvenue devant leur table, Bonnie y déposa cérémonieusement deux énormes parts de gâteau au chocolat, puis alluma les petites bougies qu'elle y avait plantées.

— Bonnie…, murmura Tracy.

— Il faut fêter ça, mon chou, affirma la serveuse.

Tracy fixa Rick. Rick fixa Tracy.

Les quatre serveuses formèrent un demi-cercle autour d'eux, puis entonnèrent une interprétation enthousiaste de « Nos vœux les plus sincères » sur l'air de « Joyeux anniversaire ». Très vite, les autres clients se joignirent au chœur improvisé, et bientôt le restaurant tout entier résonnait de félicitations chantées à tue-tête.

Les joues empourprées de Tracy étaient attendrissantes. L'éclat de ses yeux, émouvant. Rick sentit un petit morceau de son cœur s'enflammer.

Leurs regards se croisèrent et se nouèrent dans un embarras mutuel. Ils venaient de former une équipe.

Ils atteignirent le motel tard dans la soirée. Tracy était épuisée. Après avoir gravi l'escalier d'un pas trébuchant, elle s'arrêta devant la porte de sa chambre, déverrouilla presque à tâtons. Puis elle entra dans la pièce obscure en poussant un long soupir. L'odeur pénétrante du désinfectant lui chatouilla les narines.

Rick la suivait, une de ses valises à la main, la sienne de l'autre. Il renifla en hochant la tête.

— Eh bien, comme ça, au moins, on est sûrs que c'est propre.

S'effondrant sur le lit, Tracy gémit :

— Au point où j'en suis, même une tente au tapis de sol boueux me conviendrait. Pourvu qu'il y ait un matelas.

Avec un petit rire, Rick pressa l'interrupteur électrique. Une petite flaque de lumière tentait d'éclairer la chambre. Il déposa la valise près de la porte.

— D'après le panneau dans le couloir, ils offrent du

café et des croissants le matin, l'informa-t-il. Tu veux que je t'en apporte quand j'irai m'en chercher ?

— Tu vois ça vers quelle heure ? s'enquit Tracy en relevant péniblement la tête.

Le sourire éclatant de Rick lui redonna un semblant de vigueur.

— Je voudrais repartir assez tôt, annonça-t-il.

— Tôt comment ?

Elle regarda furtivement le radio-réveil, lequel marquait 22 heures.

Seulement ? Elle avait l'impression qu'il était 3 heures du matin. Mais elle n'avait guère l'habitude d'une vie nocturne.

— Je pensais me lever à 6 heures, et reprendre la route vers 7, suggéra Rick.

— 7 heures du *matin*, tu veux dire ?

Le rire de Rick emplit la petite pièce.

— Si je comprends bien, d'accord pour le café ?

— Oui, si tu prévois au moins l'équivalent d'une bonbonne, marmonna Tracy en reposant la tête sur le lit. Noir, sans sucre. Et deux croissants, s'il te plaît.

— D'accord madame. Bonne nuit.

— Moui, toi aussi, répondit-elle en bâillant.

— Et verrouille la porte derrière moi avant de sombrer, ordonna Rick en reculant vers le couloir.

Les yeux de Tracy se fermaient. Penser à retirer ses lentilles avant de s'endormir, l'enjoignit une petite voix.

— Oui, mon capitaine, marmonna-t-elle.

Il lui sembla l'entendre rire de nouveau, mais elle n'en était pas certaine. L'instant d'après, Rick s'éloignait vers sa propre chambre, une porte plus loin.

Avec un énorme soupir, Tracy se cala au creux du matelas moelleux, se laissant gagner par le sommeil.

Une série de coups vigoureux frappés à sa porte interrompirent sa glissade vers l'inconscience.

— Va-t'en, rouspéta-t-elle.

— Ferme ta porte à clé, Tracy.

Bien qu'assourdie, la voix de Rick était tout à fait intelligible. Elle le devinait assez entêté pour rester dans le couloir toute la nuit jusqu'à ce qu'elle se relève et obéisse à ses ordres. Grommelant entre ses dents, elle se mit sur ses pieds, traversa la chambre, se cogna un orteil contre sa valise. Un gémissement de douleur lui échappa.

— Tout va bien ? s'inquiéta Rick.

— Formidable, répondit-elle en grimaçant, puis elle verrouilla la porte. Voilà, t'es content ?

— Formidable, répéta Rick.

Puis elle l'entendit regagner sa chambre.

A peine deux minutes plus tard, elle s'était

débarrassée de ses vêtements et de ses lentilles de contact. Elle régla le réveil sur le chiffre 6 avec un gros soupir, puis plongea la tête la première dans un sommeil de plomb.

De légers nuages roses s'effilochaient à mesure que le soleil montait dans le ciel matinal. A 6 heures et demie, Rick était prêt à reprendre la route. Il avait déjà réglé les chambres, mis ses bagages dans la voiture, et sirotait une bonne tasse de café, laissant à Tracy le temps de se réveiller.

Lui aussi, d'ailleurs, avait mis plus de temps que de coutume pour émerger tout à fait. En dépit de l'excellent matelas et du confort de la chambre, il avait peu dormi. Tracy avait occupé l'essentiel de ses rêves, dont certaines images tourbillonnaient encore dans son inconscient.

Tout en sachant combien ces fantasmes étaient dangereux, il avait été incapable d'arrêter leur danse dans son esprit. Pourtant, Tracy n'avait aucune raison de visiter ses songes. Elle n'était qu'une vieille connaissance. Une gamine. Et lui, il rendait simplement service à Meg. Point final.

Ouais, maugréa-t-il en avalant une nouvelle gorgée de café. Sauf que la gamine avait désormais des jambes de gazelle.

Après un petit soupir, il saisit le petit plateau, puis prit la direction de la chambre de Tracy. Rien ne se produirait entre eux, se martela-t-il mentalement. Ils passeraient juste quelques jours ensemble. Se rendraient à la réunion du lycée. Profiteraient de leurs familles respectives. Ensuite, chacun reprendrait le cours de sa vie. Et ils ne se reverraient probablement pas avant dix nouvelles années.

Cette pensée le rendit soudain maussade, et il se demanda aussitôt pourquoi l'idée de perdre contact avec Tracy le dérangeait autant. Mais peut-être valait-il mieux ne pas approfondir certaines questions.

Tenant d'une main le plateau supportant deux énormes gobelets de café et deux croissants sous Cellophane, il frappa de l'autre quelques coups sur la porte de la chambre voisine de la sienne.

Pas de réponse.

— Tu as déjà eu une demi-heure de rab, Tracy, marmonna-t-il. Debout, maintenant.

Plus tôt ils seraient sur la route, plus tôt ils arriveraient en Oregon, et il pourrait enfin se détendre. Au moins jusqu'au trajet de retour. Il toqua de nouveau à la porte, et cette fois, perçut la voix assourdie de Tracy.

— J'arrive, j'arrive !

Le sourire de Rick se figea sur ses lèvres lorsque la porte s'ouvrit brutalement. Sa gorge s'assécha, et, il en était presque certain, son cœur cessa un instant de battre. Tracy se découpait dans l'embrasure, nue hormis la petite serviette du motel drapée autour des courbes superbes de son corps.

Il balaya rapidement du regard sa silhouette, nota au passage les gouttes d'eau tombant sur ses épaules rondes et dorées, les mèches de cheveux pâles mouillées serpentant sur ses joues empourprées.

— Rick ? demanda Tracy d'une voix hésitante. C'est bien toi, j'espère ?

— Comment ça, « j'espère » ?

S'apercevant avec irritation du regard myope de Tracy, Rick vérifia que personne dans le couloir ne profitait du spectacle. Mais à une heure aussi matinale, les lieux étaient encore déserts.

— Ouf, c'est toi, murmura-t-elle en plissant plus fort les yeux. Mais je ne vois pas qui d'autre ça pouvait être, à cette heure-ci, hein ? Mmm, du café, ajouta-t-elle en fronçant délicieusement son nez. Tu es mon héros.

Avec un sourire béat, elle tendit à tâtons une main que Rick guida vers la tasse. Elle la prit entre ses doigts, la leva aussitôt vers son visage. Puis elle huma avec gourmandise l'arôme de grains fraîchement moulus avant de boire une petite gorgée, qu'elle fit rouler dans sa gorge. Rick eut l'impression d'assister à une sorte de rituel religieux.

Vision somme toute nettement plus raisonnable que celle de son corps pour ainsi dire nu.

Il s'efforça de chasser la soudaine boule de désir qui s'ancrait au milieu de sa gorge.

— Alors comme ça, tu ouvres ta porte sans savoir si c'est vraiment moi ? Juste drapée dans une serviette ?

Tracy écarta une mèche humide de son visage et baissa les yeux.

— Je suis couverte, non ?

— A peine.

— Oh là, capitaine, grommela-t-elle. Je porte moins que ça sur la plage.

— Cela n'a rien à voir, objecta Rick d'un ton sec, s'interdisant de l'imaginer en Bikini.

— Pourquoi donc ?

« Parce qu'une serviette tombe si aisément sur le sol, songea-t-il tandis que son corps se tendait d'excitation. »

— Allez, entre, l'invita Tracy en reculant d'un pas. Il est trop tôt pour se disputer.

— Je t'attends dans le hall, objecta Rick, convaincu qu'il valait mieux mettre une certaine distance entre eux.

— Ne sois pas idiot, protesta-t-elle. Tiens-moi plutôt compagnie pendant que je finis de me préparer.

Elle prit une nouvelle gorgée de café, lentement,

la bouche arrondie sur le bord de la tasse. Rick déglutit.

— Mmm, que c'est bon, murmura-t-elle en léchant ses lèvres pleines.

Puis elle se détourna pour revenir dans la chambre.

Que faire ? Impossible de s'en aller sans lui avouer qu'il avait terriblement envie d'elle. En outre, il était un marine, non ? Entraîné à affronter n'importe quels dangers. Le fait que cette situation représentait plus une menace pour son sang-froid que pour sa vie n'y changeait rien, n'est-ce pas ?

Serrant les dents avec détermination, il entra dans la chambre dont il referma la porte dans son dos. Il y arriverait. Après tout, quelques minutes de plus ou de moins, quelle importance ? Il lui suffirait de se représenter Tracy en peste prépubère à queue-de-cheval et dents baguées, comme autrefois. Cela devrait fonctionner.

Mais cela ne marcha que dix secondes — le temps de remarquer que le bord de la serviette recouvrait tout juste les fesses rondes de Tracy marchant devant lui. Il étouffa un gémissement, puis grimaça, car elle venait de heurter l'angle vif du téléviseur. Mais c'est à peine si elle ralentit avant de repartir en boitillant vers le cabinet de toilette.

— Cela ne t'a pas fait mal ? demanda-t-il, médusé.

— Quoi ? Ah. Non.

Après avoir posé sa tasse de café sur le bord du lavabo, Tracy se pencha vers le miroir.

Rick inspira très fort puis détourna son regard des courbes pleines et fermes que la serviette — trop relevée pour son équilibre mental — dévoilait par ce mouvement.

— Je n'en ai que pour quelques minutes, lança-t-elle.

Rick la vit plaquer une feuille de papier devant le miroir.

— Qu'est-ce que tu fais ?

— Je me fais belle, grommela Tracy, très sérieuse. C'est du boulot, crois-moi.

— Ah bon ?

N'importe quelle discussion valait mieux que de laisser son esprit battre la campagne.

— Oui, viens voir, proposa-t-elle en l'invitant du geste à s'approcher.

S'agrippant à sa tasse de café, Rick entra dans la salle de bains.

« Du cran, marine, du cran. »

Après avoir chaussé ses lunettes, Tracy étudia le papier, puis s'empara d'un petit pot contenant une sorte de poudre couleur pêche. Ensuite, à l'aide d'un large pinceau, elle en étala sur ses joues, jusqu'à ce que son visage semble doré par le soleil.

— J'ai acheté tout ce bazar il y a une quinzaine de jours, marmonna-t-elle de nouveau, vérifiant d'un air concentré son papier avant de saisir un autre tube. La conseillère m'a tout marqué là-dessus. J'ai juste à suivre les indications.

— Ah bon, répéta Rick qui s'approcha, non sans maintenir une marge de sécurité de soixante centimètres entre eux.

Il suivit dans la glace chaque étape du maquillage. Pas mal, songea-t-il. Malgré les nombreuses couches de peinture de guerre, son visage paraissait toujours aussi naturel, dénué de fards. Alors, où était l'intérêt ?

Selon lui, Tracy n'avait nul besoin de tous ces produits. Même encore humide de la douche, elle rayonnait d'une beauté de fille saine. Sa peau légèrement bronzée brillait sous la lumière crue de la salle de bains. Derrière ses lunettes, ses immenses yeux d'un bleu vif étaient magnifiques — et apportaient une réponse à son interrogation de la veille : ce bleu intense, à la fois électrique et transparent, ne devait rien à des lentilles de couleur.

Tout cela était vraiment Tracy. Et tout cela lui faisait perdre la tête.

Malgré toute sa volonté, il ne put empêcher son

regard de glisser vers l'endroit où la serviette était nouée : entre ses seins, qu'il devinait ronds et fermes sous le mince coton.

Voilà encore une preuve dont il n'avait pas besoin s'il voulait garder la tête froide !

5.

Aux alentours de midi, Tracy avait mal en bas du dos, ses yeux la brûlaient, et même le paysage avait perdu de son charme. L'autoroute presque déserte remontait la côte, dépassant San Luis Obispo, Paso Robles, puis Salinas. Kilomètre après kilomètre, les villes défilaient à toute vitesse sans qu'elle y prête grande attention.

En outre, elle avait abandonné toutes ses tentatives de conversation. Pour une raison qu'elle ignorait, Rick lui avait à peine adressé la parole depuis leur départ du motel.

Elle lui décocha un regard furtif, et remarqua avec humeur sa mâchoire serrée. Pourquoi était-il en colère ?

Après tout, ce n'est pas *lui* qui avait été surpris vêtu d'une simple serviette de bain et d'affreuses lunettes. Bon, d'accord, sur le moment, elle n'avait pas vraiment réfléchi, dans sa hâte à se préparer.

Il y avait quand même l'interminable processus du maquillage à suivre à la lettre, le café à boire…

Mais maintenant qu'elle y repensait, elle constatait que le changement d'attitude de Rick à son égard coïncidait avec le moment où il l'avait vue pratiquement nue.

Voilà qui donnait matière à réflexion. L'aurait-elle troublé ? L'idée la fit aussitôt ricaner. Indubitablement, elle lui avait offert une image des moins séduisantes ! Les cheveux mouillés, le visage à moitié maquillé, collée devant le miroir avec ces horribles binocles sur le nez. Un cauchemar, oui.

Rick n'était pas du tout transi de désir pour elle. Au contraire, elle avait dû le terrifier. Elle l'avait même probablement dégoûté des femmes pour le restant de ses jours.

Dire que de son côté, elle ressentait encore une telle attirance pour lui. C'était d'autant plus injuste qu'elle savait parfaitement que cela ne la mènerait nulle part. Car après tout, hormis le passé, rien ne les liait vraiment.

Un courant d'air froid sur sa nuque la fit frissonner.

Elle referma sa vitre.

A croire que son corps avait perdu l'habitude des températures du nord depuis le temps qu'elle vivait dans le sud de la Californie ! Heureusement qu'elle

84

portait son nouveau pull framboise à torsades, car, même mi-juin, il faisait frais par ici. La toile de son pantalon ivoire était un peu trop légère, mais tant que la climatisation de la Range Rover lui chauffait les orteils, cela restait supportable.

D'ailleurs, le climat n'était pas le seul responsable de ses frissons.

Fronçant les sourcils, elle observa de nouveau l'homme assis près d'elle, obstinément mutique, les yeux dissimulés derrière ses fichues lunettes d'aviateur. Depuis qu'ils avaient repris de l'essence, une heure auparavant, il ne lui avait pas adressé un seul regard, fixant la route devant lui.

Eh bien, il leur restait encore deux bonnes journées à passer ensemble en voiture, et elle refusait de les passer en compagnie d'un sphinx. Rick avait le droit de ne pas l'apprécier, il pouvait au moins lui *parler*.

— Quel est ton problème ? demanda Tracy à brûle-pourpoint, rompant le silence.

— Moi ? Je n'ai pas de problème.

Mais la rudesse de son ton exprimait le contraire, ainsi que le petit muscle qui s'était mis à battre de manière spasmodique sur sa mâchoire.

Elle se tourna franchement vers lui.

— Alors, pourquoi affiches-tu une mine aussi

hilare ? ironisa-t-elle. Tu sais, c'est dangereux de conduire en rigolant si fort.

— Très drôle.

— Il faut bien que l'un de nous détende l'atmosphère.

— Ecoute, Tracy, tu peux envisager que je n'aie pas envie de papoter, tout simplement ?

Il lui jeta enfin un regard, hélas impénétrable, derrière ses lunettes de soleil, raison pour laquelle il les portait, sans aucun doute.

— Tout le monde n'éprouve pas le besoin permanent de meubler le silence, ajouta-t-il en fixant de nouveau la route.

— Permanent ? répéta Tracy, estomaquée. Tu ne m'as pas dit un seul mot depuis la station-service, où, si je me souviens bien, tu m'as ordonné avec galanterie « d'avancer un peu cette bagnole, tu veux ? ».

Il lui sembla qu'un sourire fugace relevait la bouche de Rick, mais elle n'en fut pas certaine.

— Bon, c'est vrai. Je me suis montré un peu bourru.

— Un *peu* seulement ?

Cette fois, un demi-sourire apparut lentement.

— D'accord. Très bourru.

Ce n'était pas encore une vraie conversation, se dit-elle, mais toujours mieux que rien.

— Et pourquoi cette mauvaise humeur ?

Le visage de Rick redevint de marbre.

— Pour rien.

— O, Seigneur ! Un pas en avant, deux en arrière. Tu es aussi loquace avec tes troupes ? A moins que les marines soient formés à la télépathie ?

— Quand j'ai quelque chose à dire, je le fais.

— N'oublie pas de prévenir les médias, grommela-t-elle, en se renfrognant.

Décidément, elle aurait mieux fait de prendre le train ! Puis elle se souvint qu'elle n'aimait pas plus les trains que les avions. En outre, maussade ou pas, Rick Bennet restait un meilleur compagnon de voyage que de parfaits inconnus.

Vérifie sur la carte, la pria Rick, ignorant sa remarque ironique. Nous arrivons à San Francisco et je ne voudrais pas rater la sortie pour le Golden Gate Bridge et me retrouver coincé dans les embouteillages.

Eh bien, au moins, elle savait maintenant que le capitaine Bennet maîtrisait l'art de donner des ordres. Dommage que, bloquée dans ce véhicule en marche, elle ne puisse claquer des talons et lui faire le salut militaire.

Néanmoins, elle devait lui accorder une qualité : il n'était pas le genre d'homme à penser qu'une femme était incapable de lire une carte. Voilà au moins un bon point pour lui.

Elle prit la carte soigneusement pliée et suivit avec application du doigt l'autoroute 101 jusqu'à atteindre l'agglomération de San Francisco. L'enchevêtrement de lignes rouges et bleues ressemblait aux fils emmêlés d'une tapisserie inachevée. Elle releva ensuite le nom des rues par lesquelles il fallait traverser la ville jusqu'au fameux pont.

— Note où se trouve l'embranchement vers l'ancienne Route 1, reprit Rick. C'est juste après le Golden Gate Bridge.

Stupéfaite, Tracy se tourna vers lui.

— On ne reste pas sur l'autoroute ?

Le nez plongé vers le rétroviseur pour changer de file, Rick marmonna que non.

— Pourquoi ? insista Tracy. La 101 est bien plus rapide. Et cela nous fera sans doute gagner une journée de trajet.

Sans compter que l'autoroute était nettement plus droite que le vieil itinéraire traditionnel, plein de virages en épingles à cheveux et de montagnes russes.

Pendant des années, la Route 1 avait été la seule voie qui remontait vers le nord par la côte. Puis des ingénieurs avaient décidé de la remplacer par un parcours plus confortable. Lequel, bien sûr, ne traversait pas les magnifiques paysages. En fait, la beauté de ceux-ci restait sans comparaison dans tout le pays. Mais il fallait avoir l'estomac bien accroché pour jouir du privilège de les admirer. Or, l'estomac de Tracy n'entrait pas dans cette catégorie.

— Je sais, j'y ai pensé. Mais si j'ai préféré prendre la voiture plutôt que l'avion pour aller à la réunion du lycée, c'est justement pour avoir le plaisir de longer la côte par la vieille route. Des petites vacances, en somme.

Il lui décocha un regard en coin avant de poursuivre :

— Et il n'y a aucune raison que je change mes plans, si ?

Comme si elle entrait dans ses plans, de toute manière ! En somme, elle était là comme une sorte d'auto-stoppeuse, rien de plus. Au même titre que la valise dans le coffre, elle irait où il déciderait d'aller.

Et rien que de penser à cette horrible route sinueuse, elle frissonna.

Grommelant entre ses dents, Rick aurait souhaité bénéficier d'un dérivatif pour prendre son mal en patience. Il regrettait presque d'avoir cessé de fumer l'année précédente ! San Francisco était aussi bondé que dans son souvenir. Certes, la ville ne manquait pas de charme, mais elle avait les mauvais côtés de ses charmes : notamment l'étroitesse de ses rues dans lesquelles des milliers de véhicules cherchaient à avancer, ralentis par une multitude de feux rouges et d'embouteillages monstres.

Il constata que cette circulation en escargot ne semblait pas perturber Tracy. Bien au contraire : le corps penché par la fenêtre ouverte, elle semblait apprécier autant la brise de l'océan que l'ambiance survoltée autour de leur voiture.

Son intérêt manifeste arracha un sourire à Rick, et il sentit sa tension s'alléger. Difficile de s'énerver sur les bouchons et les Klaxons devant le spectacle de Tracy admirant la ville.

Au feu rouge suivant, un véhicule s'arrêta près du leur, côté passager.

— Salut, beauté, s'exclama une voix grave par-dessus le rock qui s'échappait à pleins tubes de l'autoradio.

Rick se figea. Quel culot !

— Salut, répondit Tracy.

Bon sang, quel besoin avait-elle d'employer un ton si amical ?

— Vous êtes à Frisco pour quelque temps ? poursuivit l'homme.

— Non, on ne fait que passer, expliqua-t-elle.

Rick fulmina. Mais à quoi jouait ce type ? Il ne voyait pas qu'il y avait quelqu'un, lui en l'occurrence, au volant de la voiture ? Pour autant que cet imbécile sache, elle était forcément sa femme, non ? Alors, pourquoi l'autre la draguait-il comme si de rien n'était ?

Relâchant la pédale de frein, il tenta de gagner quelques centimètres, afin d'éloigner Tracy de son admirateur.

Impossible.

— Et si on se retrouvait quelque part pour boire un café, avant que vous quittiez la ville ? proposa le type.

Ulcéré, Rick le foudroya du regard, mais l'homme n'avait d'yeux que pour Tracy.

— Oh, ça paraît compliqué, répondit Tracy avec un geste de refus. Merci quand même.

Rick se pencha en avant pour mieux voir le Roméo dans son cabriolet, lui jeta ensuite un regard meurtrier, puis rugit :

— C'est ça, merci et bon vent !

Mais le play-boy l'ignora, et, pendant que Rick démarrait en trombe au feu enfin passé au vert, il lança à Tracy avec un dernier clin d'œil :

— Bon voyage, jolie fille.

— Il me *draguait* ! s'extasia Tracy, béate, en se carrant dans son siège.

Pourquoi semblait-elle aussi étonnée ? Elle ne se voyait pas dans le miroir, ou quoi ?

— C'était si gentil de sa part, poursuivit-elle du même ton.

— Très. Vraiment adorable, riposta Rick avant d'ôter ses lunettes de soleil pour la dévisager. Bon sang, Tracy, peut-être que ce type est un tueur en série.

Elle éclata de rire, puis secoua la tête, faisant danser ses ravissantes boucles blondes.

— Pas de parano, voyons, Rick. Un peu de calme. Il flirtait, rien de plus. Il flirtait avec *moi*, ajouta-t-elle avec un sourire quasi extatique.

— Ouais. Avec *moi* assis juste à côté. Quel crétin !

Tracy ne répondit rien.

Irrité de sa réaction face au dragueur des bouchons, Rick se concentra sur la voiture qui le précédait.

Après tout, que lui importait que des inconnus flirtent avec Tracy ? Et pourquoi s'agaçait-il qu'elle flirte en retour ?

Ils approchèrent enfin du Golden Gate Bridge. Tracy se pencha pour mieux regarder, et Rick perçut son excitation. Aussitôt, sa colère retomba et il savoura l'impatience joyeuse peinte sur le visage de la jeune femme.

Peu après, ils se retrouvèrent comme suspendus

entre le ciel et l'océan Pacifique. Les câbles au-dessus de leurs têtes oscillaient dans le vent puissant, et les piétons en lisière du pont marchaient tête baissée, tels des pèlerins en prière.

Au-delà sur leur droite, la ville étincelait sous le soleil.

— N'est-ce pas sublime ? murmura Tracy, admirant, entre les filins rouges, l'océan qui s'étendait au-delà de la baie.

Rick suivit rapidement son regard, notant au passage les bateaux éparpillés à la surface de l'eau, leurs voiles colorées pareilles à des joyaux tombés de l'azur.

— Lorsque nous étions gosses, poursuivit Tracy sans rien perdre du spectacle, papa nous disait toujours que Godzilla vivait ici, dans la baie de San Francisco.

— Godzilla ? s'esclaffa Rick.

Le sourire éblouissant qu'elle lui adressa lui coupa presque le souffle.

— Oui. Pire encore, il prétendait que Godzilla adorait le rouge, et recherchait toujours les voitures de cette couleur.

Rick gloussa. En effet, c'était bien le genre de blagues que pouvait inventer Dave Hall.

— Si je me souviens bien, vous aviez une voiture break de couleur rouge, non ?

— Eh oui.

Comme ils étaient arrivés au milieu du pont suspendu, elle se pencha pour mieux jouir de la vue, d'un côté comme de l'autre. Puis elle le regarda avant de continuer :

— Alors, papa nous chargeait, Meg et moi, de surveiller Godzilla. Rien n'aurait pu décoller nos visages de la vitre pendant que nous traversions ce pont.

— Terrorisées, les petites sœurs, hein ?

— Juste un peu, tempéra Tracy. En fait, on voulait surtout voir Godzilla en chair et en os.

Elle repoussa des mèches que le vent balayait sur ses joues, avant de soupirer :

— Ces voyages tous ensemble en famille étaient super.

— Je suppose qu'aujourd'hui, Meg raconte les mêmes histoires à ses enfants.

— En effet, murmura Tracy, la voix teintée de regret.

Après quoi, elle sombra dans un silence curieux, et Rick la laissa à ses pensées.

Dieu sait qu'il avait lui-même matière à réflexion : par exemple, trouver comment se débarrasser des fantasmes obsédants que lui inspirait Tracy.

Il devait absolument trouver un moyen de les faire cesser. Tracy Hall n'était pas une femme de brèves aventures. Et lui n'était pas un homme d'en-gagement éternel.

Ils abordèrent la montagne quelques heures plus tard. Concentré sur la conduite, Rick ne prêtait pas attention au fait que Tracy n'avait pas ouvert la bouche depuis qu'ils étaient sortis de San Francisco. Soudain, la jeune femme émit un couinement. Rick la regarda. Son visage était d'un blanc livide.

— Qu'est-ce qu'il y a ? Ça ne va pas ?

— Euh, je crois que…, euh, peux-tu arrêter la voiture ?

La route à deux voies n'offrait guère d'aires de repos, mais dès qu'il en trouva une, il arrêta la Range Rover.

Aussitôt, Tracy défit sa ceinture et se rua dehors.

Rick se précipita sur ses talons. Le temps de la rattraper, elle était appuyée contre une dalle de granit.

— Ça va ?

Il lui tendit une main, mais elle arrêta son geste en secouant la tête, puis déglutit avec difficulté.

— Ça va aller, répondit-elle d'un ton plus assuré que l'expression de son visage.

— Tu es sûre ? insista Rick. Tu es malade en voiture ?

Tracy esquissa un pâle sourire.

— Il faut croire, oui.

— Pourquoi ne pas me l'avoir dit ?

— Qu'est-ce que ça aurait changé ? grimaça-t-elle.

— Mais, pourquoi as-tu décidé de faire le trajet en voiture, alors ?

Avant de répondre, Tracy avala de nouveau péniblement sa salive.

— Si on est malade en avion, malade en train, et malade en voiture, quel choix reste-t-il ?

— Enfin, Tracy ! Si tu me l'avais dit, on serait restés sur l'autoroute.

— On pourrait se disputer une autre fois ? gémit-elle. Je ne me sens pas au mieux de ma forme en ce moment.

— Désolé. Respire à fond. Inspire par le nez, expire par la bouche.

— Bien, mon capitaine, marmonna Tracy.

Penchée en avant, les mains sur les genoux, elle s'efforçait de lui obéir entre deux gémissements pitoyables.

Soudain Rick se sentit honteux de sa brusquerie.

— Voilà qui ressemblait peut-être trop à un ordre, non ? lui demanda-t-il.

Tracy répondit sans relever la tête.

— Visiblement, tu as l'habitude d'en donner.

— Ça fait partie de mon job, mais j'évite avec les civils, en général.

— Sympa de ta part.

Elle se redressa avec lenteur.

— Ça va mieux ? s'enquit Rick avec une voix pleine de sollicitude.

— Tout est relatif, murmura-t-elle avant de déglutir encore. Mais bon, je pense que ça ira.

Puis elle leva la tête, offrit son visage à la violente brise marine et inspira profondément.

Rick ne pouvait détacher les yeux de son visage aux paupières closes, aux lèvres pleines, entrouvertes comme en attente d'un baiser. Le vent emmêlait ses boucles courtes, et il serra les poings dans ses poches pour s'empêcher d'enfouir ses doigts dans le désordre de cette masse soyeuse.

Plusieurs voitures les dépassèrent en trombe, prenant les virages à une vitesse terrifiante. Mais Tracy n'y accorda aucune attention. Quelques minutes s'écoulèrent avant qu'elle n'ouvre les yeux et regarde Rick bien en face.

— On peut y aller, maintenant, déclara-t-elle avec un sourire blême.

— On s'arrêtera dès que possible pour acheter de la Nautamine.

— Excellente idée. J'ai fini ma réserve hier après-midi.

— A moins que tu ne préfères que nous fassions demi-tour pour reprendre l'autoroute.

Le regard de Tracy s'arrêta sur le paysage que surplombait la route, escarpé et sauvage. Les vagues de l'océan pilonnaient et s'écrasaient contre les rochers déchiquetés. Des paquets d'écume de mer s'élevaient dans l'air, saisissant au vol les rayons du soleil, et brillaient comme des poignées de diamants irisés jetées au firmament par la main de Neptune. Les mouettes tourbillonnaient en jacassant. Les nuages légers traversaient un ciel d'un bleu aveuglant.

Après un long moment, elle ramena les yeux vers Rick.

— Non, dit-elle. Cela fait tellement longtemps que je ne suis pas venue ici. Je préfère suivre la route de la côte.

Rick fut ravi de sa décision.

— Tu en es certaine ? insista-t-il néanmoins.

— Oui, oui. Mais faisons provision de Nautamine.

— Promis.

Lui prenant la main, il la ramena vers la Range Rover, où il l'aida à monter. Puis il suggéra :

— En attendant de trouver une pharmacie, on pourrait occuper ton esprit afin de le détourner de ton estomac.

— Comment cela ?

— Eh bien, nous n'avons pas encore défini ton prince charmant, n'est-ce pas ?

Le visage de Tracy s'éclaira, et Rick trouva révoltant de savoir que son sourire s'adressait à un fiancé imaginaire !

— Tu as raison.

— J'ai souvent raison, déclara-t-il en reprenant le volant. Demande à mes troupes. Mes gars te le diront.

Tracy garda les yeux fixés droit devant elle, s'efforçant d'oublier la route sinueuse et l'à-pic vertigineux vers l'océan sur leur gauche.

— Bien, dit-elle tandis que Rick manœuvrait la Range Rover avec l'aplomb d'un pilote de rallye. Je propose de commencer par son nom. J'ai décidé de l'appeler Brad.

Rick ne put s'empêcher de prendre une expression dégoûtée.

— *Brad* ? articula-t-il.

— C'est un prénom parfait, plaida-t-elle. Et puis,

on l'associe automatiquement avec Brad Pitt, ce qui lui donne un certain cachet, je trouve.

— C'est un nom d'abruti.

— Pas du tout. Brad Pitt n'est absolument pas un abruti. Il mène une vie de rêve.

— Bon, eh bien, Brad est ton fiancé, après tout, trancha Rick. Si tu y tiens tant, je n'ai rien à dire, hein ?

— Exact.

Comme Rick négociait un virage, elle s'agrippa aux accoudoirs. Son estomac se souleva, aussi recommença-t-elle à parler, obligeant son esprit à se fixer sur autre chose.

— Point suivant : que fait mon mystérieux amoureux dans la vie ?

— Acteur millionnaire ? suggéra Rick d'un ton qu'elle trouva narquois.

— Non. Malgré mes scrupules à l'avouer à un militaire, la plupart des femmes sont fascinées par l'uniforme. Donc, puisque je veux que toutes mes anciennes compagnes de classe soient vertes de jalousie, j'ai décidé de faire de Brad un marine.

Un sourire traversa furtivement le visage de Rick.

— Par-dessus le marché, poursuivit Tracy, j'en fais un pilote de chasse.

Le sourire de Rick disparut.

— Ces gugusses sont des mauviettes, Tracy.

— Tu n'as jamais vu *Top Gun,* alors ?

Rick renifla avec dédain.

— Pense aux Anges Bleus, commenta Tracy d'une voix rêveuse.

Elle parla alors de l'escadron de pilotes hallucinants, dont elle avait admiré les performances lors d'une démonstration aérienne quelques années plus tôt. Elle était restée bouche bée comme le reste de l'assistance ce jour-là devant leur intrépidité et leur habileté à exécuter d'improbables acrobaties volantes.

— Des frimeurs, railla Rick, avec un haussement d'épaules méprisant.

Pourquoi se montrait-il si agressif ?

— Tu ne serais pas un peu jaloux ? le taquina Tracy.

— Certainement pas, rétorqua-t-il d'un ton sec.

Et il attaqua avec rage le virage suivant.

Aussitôt, Tracy laissa échapper un gémissement, et plaqua sa main contre son estomac.

Pardon, s'excusa Rick avant de ralentir.

— Pas grave, le rassura-t-elle en repoussant une vague de nausée. Contente-toi de me parler. Je croyais que tu avais promis de m'aider dans cette histoire.

Les mains de Rick se crispèrent compulsivement sur le volant.

— D'accord, marmonna-t-il. Je veux bien t'aider. Mais bon sang, Tracy, un de ces clowns de la voltige, vraiment, c'est ça que tu souhaites comme fiancé virtuel ?

— Pourquoi pas ? Les femmes les adorent et les hommes adoreraient être à leur place. Ça correspond parfaitement à mes objectifs. Souviens-toi, Rick. Je veux que les gens de Juneport me voient comme une nouvelle Tracy. Or, quoi de mieux qu'un pilote de chasse à leur agiter sous le nez ?

— Ah, je t'en prie, ne cède pas toi aussi au fantasme du dieu volant, grommela Rick, visiblement écœuré. N'importe quel simple marine vaut mille fois mieux que ces prétentieux frimeurs des nuages.

— Evidemment, tu ne peux pas être tout à fait impartial dans cette affaire, souligna Tracy avec un sourire ironique.

— Je suis concret, riposta-t-il en la regardant par-dessus ses lunettes de soleil. C'est facile de jouer les durs à cuire à haute altitude. Mais il faut être un vrai homme pour marcher vers l'ennemi sans flancher sous les tirs.

Ses yeux verts brillaient d'une telle fierté que Tracy sentit des picotements remonter le long de sa colonne vertébrale.

Observant Rick, la ligne ferme de sa mâchoire, les muscles de ses bras, l'expression farouchement déterminée de son visage, elle s'avoua vaincue sur un point : aucun pilote de chasse au monde ne pouvait rivaliser avec le capitaine Rick Bennet.

— En fin de compte, reprit-il après un instant de silence, pourquoi te préoccupes-tu autant de ce que pensent des gens que tu n'as pas revus depuis des années ?

Tracy fronça les sourcils. Il fallait avoir été la grosse tête de l'école, avoir vécu en paria la majeure partie de sa vie pour comprendre. Ce qui n'était absolument pas le cas de Rick. La star du lycée.

— Tu ne comprendrais pas, dit-elle d'une voix égale.

— Essaye quand même, grogna-t-il, vexé.

— Très bien, si tu insistes. Durant toute ma vie, je ne me suis jamais sentie à la hauteur. A l'école primaire, au lycée, en fac, j'avais beau faire, je n'entrais pas dans le moule. Soit on m'ignorait, soit on me plaignait, soit on me tolérait. Mais on ne m'a jamais vraiment acceptée.

— Tracy, par pitié, oublie tout ça. Cela remonte à des années, tu es adulte, maintenant. Tu es devenue une femme superbe avec une merveilleuse réussite. Le passé ne compte plus.

— Si. Le passé compte parce qu'il détermine

notre avenir. Je ne peux rien changer de ce qui fut autrefois, mais je peux modifier la façon dont les gens me perçoivent aujourd'hui.

— Et pour cela, il te faut un *homme*, un fiancé qui n'existe que dans tes mensonges ?

— Parfaitement, oui !

Elle sentait bien que Rick la blâmait. D'ailleurs, si elle était honnête, une partie d'elle-même en faisait autant. Mais elle voulait tant, pour une fois, être la fille dont tout le monde parlait. Elle voulait être le principal sujet d'intérêt, l'objet de toutes les envies.

Pour une fois, elle voulait être *au centre du cercle*. Et elle savait que le fictif Brad allait l'y aider.

6.

Le reste du trajet s'écoula dans un silence tendu. Tracy percevait la désapprobation émaner de Rick avec la force d'un raz-de-marée. Mais après tout, elle n'avait pas besoin de son accord pour ses projets. Aussi s'efforça-t-elle de l'ignorer. Sans compter qu'elle avait d'autres préoccupations, comme concentrer toute son énergie à des pensées positives afin d'éviter la révolte de son estomac. Mais même l'extraordinaire beauté des paysages ne parvint pas à alléger son supplice.

Ils firent halte dans une bourgade pour refaire le plein d'essence et acheter de la Nautamine. Lorsque Rick lui proposa de prendre un déjeuner léger pour stabiliser ses nausées, elle se contenta de répondre par un gémissement.

Le temps était enfin venu de s'arrêter pour la nuit, elle ne pensait plus qu'à s'allonger sur un lit et à ne plus en bouger.

Le vieux motel, à l'architecture typique des années 50, s'étendait sur un seul niveau autour d'un splendide chêne centenaire, dont les branches noueuses dessinaient des dentelles d'ombre sur le parking. Mais elle n'était pas en état d'admirer les lieux. Une fois dans sa chambre, elle lâcha ses bagages et retira ses lentilles de contact. Puis, un livre à la main, s'affala sur le lit et s'endormit avant même d'avoir sorti ses lunettes de son sac. Deux heures plus tard, un bruit répété franchit la barrière de sa conscience. Elle ouvrit un œil. L'obscurité dans la chambre était totale.

Poussant un gros soupir, elle roula sur elle-même et referma les yeux.

Comme les coups frappés à la porte reprenaient, elle souleva une paupière.

— Qui que vous soyez, fichez le camp, grommela-t-elle.

— Tracy ?

Elle reconnut la voix de Rick. Marmonnant entre ses dents, elle se leva du lit, et se dirigea à tâtons vers la porte principale, puis elle l'ouvrit d'un coup sec. Elle passa la tête à l'extérieur, regarda d'un côté puis de l'autre, mais la cour était vide. Il n'y avait personne. Avait-elle rêvé ?

Les coups résonnèrent de nouveau, suivis cette fois d'un appel nettement plus fort.

— Tracy ? Tu es vivante ?

Elle se retourna et regarda dans sa chambre. C'est alors qu'elle aperçut un rai lumineux sous une autre porte de la chambre. Lorsqu'elle l'ouvrit, un flot de lumière électrique l'aveugla, tandis que la haute silhouette de Rick se découpait dans l'encadrement.

— Je croyais que tu étais dehors, expliqua-t-elle en clignant des yeux.

— J'ai obtenu des chambres attenantes.

Il entra dans la chambre, l'obligeant à reculer. Ce n'est qu'à ce moment-là qu'elle s'aperçut qu'il portait un plateau. Une odeur agréable de nourriture monta à ses narines. Elle la huma profondément, surprise de constater qu'elle mourait de faim.

Après avoir déposé le plateau sur la table près de la fenêtre, Rick alluma la lampe vissée sur le meuble, puis étudia Tracy.

— Tu étais tellement mal fichue tout à l'heure que...

Il s'interrompit, mais Tracy comprit qu'il s'était débrouillé pour avoir deux chambres contiguës au cas où elle serait encore malade et aurait besoin de lui pendant la nuit.

Quelle prévenance de sa part ! Il était adorable. Tracy sentit une petite vague de plaisir la traverser. C'était la première fois de sa vie qu'un autre homme que son père se donnait du mal pour s'occuper d'elle. Pour la soigner si elle en avait besoin. Cette attention la touchait plus qu'elle ne pouvait le dire et, à dire vrai, la prenait de court.

— Je t'ai apporté de la soupe de poulet, ajouta Rick.

— Mmm, ça sent drôlement bon…

— J'ai pensé que tu devais avaler quelque chose. Il y a de la ginger ale, aussi. Il paraît que le gingembre est bon pour les estomacs perturbés. En tout cas, c'est ce que ma mère prétendait.

Tracy ne put s'empêcher de sourire. Sa mère à elle tenait le même raisonnement et l'avait obligée à en ingurgiter chaque fois qu'elle avait été alitée. Raison pour laquelle, elle était maintenant incapable d'en boire une seule gorgée sans devenir *vraiment* malade. Mais autant ne rien dire à Rick, la gentillesse dont il faisait preuve était tellement agréable.

— Merci, Rick, murmura-t-elle.

— Pas de quoi.

Puis il s'assit sur une chaise, tandis qu'elle prenait place en face de lui.

— Ecoute, Tracy, reprit-il. Je suis désolé de m'être montré un peu brutal tout à l'heure.

— Ce n'est rien.

Elle haussa les épaules, puis, avec sa cuiller,

cueillit un glaçon dans son verre de ginger ale et le laissa tomber dans le bol de soupe.

— Si, c'est grave. Après tout, les raisons pour lesquelles tu tiens à ce faux fiancé ne me regardent pas, et...

Il s'interrompit en la voyant mettre de nouveaux glaçons dans son bol.

— Qu'est-ce que tu fais ?

— Je refroidis ma soupe.

— Ah... Bref, si tu veux un pilote de chasse, cela ne me pose aucun problème.

— Je n'ai pas dit que je *voulais* un pilote de chasse. J'ai dit que les femmes présentes à la réunion du lycée seraient impressionnées par un pilote de chasse.

Elle avala une cuillerée de soupe, attendit la réaction de son estomac, puis, rassurée, en prit une autre.

— Mais en fin de compte, poursuivit-elle en plissant avec effort les yeux vers Rick, je suis prête à céder un peu de terrain. Que penses-tu d'un bon marine ordinaire, plutôt ?

— Que du bien, admit Rick avec un large sourire.

— Formidable, alors tope-là.

Comme elle tendait la main, elle manqua renverser son verre. Rick le rattrapa de justesse.

— Pourquoi ne portes-tu pas tes lentilles ? demanda-t-il en redressant le verre.

— Je dormais, se justifia Tracy.

— Alors où sont tes lunettes ?

— Dans mon sac.

— Tu veux que je te les apporte ?

— Non, je te remercie.

Pas question. Elle savait bien à quoi elle ressemblait avec ses lunettes sur le nez : à une vilaine chouette.

— Pourquoi ? Tu préfères ne pas voir ce que contient ton assiette ?

— Je suis myope comme une taupe, mais j'ai de l'odorat, répliqua-t-elle avec un petit rire.

Après ce bol de soupe, elle se sentait incontestablement mieux qu'au cours de la journée.

— Je crois que je survivrai cette fois, soupira-t-elle, soulagée.

Un pan de silence s'étira entre eux. Tracy était presque soulagée de ne pouvoir distinguer le visage de Rick. Que voyait-il lorsqu'il la regardait ? se demanda-t-elle. La sœur de Meg ? Une empotée à demi aveugle dotée d'un estomac susceptible ? Une brillante femme d'affaires ? Une surdouée ? Une ringarde ?

Une femme désirable ?

A cette pensée, son corps s'embrasa. Un frisson

brûlant balaya chaque fibre de sa peau. Et la fraîcheur nocturne ne parvint pas à apaiser la fièvre soudaine qui bouillait en elle.

— Tracy ?

La voix grave de Rick acheva de l'électriser.

— Oui ?

Sans ses lunettes, elle s'imagina que ses yeux au vert intense étincelaient d'un désir soigneusement couvert. Malgré elle, ses lèvres s'entrouvrirent, sa gorge s'assécha.

Le silence dans la pièce était palpable.

— Rien, dit enfin Rick, qui se leva.

Le raclement des pieds de sa chaise sur le sol marqua la fin d'un fantasme tout à fait prometteur.

Plissant plus fort les yeux, Tracy le regarda gagner à pas lents la porte séparant leurs deux chambres. Son cœur battait à tout rompre, au bord de l'explosion.

— Essaye de dormir, conseilla Rick sur le seuil. Si tu veux que je…, bref, n'hésite pas à m'appeler. Je serai là.

Sur ces mots, il referma la porte derrière lui.

Si elle voulait qu'il *quoi* ?

Effondrée sur sa chaise, elle se demanda comment Rick réagirait si elle le rappelait maintenant. Si elle lui disait ce qu'elle voulait précisément de lui. Qu'il la prenne dans ses bras. Qu'il l'embrasse. Qu'il lui fasse l'amour.

— Mon Dieu, gémit-elle en croisant ses bras sur la table.

Lorsque le verre de ginger ale se renversa, l'éclaboussant de liquide glacé, elle le prit comme un signe du destin. Même elle devait garder la tête froide.

— Alors, quel âge a Brad ? demanda Rick le lendemain, tandis que la voiture avalait les kilomètres.

— Trente ans. Un joli chiffre rond, facile à se souvenir.

— Je pense que je me souviendrai de Brad, de toute façon, marmonna-t-il entre ses dents.

Cela faisait maintenant des heures que Tracy et lui ne parlaient que de ce type imaginaire. Aussi incroyable que cela paraisse, il se sentait sur le point de haïr un homme qui n'existait pas.

A eux deux, ils avaient bâti la romance fictive de Tracy avec ce sale individu. Et, bien que cela soit totalement absurde, il éprouvait une jalousie tenace. Dès que la jeune femme prononçait le nom de cet abruti, même virtuel, il ne pouvait refréner une nouvelle attaque d'irritation.

Son expression se radoucit quelque peu lorsqu'il décocha un coup d'œil vers Tracy. Le nez chaussé de ses lunettes qu'elle détestait tant, elle était incroyablement mignonne. Bien trop jolie pour un gars comme Brad.

Et surtout, bien trop innocente pour un gars comme *lui*.

— Qu'y a-t-il ? demanda-t-elle, surprenant son regard.

« Oh, plein de choses. »

Des choses auxquelles il ferait mieux de ne pas penser. De ne pas ressentir. Bon sang, après tout, il la connaissait depuis l'enfance. Ses parents l'aimaient autant que leur propre famille. Elle n'était pas le genre de femme qu'on entraîne dans une brève et torride aventure.

Non. Tracy était le genre de femme qu'on épouse.

— Rien, répondit-il à voix haute.

Quelque chose dans les yeux de Tracy l'informa qu'elle ne le croyait pas, mais qu'elle n'insisterait pas non plus.

Puis, à sa grande surprise, Rick s'entendit ajouter :

— Tu es très mignonne avec tes lunettes.

Visiblement mal à l'aise, elle laissa échapper un rire bref, et hocha une tête incrédule.

— Non, ce n'est pas vrai. Mais les lentilles m'irritent les yeux. Alors, tant que nous ne serons pas arrivés, je porterai mes carreaux habituels.

Agacé, Rick ramena son attention sur la route. Mais enfin, ne se rendait-elle pas compte de son charme, ou quoi ? Ni de l'effet qu'elle lui faisait ?

— Tracy, ne contredis jamais un homme qui te dit que tu es jolie.

— Mignonne, corrigea-t-elle.

— Jolie, mignonne, c'est pareil.

— Ah non, objecta Tracy, croisant les bras avec détermination. Une ado est *mignonne*. Je me retrouve de nouveau la pauvre petite chose impuissante et pitoyable.

Eh bien, songea Rick, stupéfait, si c'était ainsi qu'elle prenait un compliment, il valait mieux ne pas l'insulter !

— Que veux-tu dire ?

— Oh, ce n'est pas de ta faute. Tout le monde s'est toujours comporté de cette manière. Comme si j'avais besoin qu'on me protège. Qu'on vienne à mon aide.

« Ah oui ? Quelle ironie ! » songea Rick. Il n'était *pas* le chevalier Bayard. Bien au contraire, celui-ci ou un autre ferait bien de rappliquer au plus vite pour la protéger de lui. Il n'avait pas envie de sauver Tracy. Il avait envie de l'embrasser. De la

114

tenir dans ses bras. De sentir la douceur de sa peau sous ses mains.

En fait, s'il était vraiment honnête, il avait envie de lui faire l'amour, avec passion, puissance, intensité, et si longuement qu'ils en resteraient tous deux tremblants et le souffle court.

Il était mal barré.

Lâchant le volant d'une main, il se frotta vigoureusement la nuque, s'efforçant de chasser le désir qui lui fouettait les reins. Un désir fébrile, impatient, exigeant. Le corps tendu, il inspira et expira, s'enjoignant au calme. Mais se maîtriser lui devenait de plus en plus difficile.

Chaque nouvelle minute passée près de Tracy le menait au bord de l'explosion. Le danger était imminent. Il laissa échapper un rire nerveux.

— Je ne vois pas ce qu'il y a de drôle, grommela t elle.

— Moi non plus, Tracy, moi non plus. Tu peux me croire.

Les kilomètres suivants furent parcourus dans un silence pesant. Jusqu'à ce que, au détour d'un virage, Tracy aperçut quelque chose qui détourna ses pensées de Rick.

— Regarde ! s'exclama-t-elle en désignant le bas-côté.

Un monospace, la roue gauche complètement à plat, était arrêté sur le bord de la route, côté océan. Deux gamins se chamaillaient sur la banquette arrière, tandis que leur mère, l'air abattu, se tenait près de la voiture, jetant alternativement des coups de pied dans le pneu crevé et des coups d'œil sur la route, comme dans l'attente d'une hypothétique aide.

Avant même que Tracy ait pu ajouter quoi que ce soit, Rick avait mis son clignotant et effectuait un dangereux demi-tour pour aller se garer derrière le monospace.

— Attends-moi, ordonna-t-il en coupant le moteur et en décliquant sa ceinture.

— Non, répliqua Tracy, qui avait remarqué l'expression méfiante de la femme. Tu sais, dans le monde actuel, la pauvre ne peut savoir à l'avance si notre arrivée doit la réjouir ou la terrifier. Je pense que cette dame sera rassurée si je t'accompagne.

— De quoi aurait-elle… ? commença Rick avant d'approuver de la tête. Oui, tu as sans doute raison. Allons-y.

Ensemble, ils s'approchèrent de la femme qui s'était retranchée derrière la portière de son véhicule.

— Bonjour, lança Tracy. Vous avez besoin d'aide ?

Le regard de la conductrice glissa plusieurs fois de Tracy à Rick, puis passa à ses deux enfants, lesquels pressaient maintenant leurs petits visages curieux sur la vitre.

— Euh, oui, répondit-elle d'un ton encore hésitant. Mais je viens d'appeler mon mari, et…

Elle brandit son téléphone portable pour appuyer ses dires, mais Rick la coupa d'une voix à la fois douce et ferme.

— Si vous avez un cric et une roue de secours, je pourrai peut-être remplacer le pneu crevé, et éviter ainsi le trajet à votre mari.

L'indécision se lisait sur les traits de la jeune mère. Visiblement, l'offre la tentait, mais une femme seule avec deux enfants devait se montrer prudente.

— Vous ne courez aucun danger, la rassura Tracy avec un geste du menton en direction de Rick. C'est un marine, et il n'aime rien tant que de jouer les héros.

Un sourire se dessina sur les lèvres de la femme, qui parut se détendre quelque peu.

Entrant dans le jeu, Rick tança Tracy d'un regard faussement outré, puis se tourna vers la conductrice.

— Vous voyez où ça me mène, d'être galant ? Au moindre service rendu, elle se moque de moi.

Le sourire de la femme s'élargit, et elle tendit les clés du monospace à Rick, qui s'en empara.

— D'accord, conclut-elle en riant. Me voilà rassurée. Tenez, tout est dans le coffre. Et… merci beaucoup.

— C'est bien naturel, madame.

Tracy et la conductrice, qui se présenta comme Annie Taylor, firent descendre les deux enfants et les éloignèrent de la route pendant que Rick s'acquittait de sa tâche.

— Vraiment, avoua Annie tandis que les gamins escaladaient les rochers, je ne sais pas ce que j'aurais fait si vous ne vous étiez pas arrêtés. J'ai effectivement appelé mon mari, mais il n'était pas là.

Tracy observa le petit garçon et la petite fille lancer des cailloux dans l'océan et sourit.

— Typiquement masculin, non ? Les hommes ne sont jamais là quand on a besoin d'eux.

— En tout cas, *votre* mari était là quand j'ai eu besoin de lui, plaida Annie en riant.

— Euh, en fait…, commença Tracy, prête à rectifier.

— Un marine, hein ? murmura pensivement Annie, le regard fixé sur Rick qui actionnait le cric.

118

J'imagine qu'il est splendide dans son uniforme, n'est-ce pas ?

« J'imagine aussi », songea Tracy, observant à son tour l'homme en question. Ses muscles qui roulaient sous son polo bleu. Ses grandes mains aux gestes sûrs, qui maniaient le cric avec puissance et dextérité. Quelque chose se noua au plus intime de son ventre tandis qu'elle se demandait involontairement quelles sensations produiraient ces mains sur son corps.

Malgré la chaleur du soleil dans son dos, elle réprima un frisson. L'air marin était dense, et Tracy en emplit ses poumons, s'efforçant d'alléger la pression dans sa poitrine.

— Jimmy, cria Annie à l'attention de son fils qui s'approchait de Rick. Eloigne-toi de la route.

— Je regarde juste le monsieur, protesta le gamin du haut de ses quatre ans, bientôt rejoint par sa sœur.

— Laissez-les, je m'en charge, la rassura Rick.

Tracy fut reconnaissante de pouvoir distraire son attention de Rick et à ses mains. Elle surveilla les deux enfants qui, fascinés, observaient la manœuvre.

— Pourquoi tu fais ça, monsieur ? demanda Jimmy.

— Pour enlever la vieille roue.

— Oui, mais pourquoi ? insista la petite fille.

— Parce qu'elle est à plat, marmonna Rick.

— Pourquoi elle est à plat ?

— Je ne sais pas.

— Tu vas la regonfler ? reprit Jimmy.

— Non.

— Alors, moi, je peux le faire ?

Le rire de Rick s'éleva, sonore et joyeux.

— Non, mais tu vas pouvoir m'aider avec les boulons.

— Chouette, s'extasia Jimmy.

— Tu as des bonbons ? Moi aussi je veux des bonbons. J'ai faim, piailla la petite fille, à peine âgée de deux ou trois ans.

— Pas des bonbons, des boulons, corrigea Rick.

Amusées, Tracy et Annie échangèrent un regard de connivence féminine. Toutes les femmes du monde trouvaient extrêmement divertissant le spectacle d'un homme aux prises avec l'incessant feu roulant des questions que seuls les enfants savaient produire.

Comme s'il se sentait observé, Rick leur lança un coup d'œil rapide par-dessus le cric, puis noua une seconde son regard à celui de Tracy. Elle en ressentit la brûlure jusqu'aux orteils. L'instant d'après, les enfants et lui étaient de nouveau concentrés sur son travail.

Lorsqu'il eut fini, Rick rangea le cric et la roue crevée dans le coffre, puis rendit à Annie les clés de la voiture. Essuyant ses mains pleines de cambouis sur son jean, il l'assura que même légèrement dégonflé, le pneu de secours leur permettrait de rentrer chez eux.

— Merci, déclara Annie après avoir installé les enfants à l'arrière. Merci de tout mon cœur. Vous permettez ? poursuivit-elle en souriant à Tracy.

Celle-ci comprit et répondit d'un ton ironique :

— Oui, mais juste pour cette fois.

Annie acquiesça, s'avança vers Rick et déposa un baiser rapide sur sa joue. Puis elle lui serra encore plus rapidement les bras avant de déclarer, tout sourire :

— Vous aviez raison.

— A propos de quoi ? balbutia Rick, désarçonné par ces manifestations inattendues de remerciements.

— Vous autres marines êtes *aussi* de galants hommes.

La mine réjouie, Rick lui ouvrit la portière de sa voiture, puis salua les enfants.

— Au revoir, monsieur.

— J'ai faim, maman.

Les voix fluettes s'estompèrent tandis qu'Annie démarrait.

Toujours souriante, Tracy ne quittait pas Rick des yeux.

— Eh bien quoi ? J'ai du cambouis sur le nez ?

Elle hocha la tête. Comment lui expliquer ce qu'elle ressentait ? Si elle essayait, il lui faudrait avouer qu'Annie les avait pris pour un couple marié, et qu'elle n'avait rien fait pour le démentir, bien au contraire. Non. Mieux valait s'en sortir avec une pirouette.

— Mon héros, déclara-t-elle en se mettant sur la pointe des pieds pour lui effleurer la joue, mais au même moment Rick tourna la tête et leurs lèvres se touchèrent.

Plus tard, Tracy chercha à se persuader qu'elle avait imaginé l'éclair électrique qui avait crépité autour d'eux, la foudroyant au creux des reins, lui coupant les jambes.

Elle ne pouvait détacher son regard médusé de celui de Rick. L'eau verte de ses yeux s'était assombrie, emplie d'ombres et de mystères. Puis il leva les bras, et Tracy sentit ses poumons manquer d'air.

Il l'attira contre lui, s'empara de sa bouche avec une fougue indescriptible. Ses lèvres exploraient avidement les siennes, jouaient, caressaient. Ses mains fermes et ses bras vigoureux la maintenaient tels des cercles d'acier, la rapprochant peu à peu de lui afin que leurs corps fusionnent.

Et lors de ce baiser dans la pleine lumière éclatante du jour, sur le bord de la route, tandis que l'océan se ruait avec force sur les rochers à leurs pieds, Tracy sut exactement ce qui lui avait manqué toute sa vie.

Lorsque Rick la relâcha enfin, elle vacilla sur ses genoux tremblants, et serait tombée s'il ne l'avait retenue, puis guidée vers la Range Rover. Il ne prononça aucune parole. Elle-même était incapable d'articuler le moindre mot.

Et quand la voiture fila de nouveau sur la route, le silence entre eux ne fit qu'accentuer la tension extrême dont ni l'un ni l'autre, ne souhaitaient parler.

Un motel tout simple, de bois, surplombait l'océan. Le bâtiment peint de gris doux et de brun pâle semblait se fondre dans le décor splendide qui l'entourait. Un long ponton de bois longeait les chambres, et leurs pas résonnèrent de façon quasi surnaturelle lorsqu'ils le suivirent.

Tracy ouvrit sa porte la première, et laissa aussitôt échapper un cri étouffé.

Rick la rejoignit sur le champ.

— Qu'y a-t-il ? Un problème ?

— Regarde, répondit-elle simplement.

Les rideaux devant la baie vitrée, juste à l'opposé à la porte étaient ouverts, offrant à qui pénétrait dans la chambre une vue absolument spectaculaire. Au-delà d'un autre ponton de bois teinté, meublé de beaux fauteuils recouverts de lin blanc, s'étendait une mince bande de pelouse soignée, puis, infini et sublime dans la lumière du soir, l'océan Pacifique.

— C'est superbe, murmura Rick en entrant à la suite de Tracy.

De lourds nuages gris menaçaient la ligne parfaite de l'horizon. Sur la droite, telle le vestige d'un ancien château enfoui sous les flots, surgissait une tour de rochers. L'écume s'envolait dans les airs lorsque les vagues venaient frapper le roc dans une danse incessante depuis la nuit des temps.

Tracy fit glisser la baie vitrée et sortit sur le balcon. Le vent s'engouffra dans ses cheveux, et le grondement de l'océan rugit à ses oreilles comme un fauve en cage.

— Quel endroit étonnant, dit Rick d'une voix sourde, en examinant les lattes de bois parfaitement balayées, la pelouse impeccable. Celle-ci était bordée d'autres énormes rochers, comme si une puissance supérieure les avait semés là pour créer une frontière entre le monde de l'homme et celui de Neptune.

La marée était basse. Le regard de Tracy se perdit sur les kilomètres de plage s'étirant à l'infini de part et d'autre de l'hôtel. Des monceaux de bois rejetés par la mer au cours d'une tempête formaient ce qui ressemblait à un jeu de construction de géant abandonné sur le rivage. Des flaques d'eau argentée dessinaient des dentelles sur le sable, et, au-dessus de la scène, les mouettes tourbillonnaient dans le vent.

La tension des heures précédentes s'envola comme par magie devant la beauté incroyable de cet endroit.

Tracy prit une profonde inspiration avant d'annoncer :

— Je vais aller marcher sur la plage.

— Donne-moi une minute, dit Rick, et je viens avec toi.

Elle se retourna pour le regarder. Ses cheveux volèrent devant son visage, et l'air chargé d'embruns voila ses lunettes. Il lui rendit son regard, un regard aussi intense que celui qu'il avait posé sur elle juste avant de l'embrasser. Le souvenir de ce baiser lui coupa le souffle. Elle sentit ses lèvres trembler. Et une chaleur dense se répandre au creux de son ventre.

Ce serait sans doute une erreur d'accepter qu'il l'accompagne, songea-t-elle. Si elle était aussi intelligente que tout le monde semblait le penser, elle ferait bien de maintenir une distance prudente entre Rick et elle. Surtout maintenant, après toutes ces récentes émotions. Mais, pour la première fois de sa vie de brillante surdouée, elle n'avait pas envie de se montrer intelligente. Elle n'avait pas envie de réfléchir.

Elle avait envie de *ressentir*.

Elle fixa Rick droit dans les yeux.

— Je t'attends.

7.

Des enfants les dépassèrent en riant, bondissant par-dessus les vagues qui venaient paresseusement lécher la grève. Un couple âgé longeait le bord de l'eau, main dans la main, unis par un silence complice. Un peu plus haut sur la plage, un adolescent traçait le prénom de son amoureuse sur le sable humide. Tous profitaient des dernières lueurs du jour. Et tous ignoraient totalement la présence de Tracy et Rick.

Le vent s'engouffra sous le pull jaune de Tracy, rabattit ses cheveux qui formèrent un halo doré autour de son visage. Comme elle frissonnait, Rick ôta son sweat-shirt et lui en recouvrit les épaules.

— Merci, articula-t-elle par-dessus le souffle furieux du vent.

Après un hochement de tête, Rick jeta un coup d'œil derrière son épaule. Ils avaient parcouru au moins deux kilomètres depuis le motel, et c'étaient les premières paroles que Tracy prononçait.

S'il avait espéré que marcher sur la plage avec elle l'aiderait à briser la barrière que ce baiser avait créée entre eux, c'était raté.

Il réprima un gémissement au souvenir du moment où il avait tout fichu par terre. Lorsque Tracy l'avait embrassé, il avait tout simplement cessé de penser. Bien sûr, il ne s'agissait pour elle que d'un petit baiser amical. La partie rationnelle de son cerveau le savait. Cependant, dès que les lèvres de Tracy avaient effleuré les siennes, il avait eu soif de plus. Soif de la goûter, d'explorer sa bouche, de s'enivrer de sa saveur. Alors, l'espace d'un instant, il avait cédé au besoin qui le taraudait depuis des jours.

Qu'il ait rapidement rompu ce baiser n'avait rien changé à l'affaire : Tracy semblait lui en vouloir à mort.

Le vent redoubla encore, tandis que les nuages galopaient dans l'horizon, masquant le soleil déclinant. Un par un, les promeneurs abandonnèrent la plage, et ils se retrouvèrent bientôt tous les deux seuls sur le rivage. Dans le crépuscule chargé d'embruns, ils observèrent le phare qui, depuis un rocher éloigné, jetait ses feux rassurants vers les bateaux voguant sur l'immense océan.

— Comme c'est beau, murmura Tracy.

128

Rick pencha la tête vers elle pour parvenir à l'entendre malgré le grondement assourdissant de la mer et du vent.

— Je suis partie depuis trop longtemps, j'imagine, ajouta-t-elle pensivement.

— Oui, moi aussi, sans doute, dit Rick, le regard perdu sur la large étendue d'eau aux reflets métalliques.

— C'est étrange, tu ne trouves pas ? C'est le même océan, mais en Californie du Sud, il est plus docile. Ici, il paraît sauvage, indompté… Comment dire ?

Elle secoua la tête, frustrée de ne pas trouver les mots adéquats pour exprimer ce qu'elle ressentait.

— Il est différent, tellement plus puissant, en fait, compléta-t-elle.

Rick se rapprocha d'elle, son regard lui aussi fixé sur l'horizon où des moutons chevauchaient les vagues. Elle avait raison, songea-t-il. Ici, dans le nord de la Californie, les arbres étaient plus hauts, le vent plus fort, et la mer plus présente, son souffle plus vivant.

Mais ce n'était pas seulement le paysage qui semblait différent, comprit-il soudain. Cet après-midi, il avait observé Tracy avec ces deux gamins. Avait entendu son rire. Vu comment les enfants lui répondaient, et une chaleur nouvelle avait gonflé son cœur. Il s'était même surpris à s'amuser des questions dont les enfants l'avaient pressé.

— Comment ça se fait, à ton avis ? demanda Tracy.

— Oh, je n'en sais rien, commença-t-il avant de se tourner vers elle, le cœur battant soudain à ses oreilles. Peut-être… Peut-être que nous voyons les choses familières sous une lumière différente. Peut-être que nous comprenons qu'on peut les voir sous d'autres aspects que celui dont nous avons l'habitude.

Tracy releva la tête et croisa son regard. Lorsqu'il plongea les yeux dans les prunelles si bleues, Rick sentit le souffle lui manquer. Ce voyage, le temps passé en sa compagnie lui révélait une autre Tracy, différente de celle dont il se souvenait. De celle à laquelle il s'attendait. Il effleura de la main les boucles blondes qui voilaient son ravissant visage. Ses doigts suivirent la courbe douce de sa joue, et un frisson brûlant parcourut son bras.

Comme une ombre traversait les yeux de Tracy, il comprit qu'elle aussi, avait ressenti la même chose que lui : une fulgurance lorsque leurs peaux se touchaient.

D'où venait donc ce besoin soudain, brutal, d'être avec elle, tout près d'elle ? Pour quelles raisons, après deux jours en sa compagnie, remettait-il en question sa vie et les choix qu'il avait faits ?

— Tracy…

Hochant la tête, elle lui intima le silence d'un doigt posé sur ses lèvres. Puis elle se lova contre lui, et il l'enlaça au plus près. Le cœur battant la chamade, le corps vibrant, il se laissa aller au plaisir de la tenir dans ses bras. Alors, elle lui tendit son visage et sa bouche.

Il réprima à grand-peine un gémissement venu du plus profond de son être, resserra son étreinte et plaqua le corps gracile tout contre lui. Du bout de la langue, il sépara ses lèvres pleines, puis plongea dans la douceur brûlante dont il rêvait depuis si longtemps. Tracy émit un petit hoquet devant sa voracité, mais noua les mains derrière son cou.

Leurs langues s'entremêlèrent en un ballet sauvage et avide de désir. Leurs souffles s'unirent pour mieux l'accompagner. Il sentit les seins de Tracy s'écraser sur son torse, et son corps se tendit. Instinctivement, elle plaqua ses hanches contre les siennes, et Rick, les reins en feu, rompit un instant leur baiser passionné, afin d'emplir ses poumons brusquement privés d'air.

— Rick…, murmura-t-elle, et sa voix fut emportée par le vent furieux qui les faisait vaciller.

— J'ai envie de toi, Tracy, dit-il d'une voix rauque.

Il planta son regard dans des yeux dont le bleu brillait d'une passion aussi violente que celle qui éclairait les siens, il le savait. Car jamais auparavant il n'avait désiré une femme comme il la désirait en cet instant.

— Oui, murmura-t-elle. Oui, je t'en prie.

Le tonnerre roula quelque part sur la mer. Le vent glacé les enveloppa sans ménagement, tandis que l'écume d'une vague venait lécher leurs pieds. La marée montait.

Une fois dans la chambre de Tracy, Rick prit le temps de tirer les rideaux sur les baies vitrées. Le rugissement de l'océan se réduisait maintenant à un lourd soupir assourdi qui résonnait dans la pièce comme un battement de cœur.

Ensuite, il enlaça de nouveau la jeune femme.

— Tu peux encore changer d'avis, lui murmura-t-il à l'oreille, priant le ciel qu'elle n'en fît rien.

— Je ne changerai pas d'avis, affirma Tracy, qui attira son visage vers le sien.

Leurs lèvres se joignirent en un nouveau baiser qui transperça Rick jusqu'à l'âme. Il comprit alors qu'il n'y aurait pas de retour en arrière. Peu importait de quoi demain serait fait ; peu importait ce que ce surprenant voyage leur réservait encore. Cette nuit existerait à jamais pour eux deux. Cette nuit, qui semblait avoir été prédestinée dès l'instant où il l'avait vue à la porte de son appartement.

Avide de la toucher, d'explorer le corps qui avait hanté ses rêves, il glissa les mains sous son pull.

— Ta peau est si douce, murmura-t-il.

Le souffle court, Tracy releva le visage vers lui, quêtant un autre baiser. Après avoir satisfait sa demande, il lui retira son pull d'un geste vif, dévoilant sa peau bronzée et un délicat soutien-gorge de dentelle blanche.

Un élan d'excitation empourpra les joues de Tracy. Ses yeux étincelèrent, son souffle s'accéléra. Sans lâcher son regard, Rick dégrafa le soutien-gorge, et libéra deux seins absolument parfaits. Comme elle humectait ses lèvres sèches, le lent mouvement de sa langue sur sa bouche alluma de nouveaux brasiers au creux de ses reins.

— Tracy…

Il sentit son cœur s'emballer de plus belle lorsque, avec un sourire exquis, elle fit glisser lentement les fines bretelles le long de ses bras, puis laissa tomber la fine lingerie sur le sol.

Les taches de rousseur étaient là, ombres d'or sombre fondues sur la peau ambrée. Pas de marques de bronzage… L'image de Tracy étendue nue sous le soleil décupla encore son désir.

— Sublimes, murmura-t-il en prenant ses seins dans la coupe de ses mains.

Il les caressa avec douceur, effleura leur pointe rose qui se dressa aussitôt. Tracy gémit sourdement comme il titillait les tendres boutons entre ses doigts.

— Rick, annonça-t-elle d'une voix rauque. Mes genoux vont me lâcher, je crois.

Il la retint en souriant. Lui-même ne valait guère mieux, et sentait ses jambes vaciller aussi. Avec une douceur infinie, il l'allongea sur le lit et se plaça au-dessus d'elle. Tête penchée, il s'empara de ses tétons, l'un après l'autre, lentement, goûtant leur chair délicate de ses lèvres et de sa langue.

Tracy ondulait sous lui, les reins cambrés, offerte tout entière. Et il la savoura avec volupté, encore et encore, léchant, mordillant, suçant les fruits tièdes et satinés, la soumettant à une torture exquise et délibérée. Son propre corps s'aiguisait à chaque gémissement de Tracy, le désir lui cinglait les reins, l'amenant au bord de l'explosion.

Jamais, jamais il n'avait désiré une femme comme elle.

Brusquement, elle se redressa.

— Pourquoi t'arrêtes-tu ? demanda-t-elle, les yeux brillants, élargis de plaisir.

Le simple fait de la regarder suffisait à lui couper le souffle.

— Chérie, nous ne faisons que commencer.

Il se déshabilla fébrilement, jetant ses vêtements n'importe où, dans sa hâte à la rejoindre sur le lit. Ensuite, il se pencha sur elle et lui ôta ses chaussures, qui glissèrent par terre avec un bruit mat.

— Aide-moi à enlever ton pantalon, Tracy, lui ordonna-t-il avec douceur. Je veux te sentir tout entière contre moi.

Mais les doigts tremblants de Tracy s'avérèrent trop malhabiles. Rick écarta ses mains et défit lui-même la ceinture, puis la fermeture du pantalon, qu'il fit ensuite glisser lentement le long de ses jambes.

Centimètre après centimètre, une peau satinée, blonde comme le miel, apparut sous son regard lourd de convoitise. Lorsque le pantalon fut tombé au sol, il remarqua plusieurs marques bleues qui entachaient la perfection du corps sculptural. Il fronça les sourcils. Effleurant la plus large d'un doigt léger, il demanda :

— Que t'est-il arrivé ?

Tracy émit un petit rire.

— Oh, ce n'est rien ! Je me cogne toujours partout.

Se souvenant l'avoir vue heurter une table la veille, Rick sourit, rassuré. Puis il se pencha sur la marque de chair meurtrie, et la lécha tendrement.

Un léger hoquet langoureux lui répondit. Alors, il glissa les mains sous le slip de Tracy, et le fit rouler jusqu'à ses pieds avant de venir s'allonger auprès d'elle.

Le dessus-de-lit fleuri était un peu froid sous leurs corps. Rick envisagea un instant de s'enfouir avec elle entre les draps. Mais c'était une perte de temps ! Ce qu'il voulait — ce qu'il désirait de toutes ses forces — c'était s'enfouir dans Tracy. Sentir autour de lui la chaleur délicieuse et moite de son intimité.

D'une paume caressante, il remonta la ligne interminable de sa jambe, la courbe de sa hanche, vers son ventre plat et doré. Il effleura du bout des doigts le triangle de boucles blondes au creux de ses cuisses, et Tracy frémit sous sa main.

— Rick, articula-t-elle d'une voix rauque en se cambrant vers lui. J'ai envie de toi aussi…

— Je le sais, mon cœur, chuchota-t-il en explorant doucement le nid brûlant et humide qui l'attendait.

Tracy tressaillit encore lorsqu'il la toucha au plus secret de son corps. Il s'empara de sa bouche tandis que sa caresse se faisait plus précise, plus profonde. Elle vibra, puis s'agrippa à ses épaules en gémissant.

Aussitôt, ses cuisses s'ouvrirent et Rick s'aventura plus loin dans l'exploration, enivré de découvrir sa chair secrète et moite, si douce sous ses doigts.

Comme il prenait l'un de ses seins dans sa bouche, Tracy gémit plus fort et se serra contre lui. Puis il suça son téton, et son corps trembla d'un plaisir électrique. Elle se tordit sous ses caresses. Les doigts de Rick allaient et venaient en elle, éveillant au plus profond de son corps des sensations foudroyantes. Elle tendit instinctivement les hanches vers lui, le suppliant en silence de ne jamais cesser cette exquise torture.

Il poursuivit, encore et encore, l'amenant jusqu'à des sommets de plaisir insoupçonnés. Là où aucun de ses très rares amants ne l'avaient jamais conduite.

Comme si toute sa vie, elle avait attendu ce moment. Le moment de connaître enfin la sensation de son corps uni à celui d'un homme. Que l'homme qui lui faisait découvrir cela soit Rick lui parut un signe évident du destin.

Le tourbillon violent des émotions l'emporta hors de sa raison. Elle ressentait un tel plaisir dans chaque cellule de son corps.

De son pouce à la précision démoniaque, Rick caressait le petit bouton de chair frémissante et incroyablement sensible qui marquait le seuil de sa féminité.

Au bord de l'explosion, les jambes tremblantes, elle eut le sentiment que même son âme retenait son souffle.

— Rick, balbutia-t-elle. Je n'en peux plus. Prends-moi. Maintenant.

Rick releva la tête pour observer son visage tendu de plaisir.

— Volontiers, ma belle.

Puis il s'agenouilla entre ses jambes ouvertes, et, nouant son regard au sien, lui souleva les hanches.

Tracy cessa de respirer tandis qu'il pressait lentement son corps contre le sien, son membre dur et gonflé contre l'entrée de son sexe. Enfin, il la pénétra.

Souple et humide, sa chair élastique l'accueillit, le laissa frayer son passage comme si elle l'attendait de toute éternité. Elle s'ouvrit à lui, s'emplit de lui. En une seconde hors du temps, leurs corps fusionnèrent. Ils ne faisaient plus qu'un.

Regards mêlés, dans lesquels désir, passion, émotion, brillaient de mille feux, ils restèrent un instant immobiles. Puis Tracy commença de bouger, tendant les hanches vers les siennes. Rick avala une goulée d'air et serra les dents. Arc-bouté au-dessus d'elle, il bougea à son tour, et Tracy gémit sous le frottement magique de leurs chairs. D'abord doucement, plus vite ensuite, la danse de leurs corps se mit à effectuer un mouvement de va-et-vient, un pas de deux harmonieux et parfait.

La pulsion de l'océan résonnait en écho dans la chambre. Le souffle court, Tracy se sentit sur le point d'éclater comme un morceau de cristal projeté contre un rocher par le vent de la mer. Ce qu'elle ressentait dépassait tout ce qu'elle avait connu jusque-là. Dépassait même tout ce qu'elle avait lu dans les romans d'amour. Aucune description lyrique d'un feu d'artifice intime ne rivalisait avec la tempête déchaînée en elle.

D'ailleurs, aucun héros romanesque ne rivalisait avec Rick, songea-t-elle furtivement, le cœur gonflé d'émotion. La flamme qui avait brûlé en elle depuis son adolescence pour lui n'était qu'une allumette vacillante dans le vent comparée à ce qu'elle éprouvait à présent.

Comment cela s'était-il produit ? Comment, en l'espace de trois jours, une amourette de gamine s'était-elle transformée en amour aussi passionné ?

Impossible, martelait la part encore rationnelle de son cerveau. Elle leva les yeux vers Rick, et se laissa emporter par le désir qu'elle lut dans son regard émeraude.

Le moment était venu. Elle le savait. Tout en elle était tendu vers cet instant fulgurant, prêt à le vivre avec la puissance requise. Elle noua ses jambes autour des hanches de Rick, l'attira plus loin, plus fort en elle, pour mieux atteindre le plaisir exquis qui la submergeait déjà.

Rick glissa une main entre eux, et, lorsque ses doigts la touchèrent, le corps de Tracy explosa. Agrippée à lui, elle cria son nom tandis qu'elle escaladait l'une après l'autre les vagues d'une jouissance souveraine qui la laissa pantelante.

Alors seulement, Rick s'abandonna à son tour au plaisir même qu'il lui avait offert.

— Tracy ?

Elle s'étira en marmonnant quelque chose d'incompréhensible.

— Allez, Tracy, insista Rick d'une voix plus forte. Réveille-toi. Nous devons parler, tous les deux.

— D'abord dormir, grommela-t-elle, se blottissant contre lui. On parlera plus tard.

C'était tentant, songea Rick. Dans l'immédiat, rien ne lui semblait plus délicieux que s'allonger à côté de Tracy et sombrer enfin dans un sommeil, réparateur pour la première fois depuis plusieurs jours.

Mais Tracy emmêla sa jambe aux siennes, passa un bras sur son torse. Son corps s'éveilla de nouveau. Qui pensait-il berner ? Tant que cette femme fascinante serait étendue près de lui, aucun des deux ne dormirait.

Luttant contre une nouvelle montée de désir, il s'écarta résolument d'elle.

— Tracy, réveille-toi.

Il se rendit compte que sa voix comportait des inflexions dignes de celles qu'il employait avec ses marines. Il était prêt à s'en excuser mais, à sa grande surprise, Tracy obéit, et ouvrit ses immenses yeux bleus pleins d'innocence.

Elle le regarda, puis, un sourire lascif sur les lèvres, leva la main vers son visage.

— Salut, toi.

— Salut, toi aussi, répliqua Rick, s'efforçant d'ignorer la douceur de sa caresse.

Tracy fronça les sourcils.

— Quelque chose ne va pas ?

— Non, rien. Comment te sens-tu ?

Elle sourit et s'étira de nouveau avec un soupir satisfait.

— Je me sens merveilleusement bien, répondit-elle.

— Formidable.

Il se leva, incapable de réfléchir avec la présence si proche de ce corps près du sien. Il fit quelques pas nerveux dans la chambre, cherchant ses mots.

Etendue contre les oreillers et sur le dessus-de-lit

fleuri, aussi nue que lui, Tracy ressemblait à une reine primitive attendant quelque sacrifice offert par ses fidèles sujets. Ses splendides jambes bronzées étaient croisées sur les chevilles, et ses bras dorés repliés sur ses seins parfaits, qui semblaient le narguer. Le naturel désinvolte qu'elle affichait dans sa nudité magnifique le bluffait.

Mais il devait savoir. Absolument. C'était son devoir.

— J'ai fait quelque chose de mal ? s'inquiéta Tracy, décontenancée de son silence.

« De mal ? Certes non », songea Rick en se remémorant l'incroyable plaisir partagé quelque temps plus tôt. Encore que la découvrir si… experte, si bien disposée à jouir de son corps l'avait sur le moment un peu surpris. Ensuite, emporté lui-même par le tourbillon des sensations, il avait cessé de réfléchir.

Et c'était bien ce qu'il se reprochait, et la raison pour laquelle ils devaient parler, tous les deux.

— Que se passe-t-il, Rick ? Tu… Tu regrettes ?

Comment Tracy pouvait-elle penser qu'il puisse regretter le moment parfait qu'ils venaient de passer ensemble ?

Jamais il n'avait fait l'amour avec une femme ainsi. Jamais il n'avait ressenti chaque caresse, chaque geste, de façon aussi intense. Jamais il n'avait éprouvé de sensations aussi puissantes. Ni aussi douces. Et pourtant, les expériences amoureuses avec lesquelles comparer ne lui avaient pas manquées. Mais toutes avaient tourné court.

Parce qu'aucune n'avait, outre son corps, également touché son cœur.

— Oh, Pop-corn, non, je ne regrette en aucun cas. C'était… parfait. Et toi ? demanda-t-il avec une certaine brutalité involontaire, en s'arrêtant au pied du lit.

— Moi ? répliqua Tracy en levant vers lui ses yeux si bleus, si purs. Moi, je n'avais jamais vécu cela, assura-t-elle avec un sourire béat. Tu sais, je ne suis pas vraiment le genre de fille que les hommes désirent mettre dans leur lit. Ma vie sentimentale est un désert…

Elle plaisantait ou quoi ? Comment Tracy pouvait-elle avoir un tel corps, une telle allure, un tel humour, et avoir une vie sentimentale *désertique* ? Les types qu'elle connaissait étaient-ils aveugles ? Idiots ? Ils n'aimaient pas les femmes ?

Tracy se sentit soudain honteuse de son aveu. Le rouge lui monta aux joues.

— Excuse-moi, dit-elle, mais je manque terriblement d'habitude. Je crois que je fais peur aux hommes.

Se levant d'un bond, elle fit à son tour quelques

pas. A la voir ainsi, nue et libre dans son corps, Rick se dit que son manque d'expérience n'était pas flagrant, et que tous les hommes qui la côtoyaient étaient des imbéciles.

Tracy se planta devant lui, les mains sur les hanches. Il évita de fixer ses seins.

— Les rares hommes que j'ai connus ne m'ont jamais donné l'occasion de vivre un moment aussi merveilleux, reprit-elle. D'ailleurs, la dernière fois remonte à bien longtemps. Alors, ne gâchons pas cette magie, tu veux bien ?

Elle avait raison. Ce qu'ils venaient de partager était magique, l'avait touché plus profondément qu'il ne l'aurait cru, et il en devenait maladroit.

Mais justement, cette intensité même leur avait fait négliger un détail important. Essentiel même. Bon sang, en tant que marine, il était de son devoir de ne jamais perdre la tête, fût-ce devant les jambes magnifiques de Tracy Hall !

S'il se lançait dans une bataille aussi peu préparé qu'il s'était lancé ce soir dans un corps à corps, aussi sublime fût-il, il ne donnait pas cher de sa peau.

Dopé par cette pensée dérangeante, il plongea les yeux dans ceux de Tracy, puis, d'une voix aussi calme que possible, il déclara :

— Très bien, jolie fille. Pour moi aussi, l'expérience a été extraordinaire, je t'assure. Et moi aussi, je me sens merveilleusement bien. Mais dis-moi, tu prends la pilule ?

Dans le silence qui suivit, il sentit un gouffre se creuser sous ses pieds, et sa vie tout entière s'y précipiter.

Son beau regard de myope démesurément agrandi, Tracy le dévisageait sans mot dire tandis que, dans son brillant cerveau, l'idée faisait peu à peu son chemin. Enfin, elle lâcha un soupir désespéré avant de s'effondrer sur le lit.

— Alors, tu te sens toujours merveilleusement bien ? dit-il avec une pointe de sarcasme qu'il regretta aussitôt.

8.

La main plaquée contre sa bouche, Tracy marmonna :

— Pourquoi prendrais-je la pilule ? Compte tenu du désert de ma vie intime, je n'avais pas prévu que...

— Moi non plus, je n'avais pas prévu, figure-toi, la coupa Rick.

Furieux contre lui-même, il recommença à arpenter la chambre.

Tracy le suivit des yeux, tentant de déchiffrer l'expression de son visage, mais comme elle n'avait pas remis ses lunettes, ce n'était pas chose facile.

— C'est de ma faute, finit-il par dire. J'ai été stupide. Un triple idiot. Je n'ai aucune excuse.

— Cela ne sert à rien de t'en vouloir. Je suis autant responsable que toi.

A sa grande satisfaction, Rick cessa ses allers et retours nerveux pour s'arrêter — toujours nu — juste devant elle. Son corps vibrait encore du plaisir qu'il lui avait donné, et elle se demanda si ce qu'ils avaient partagé le touchait aussi profondément qu'elle. Mais elle chassa aussitôt cette pensée ridicule de son cœur. Pourquoi Rick serait-il autant bouleversé qu'elle ? Il ne venait pas de mener à bien un fantasme qui le poursuivait depuis l'adolescence, lui...

D'accord, mais pourquoi n'avait-il pas pensé, lui, à utiliser un préservatif, en ce cas ? Rien ne justifiait qu'emporté par la passion, il ait perdu la raison, si ?

— Je suis peut-être un peu curieuse, dit-elle d'une voix douce. Mais tu n'emportes pas toujours des préservatifs ?

— Contrairement aux apparences, répliqua-t-il d'une voix sourde, je ne suis pas un tombeur sans cesse à l'affût d'une conquête amoureuse. Je ne trimballe plus de préservatifs dans la poche arrière de mon jean depuis l'âge de dix-huit ans.

Bizarrement, Tracy ressentit une sorte de soulagement. Au moins, elle savait que... quoi ? Que Rick n'avait pas trouvé utile de prévoir des préservatifs pour voyager avec elle ? Eh bien, en voilà une pensée réconfortante !

— Je croyais que les marines devaient toujours être prêts à toute éventualité, insista-t-elle d'un ton qu'elle espéra léger.

— Non, ça c'est chez les scouts, riposta Rick du tac au tac.

— Ah bon.

Un silence gêné s'installa entre eux. Juste le temps suffisant pour que Tracy envisage l'infime probabilité de tomber enceinte. Et, à l'angoisse prévisible et au regret de s'être comportée de manière aussi légère, s'ajouta aussitôt un sentiment ténu, mais réel, d'euphorie.

Cela faisait bien longtemps qu'elle avait abandonné l'idée d'avoir des enfants à elle. Après tout, à vingt-huit ans, elle n'attirait pas particulièrement les hommes, et encore moins ceux dont on fait les maris. Et son instinct de devenir mère se trouva soudain comblé par l'idée qu'elle pourrait devenir enceinte. Puis l'inquiétude l'emporta, et, l'estomac noué, elle se leva.

Suivant avec précaution le bord du lit afin d'éviter de se cogner, elle dénicha enfin ses lunettes. Après les avoir chaussées, elle se retourna vers Rick. Là, le souffle coupé, elle se dit qu'elle aurait mieux fait de garder une vision floue jusqu'à la fin de la discussion. Assis immobile au bord du matelas, il ressemblait à la statue d'un Apollon moderne.

Force lui était d'admettre maintenant qu'elle était amoureuse de Rick Bennet. Eperdument et stupidement amoureuse.

Elle secoua la tête. Pourquoi s'étonnait-elle de cette découverte. Après tout, elle l'avait toujours été, non ?

Elle s'éclaircit la gorge, cherchant à retrouver une voix normale, puis déclara avec une quiétude feinte :

— Il est inutile de rester ainsi à se soucier de ce qui est fait. De toute façon, c'est trop tard.

Le regard que Rick lui lança exprimait clairement qu'il la prenait pour une folle.

— Alors, tu nous suggères d'oublier tout simplement ce qui s'est passé ?

« Non. »

Sa vie dût-elle en dépendre, elle savait qu'elle en serait incapable. Cette nuit avec Rick resterait à jamais gravée en lettres d'or dans son cœur comme dans son âme. Même si, comme elle s'y attendait, il s'avérait qu'elle n'était pas enceinte. Son cœur se serra un peu à cette pensée. Mais pas question d'avouer à Rick qu'elle était folle de lui. Ce serait trop humiliant.

Avec un sourire forcé, elle croisa les bras, songeant vaguement à l'incongruité de cette conversation alors qu'ils étaient entièrement nus.

— Non, ce que je veux dire, c'est qu'il est très probable que tout ira bien, reprit-elle.

Elle mit dans son ton une résolution d'autant

plus ferme qu'elle abandonnait à contrecœur son rêve de bébé.

— Après tout, nous n'avons fait l'amour qu'une seule fois, continua-t-elle. Les probabilités sont infimes que je me retrouve enceinte.

Les mains sur les genoux, Rick se releva. Puis il ramassa ses vêtements éparpillés sur le sol, enfila son jean, et se dirigea vers la porte.

Avant de regagner sa propre chambre, il se retourna.

— Je me demande, dit-il d'un ton pensif, combien de couples, depuis des siècles, ont tenté de se rassurer avec ce type de raisonnement...

Tôt le lendemain matin, Rick marchait sur le ponton, deux tasses de café dans les mains. Non qu'il ait eu besoin de caféine pour se réveiller. Il n'avait pas fermé l'œil de la nuit. Comment dormir après s'être comporté de manière aussi stupide ?

Mais aussi exaltante pour les sens.

Ses doigts se crispèrent sur les gobelets de carton. Il s'obligea à retrouver son calme en respirant lentement.

Des heures durant, il était resté éveillé dans le noir, revivant chaque moment partagé avec Tracy. Le grain de sa peau. Ses soupirs de plaisir. Jamais, au grand jamais, il ne s'était senti aussi proche d'une femme.

Une seule nuit avec elle avait effacé le reste de sa vie.

Il s'était torturé l'esprit pour tenter de comprendre ce qui s'était passé entre eux. Mais n'avait trouvé aucune réponse. Tracy l'avait subjugué sans même chercher à le faire.

Si quelqu'un lui avait prédit une semaine auparavant qu'il se trouverait aujourd'hui dans cette situation, il lui aurait, à coup sûr, ri au nez. Rick Bennet, pris au piège d'un petit bout de femme blonde, couverte de taches de rousseur et à la vue franchement basse ?

Depuis le début de sa vie d'adulte, il s'était toujours persuadé qu'il ferait un mauvais mari. Que la vie militaire ne valait rien pour le mariage. Cela expliquait qu'il soit resté célibataire tout ce temps-là. Mais aujourd'hui, il se demandait si la vraie raison n'était pas, tout simplement, qu'il n'avait encore jamais rencontré la femme qui lui convenait. Une femme pour laquelle il aurait envie de prendre des risques. Une femme qui le ferait penser à fonder une famille. A devenir père.

Devenir père ?

Lui, papa ?

« Oublie ça pour le moment », s'enjoignit-il. Pas la peine de se prendre la tête, Tracy avait sans doute raison. Tout irait bien, et chacun pourrait tranquillement reprendre sa route, comme si ce voyage n'avait jamais existé.

A sa grande surprise, l'idée ne lui apporta pas le soulagement escompté. Il s'arrêta sur le ponton de bois lavé et ferma les yeux. Aussitôt, des images de Tracy resurgirent dans son esprit. La façon dont le vent jouait dans ses cheveux blonds. La façon dont elle plissait le nez lorsqu'elle refusait de porter ses lunettes ou ses verres de contact. Son rire. Sa peau. Ses taches de rousseur. Ses soupirs. Décidément, elle l'avait ensorcelé... Mais comment diable pouvait-elle toucher des endroits de son cœur dont il ne soupçonnait même pas l'existence ?

Surtout, qu'allait-il faire maintenant ?

Après un énorme soupir, il reprit la direction de la chambre de Tracy. Le mieux, c'était de lui faire avaler un café bien noir, puis de la remettre dans la voiture et gagner l'Oregon le plus vite possible.

Lorsqu'il tourna à l'angle du bâtiment, il vit que Tracy était déjà levée et habillée. Appuyée contre la rambarde du ponton, elle contemplait l'océan. Ses boucles blondes et soyeuses dansaient dans la brise marine. Son grand pull à col roulé, aux rayures bleu foncé, porté sur un pantalon de toile bleu clair, lui seyait à ravir. Lorsqu'elle tourna la tête en l'entendant approcher, Rick trouva que la couleur de son pull faisait ressortir la magnifique couleur saphir de ses yeux.

Une envie d'elle violente, impérieuse, lui cingla les reins, le faisant vaciller sur ses jambes. Il fit appel à toute sa volonté, à toute la force morale qui faisait sa fierté, pour repousser le désir furieux qui bouillonnait en lui.

Les épaules aussi raides que lors d'un défilé militaire, il avança dans sa direction pour lui offrir le café.

— Bonjour, le salua Tracy de sa voix mélodieuse.

— Tu as bien dormi ?

Il avait conscience de son ton cassant. Mais il luttait contre un besoin féroce de la prendre dans ses bras, de serrer contre lui son corps adorable. Les yeux fixés sur son visage, il y chercha en vain les signes de l'insomnie qui marquait ses propres traits. Mais selon toute apparence, Tracy n'avait pas eu de problèmes à se reposer. Son teint frais en attestait.

Il lui tendit un des gobelets en carton d'où s'échappait un arôme réconfortant.

Elle le remercia sans sourire, but une gorgée de café, puis reporta son regard sur la mer.

— Pourquoi aurais-je mal dormi ? demanda-t-elle.

— Tracy, je…

Fuyant son regard, elle hocha la tête.

— Ecoute, Rick, si tu tiens à t'excuser, je te rappelle que je ne suis pas du matin, et que ça risque de me mettre de mauvaise humeur.

— Bon sang, Tracy, qu'est-ce que je suis censé dire ?

Il étudia son profil délicat et vit ses paupières battre derrière ses lunettes.

— Pourquoi devrais-tu dire quoi que ce soit, après tout ? répliqua Tracy, se tournant légèrement vers lui.

Elle but une nouvelle gorgée de café avant d'ajouter :

— Nous sommes deux adultes qui ont pris un peu de bon temps ensemble, c'est tout.

C'est tout ?

C'était tout ce que représentait pour elle cet extraordinaire moment de plaisir partagé ?

Non. C'était bien plus fort que cela. Et ils le savaient très bien tous les deux.

Brusquement renfrogné, il prit à son tour une gorgée de café, s'interdisant ainsi de dire quelque chose qu'il regretterait probablement ensuite.

— Cesse de me lancer des regards aussi noirs, lui ordonna Tracy avec un petit rire. Ne t'inquiète pas, je ne vais pas te dénoncer à ta mère ou à tes chefs.

154

— Dire qu'elle plaisante, marmonna Rick pour lui-même.

Non seulement il n'avait pas fermé l'œil de la nuit, alors qu'elle semblait avoir dormi comme un bébé, mais elle trouvait en plus le moyen de blaguer à propos d'une situation qui le mettait, lui, dans tous ses états !

Devait-il y voir une sorte de justice divine ? Une vengeance du destin, pour toutes les fois où il avait pris une relation amoureuse trop à la légère ?

— D'ailleurs, dit Tracy d'un ton placide, rompant le cours de ses pensées, je devrais même te remercier.

— Pardon ?

Elle ne cesserait donc jamais de le surprendre !

— Eh bien, oui, dit-elle en écartant vainement des mèches que le vent plaquait sur son visage. Maintenant que grâce à toi, j'ai... découvert le plaisir, disons, je vais pouvoir évoquer ma relation avec Brad avec bien plus de réalisme.

— Brad ? répéta-t-il.

Son regard se posa sur la bague en diamant du prétendu soupirant, et il fut surpris par l'envie violente qu'il eut de l'arracher de l'annulaire de Tracy pour la jeter dans l'océan.

— Mon fiancé, tu te souviens, quand même ?

Maintenant, lorsque je parlerai de lui, je serai bien plus convaincante.

Rick éprouva une sensation extrêmement désagréable au creux de l'estomac. Devait-il se sentir flatté ou insulté ? Tracy aurait-elle le culot de se servir de leur... nuit ensemble pour alimenter la légende de son dragueur imaginaire ?

Bon sang ! Alors qu'il avait l'impression que son monde avait été irrémédiablement chamboulé, elle continuait à comploter une histoire d'amour virtuelle.

En franchissant la frontière de l'Oregon quelques heures plus tard, Tracy sentit les premiers doutes l'envahir. Elle décocha un regard à Rick, et ne fut pas étonnée de constater que son visage était toujours aussi sombre.

Autant reporter son attention sur le paysage. D'épaisses forêts de séquoias commençaient à border la route, mais, pour la première fois de sa vie, leur vision ne l'émouvait pas. Trop de pensées tourbillonnaient dans son esprit.

Bientôt, ils arriveraient à Juneport. Ils se retrouveraient chacun chez eux, entouré de la famille. Des amis. Puis embarqués dans cette réunion du lycée.

156

Alors, sa… relation avec Rick serait terminée.

Un sentiment de regret, de plus en plus lourd, monta en elle, s'insinua sournoisement jusqu'à submerger son cœur.

Rick allait lui manquer. Etre seule avec lui. Plaisanter et rire avec lui. Faire l'amour avec lui.

A cette pensée, elle ferma les yeux, et de nouveau, les images de la nuit précédente revinrent, obsédantes. Elle revivait sans cesse chaque caresse, chaque murmure.

Soudain, son fiancé imaginaire, le fameux Brad, lui semblait fade, aussi insipide qu'un plat sans sel. Comment son marine inventé pouvait-il rivaliser avec le modèle réel ? Comment pouvait-elle prétendre aimer un marine qui n'était pas le *bon* ?

Mission impossible.

— Tu sais, lança-t-elle tout à trac, j'ai bien réfléchi.

— Oui ? l'encouragea Rick d'un ton poli mais qui manquait singulièrement de chaleur.

— A propos de Brad…

Elle vit le visage de Rick se figer, mais elle s'entêta :

— Plutôt qu'un marine, je vais en faire un comptable.

— Tu es encore en train de penser à lui ? s'exclama Rick.

— Euh, en quelque sorte.

Mieux valait occuper son esprit avec un homme fictif qu'avec celui-ci, qui semblait prêt à mordre le volant.

— Nous sommes bientôt arrivés. Alors j'ai pensé que nous devrions mettre mon histoire au point, non ?

— Je ne trouve pas que ce soit une bonne idée, marmonna Rick, la mâchoire serrée.

Tracy se raidit imperceptiblement.

— En fait, je ne te demande pas vraiment ton avis. Je voulais juste te mettre au courant de ma nouvelle version, avant que je la raconte.

Un muscle dans la mâchoire de Rick tressaillit nerveusement durant quelques instants.

— Ça ne marchera pas, finit-il par remarquer.

— Ah non ? Et pourquoi donc ?

Derrière ses lunettes de soleil, il lui jeta un regard qu'elle ne put, bien entendu, pas déchiffrer.

— D'abord, parce que Brad est une mauviette, et qu'un petit comptable à la gomme n'impressionnera personne.

— Brad n'est pas une mauviette, protesta Tracy.

— Si, puisqu'il n'est plus un marine.

— C'est un brillant expert-comptable.

— Une mauviette de premier choix, alors, la nargua Rick.

158

— Tout cela ne te regarde pas, finalement, tu sais, souligna Tracy d'un ton glacé.

— Ça devrait, pourtant.

Fronçant les sourcils, Tracy se tourna vers lui. Même si cette conversation se révélait déconcertante, tout compte fait elle la trouvait préférable au silence pesant qui s'était installé depuis leur départ.

— Qu'est-ce que tu veux dire ?

— *Je* serai Brad, annonça Rick.

Tracy l'observa un long moment en silence, avant d'avancer un argument qu'elle pensait imparable.

— Tu ne peux pas être Brad, voyons. Tout le monde te connaît à Juneport !

Rick prit une profonde inspiration, puis, retirant ses lunettes de soleil, il lui lança un coup d'œil avant d'expliquer :

— Mon idée, c'est que je prétendrai, *moi,* être ton fiancé. Comme ça, on pourra laisser tomber Brad.

Un frisson d'excitation parcourut Tracy.

Instantanément, la vision d'un week-end entièrement passé en compagnie de Rick se mit à danser dans son esprit. Elle plongea avec délices dans des pensées de baisers et de câlins échangés avec ce fiancé en chair et en os.

Si elle adhérait à son idée extravagante, elle gagnerait quelques jours supplémentaires d'une vie rêvée, riche en fantasmes et bonheur — une vie dans laquelle Rick Bennet l'aimait.

Ses yeux s'embuèrent à cette perspective, mais elle cligna des yeux pour refouler les larmes de joie qui risquaient de perler à ses paupières et elle s'enjoignit à revenir à la réalité. Prolonger cette tentante illusion risquait de rendre le retour à une vie sans lui encore plus douloureux que prévu.

— Pas question, objecta-t-elle avec fermeté. De toute façon, personne n'y croirait.

— Pourquoi pas ? Comme tu le disais à l'instant, toute la ville me connaît, plaida Rick. Un fiancé réel est bien plus crédible qu'un type qui brille par son absence.

— C'est débile, totalement débile.

Pourtant, une partie d'elle mourait d'envie d'entrer dans ce jeu. De prétendre que Rick et elle étaient fiancés. Qu'il lui avait offert la bague qui brillait à son doigt en même temps qu'une promesse d'amour éternel. Mais la partie rationnelle de sa personnalité, la surdouée en maths, refusait de jouer.

— Selon toi, c'est plus débile qu'un petit copain imaginaire ? railla Rick.

Elle fit la moue.

— Tu ne trouvais pas mon plan aussi débile il y a quelques jours alors, pourquoi changer d'avis maintenant que nous arrivons ? D'autant que tu m'as à

160

peine adressé la parole depuis ce matin, ajouta-t-elle en se tournant vers lui. Et voilà que tu te proposes de jouer mon fiancé ? Pourquoi ?

Les mains de Rick se crispèrent sur le volant. Il inspira plusieurs fois avant de répondre.

— Un capitaine des marines en chair et en os vaut mieux qu'un comptable inventé, d'accord ?

C'était vrai. Si le capitaine en question s'appelait Rick Bennet, il valait même mille fois mieux que n'importe qui. Mais elle se contenta de l'admettre du bout des lèvres :

— Sans doute.

— Oh, je te remercie, ironisa Rick, tandis qu'un bref sourire relevait le coin de sa bouche. Mais ce n'est pas la seule raison.

— Alors ?

Le sourire de Rick s'effaça.

— Réfléchis une seconde, Tracy. Tu dois envisager la possibilité que tu sois enceinte.

— Je ne le serai pas, trancha-t-elle.

— Je ne crois pas au pouvoir de simples pensées positives dans ce genre de situation !

— Ça ne peut pas faire de mal, en tout cas.

Elle croisa les bras en un geste de méfiance.

— Me présenter comme ton fiancé non plus, objecta Rick d'un ton catégorique, les yeux obstinément fixés sur la route. Tracy, *si* jamais tu es enceinte,

161

tu comptes raconter à tes parents que Brad est le père ?

Cette idée lui était venue à force d'y avoir réfléchi toute la matinée et il la considérait comme la seule solution possible. Lui décochant un bref regard, il la vit sursauter. Il comprit que la situation lui apparaissait enfin dans toute son horreur. Il en profita pour poursuivre :

— Ton bébé ne peut pas avoir de père fictif. Même si tu suis ton fichu plan jusqu'au bout, et que tu « rompes » avec ton prétendant dans un mois ou deux, tes parents s'attendront à rencontrer Brad à l'avenir, dans la mesure où il est censé partager la garde de ton enfant. Non ?

— J'imagine, oui…

Sans compter qu'il était hors de question que les gens croient que *son* enfant avait été conçu par un comptable imaginaire !

— Je propose que nous annoncions nos fiançailles, reprit-il. Cela ne t'empêchera pas de les rompre si tu n'es pas enceinte.

Tracy tourna la tête vers lui.

— Et si je le suis ?

Eh bien, si elle était enceinte, il n'y aurait pas de rupture, voilà tout. Il y veillerait. Mais il pressentait que ce n'était pas le moment de lui en parler.

162

— Nous verrons le moment venu, répliqua-t-il après une brève inspiration.

— Je ne sais pas si c'est une bonne idée…, déclara-t-elle d'une voix hésitante.

— C'est la solution la plus logique.

Et qui présentait de plus un avantage considérable. Celui de lui éviter d'entendre Tracy divaguer sur ce fichu « Brad » pendant toute la réunion et le reste du week-end. Décidément, il détestait ce type.

Sans compter qu'il ne voyait pas la moindre objection à convaincre tout le monde que Tracy et lui formaient un couple. Bon sang, le simple fait d'être assis à côté d'elle, dans cette voiture, suffisait à lui donner envie de s'arrêter au premier motel venu !

— Mais nos familles ? insista Tracy. Pourquoi ne pas au moins leur dire la vérité ?

Sa remarque fit à Rick l'effet d'une douche froide. Il avait surtout pensé aux anciens du lycée, en fait. La situation se compliquait de plus en plus. Au départ, il avait envisagé ce trajet en voiture comme une parenthèse, un moment avec lui-même. L'occasion de réfléchir à sa vie, à ce qu'il avait fait et ce qui l'attendait. A présent, il se trouvait — plus que jamais — en pleine confusion.

Cela dit, Tracy avait sans doute raison. Leurs familles étaient si proches, que leur faire croire qu'ils étaient fiancés serait malhonnête.

— D'accord, céda-t-il. Nous leur dirons la vérité. De toute façon, ils n'auraient probablement pas gobé le mensonge.

Tracy haussa les épaules.

— Trop aimable, grommela-t-elle.

Rick réprima un grognement furieux. Il avait simplement voulu dire que ses propres parents avaient abandonné l'idée qu'il se marie un jour. Mais à en croire l'expression vexée de Tracy, elle n'avait pas du tout pris sa déclaration dans ce sens.

« Exactement comme chez un couple normal », se dit-il.

Ils parvinrent devant la maison des parents de Tracy une heure plus tard. Rick coupa le moteur et se tourna vers elle.

— Prête ?

Détournant les yeux de la belle maison victorienne, Tracy le dévisagea.

Rick avait sa tête de marine : mine inflexible, mâchoires serrées, regard d'acier, sourire sinistre. Tout, sauf l'image d'un futur marié radieux ! Probablement, elle ne devait guère faire meilleure figure.

Pourtant, lorsqu'elle avait imaginé son Plan et Brad, tout cela lui paraissait tellement simple !

Comment, en l'espace de quelques jours, les choses étaient-elles ainsi parties à vau-l'eau ?

— Oui, soupira-t-elle. Il le faut bien. Mais nous…

— Tracy !

Le cri enthousiaste de sa sœur l'interrompit.

Elle se retourna pour regarder Meg qui s'élançait dans leur direction. Juste derrière suivaient ses parents et ceux de… Rick. Apparemment, ils s'étaient réunis pour former un comité d'accueil.

Elle sentit monter une bouffée de joie et, durant quelques instants, le plaisir de retrouver sa famille l'emporta sur le reste. Elle ouvrit la portière, sortit de la voiture et se précipita sur la pelouse en direction de sa sœur. Le bout de son pied heurta une sortie d'arrosage automatique. Elle trébucha, et serait tombée si Meg ne l'avait pas retenue dans ses bras.

— Eh bien, tu es mieux habillée que la dernière fois, s'esclaffa Meg, mais au fond, tu n'as pas vraiment changé, hein ? Toujours à te cogner dans tout ce qui traîne.

On dirait, oui, grommela Tracy en se penchant pour voir si les dégâts sur son pied dépassaient un simple bleu supplémentaire. Quand est-ce que papa a fait installer ce…

— Oh, mon Dieu ! hurla Meg, saisissant avec

énergie la main gauche de sa sœur. Tu es *fiancée* ! Et tu ne me l'avais pas dit ! *Qui* est l'heureux élu ?

Tracy sentit son cœur s'arrêter de battre un court instant. On pouvait faire confiance à Meg pour repérer une bague au premier coup d'œil ! Malgré elle, son regard se posa sur sa mère qui les rejoignait, et elle vit son visage s'illuminer de bonheur.

Oh, misère…

Comme Rick s'avançait vers elles à ce moment précis, elle leva vers lui des yeux désespérés, espérant qu'il allait les sortir de ce mauvais pas.

Meg lui lança un rapide coup d'œil.

— Oh, mon Dieu ! répéta-t-elle d'une voix suraiguë avant de se tourner vers leurs parents : Vous n'allez pas le croire ! Rick et Tracy sont fiancés !

Le souffle coupé, Tracy regarda successivement sa sœur, sa mère, puis la mère de Rick. Les trois femmes rayonnaient.

Elle, tenta de se faire entendre par-dessus le tumulte soudain pour expliquer le malentendu et attrapa Meg par le bras. Mais sa sœur se dégagea, et sa voix se perdit au milieu des cris d'excitation.

Les deux couples de parents les entourèrent, et tout le monde parlait à la fois.

— Il était grand temps, déclara David Hall en secouant la main de Rick avec enthousiasme.

Tracy lança un regard affolé à son père.

— Papa…

— Sacrée bonne nouvelle, fiston, renchérit Bill Bennet en donnant une vigoureuse tape dans le dos de son fils.

— Euh, papa…, commença Rick d'une voix étranglée.

Personne ne les écoutait.

— Je finissais par croire qu'ils ne verraient *jamais* à quel point ils vont bien ensemble, s'exclama Patty Bennet.

Elle écrasa son fils contre sa poitrine avant d'embrasser Tracy sur les deux joues, un sourire de fierté maternelle aux lèvres.

Enfin, Nancy Hall repoussa son amie Patty, puis étreignit de toutes ses forces sa plus jeune fille sur son cœur.

Les regards de Tracy et Rick se croisèrent tandis que Nancy balbutiait entre ses larmes :

— Je suis tellement, tellement heureuse.

9.

— Ça alors ! Quand je pense que vous sortiez ensemble, tous les deux, et qu'aucun de vous ne me l'avait dit, lança Meg.

Elle feignit de foudroyer Rick du regard et pointa vers lui un doigt accusateur :

— Et toi, poursuivit-elle, tu m'as laissée croire que tu me rendais service en acceptant d'emmener ma sœur dans ta voiture. Dis donc, tu m'as bien eue !

Tracy jeta un coup d'œil interloqué à Rick qui lui entourait les épaules d'un bras possessif.

— Ça dure depuis quand, entre vous ? insistait Meg.

Tracy avait l'impression que la voix de sa sœur lui parvenait de très loin. Les sourcils froncés, elle tenta de se concentrer.

La situation était surréaliste. Tracy chercha sur les visages familiers un signe quelconque prouvant que tout le monde autour d'elle jouait la comédie.

Mais des larmes d'émotion brillaient encore dans les yeux bleus de sa mère, et Patty Bennet continuait de regarder son fils comme s'il venait d'obtenir le prix Nobel. Leurs pères respectifs affichaient une mine à la fois fière et radieuse. Quant à Meg, débordante de joie, elle semblait ne pas pouvoir s'empêcher de sautiller d'un pied sur l'autre.

— Attendez que je sois rentrée et que John l'apprenne, exultait-elle en serrant très fort la main de Tracy.

— Nous l'avons toujours su, affirma la mère de Rick, qui échangea un sourire avec celle de Tracy. Nous savions que si jamais vous passiez un tant soit peu de temps ensemble, vous comprendriez enfin ce que nous savons depuis toujours...

Nancy Hall embrassa une nouvelle fois sa fille, sourit à Rick, essuya les larmes qui coulaient sur ses joues, puis compléta la déclaration de son amie Patty :

— ... que vous êtes totalement faits l'un pour l'autre.

Tracy déglutit avec peine. Quel vent de folie soufflait sur Juneport ? Elle en aurait presque ri si la situation n'avait pas été si... désespérée.

Rick renforça son étreinte autour de ses épaules, et elle lui fut reconnaissante de son soutien. Sans lui, elle se serait sans doute écroulée, tellement elle tremblait sur ses jambes.

Elle ouvrit la bouche, mais aucun son ne sortit de sa gorge desséchée. Aussi la referma-t-elle tandis que Meg poursuivait ses exclamations enthousiastes :

— C'est tout simplement génial, roucoula-t-elle, contemplant Rick et sa sœur avec ravissement. Alors, à quand le mariage ?

Tout le monde se tut d'un coup. Un chien aboya quelque part, et le grondement agaçant d'un skateboard dévalant la rue résonna dans l'air soudain rafraîchi.

Tracy dut soutenir cinq paires d'yeux emplis de curiosité bienveillante. Ceux de sa famille. Des gens qu'elle aimait. Elle déglutit avec difficulté, surprise de la boule épaisse qui nouait sa gorge. Comment pourrait-elle mentir à ces personnes-là ? Comment avait-elle seulement pu *imaginer* qu'elle serait capable de leur mentir ?

Son regard finit par croiser les yeux brillant de larmes de sa mère. Bourrelée de remords, elle s'effondra contre Rick. La confession frôla le bord de ses lèvres, elle ouvrit de nouveau la bouche et c'est à ce moment-là que Rick déclara :

— Nous n'avons pas encore décidé.

Aussitôt, les voix reprirent leur babillage excité.

170

— A l'automne, alors, dit Patty Bennet d'un ton résolu.

— Ou cet hiver, murmura Nancy Hall en tapotant son menton d'un air pensif.

— A mon avis, le printemps serait parfait, renchérit Meg, emboîtant le pas des deux futures belles-mères qui regagnaient la maison. Mon bébé sera né, et je pourrai m'acheter une robe qui ne soit pas taillée comme une tente de camping.

Incroyables les proportions que prenait un simple petit mensonge ! songea Tracy, honteuse. Son instinct lui dictait d'arrêter tout cela, dès maintenant. De couper court à cette histoire trop compliquée avant que les choses n'aillent trop loin. Après tout, elle n'avait même pas besoin d'assister à cette ridicule réunion du lycée. Elle pouvait très bien se bourrer de Nautamine, attraper le premier train pour Los Angeles, se cacher chez elle jusqu'à ce que l'horrible malaise de cet instant se dissipe. Après tout, ce ne devrait guère lui prendre plus de dix ou quinze ans.

Elle fit un pas en avant pour suivre les trois autres femmes, mais le bras de Rick la retint fermement contre lui.

Après une dernière claque de félicitations dans le dos du jeune homme, les deux pères se dirigèrent vers le garage, avec l'intention évidente d'éviter la fièvre d'une discussion sur l'organisation du prétendu mariage.

— Je n'y crois pas, marmonna Tracy lorsqu'ils se retrouvèrent enfin seuls tous les deux.

— Plutôt étonnant, en effet, acquiesça Rick.

Son bras reposait toujours autour de ses épaules, et Tracy sentait son corps solide, puissant, contre le sien. Elle s'abandonna furtivement au plaisir de se trouver de nouveau aussi près de lui. Ensuite, l'ampleur de ce qui venait de se produire reprit le dessus, et elle réprima un frisson.

— Rick, nous devons absolument parler à nos mères. Sinon, dans moins d'une heure, elles auront déjà réservé l'église, commandé la pièce montée et seront en train de discuter de la couleur de leur tenue.

Rick suivait les trois femmes d'un regard incrédule, comme si la portée des dernières minutes lui échappait encore. D'un air absent, il caressa le bras de Tracy, dont le sang s'embrasa, ce qui eut pour effet qu'elle oublia le mensonge dans lequel ils s'étaient enlisés. Pendant un court instant, elle se laissa envahir par les petites flammes de désir qu'elle sentait dans chaque cellule de son corps.

Après un long moment de silence, Rick ramena son regard vers le sien.

— Et si nous laissions les choses ainsi ?

— Non, c'est impossible. Nous étions d'accord pour leur dire la vérité.

— Oui, je sais. Mais réfléchis un instant. Si on laisse parler nos mères, toute la ville sera bientôt au courant.

— Ça, c'est sûr.

Quelle ironie ! A l'origine, c'était précisément le but de son Plan. Revenir à Juneport en femme différente, belle, élégante, brillante, avec un fiancé sublime dans son sillage.

Les mains de Rick s'attardaient sur son dos, l'attirant au plus près. Lorsqu'elle sentit son corps contre le sien, son souffle s'accéléra et un élan, maintenant familier, s'éveilla de nouveau au creux de son ventre.

Le soleil jouait à travers les feuilles de l'immense chêne trônant au milieu du jardin, dessinant des touches d'ombre sur le visage de Rick, dont les yeux verts étincelaient. Ses bras la serraient si fort qu'elle crut un instant que ses côtes allaient se briser. Mais il pouvait continuer à la serrer ainsi, elle n'y voyait aucun inconvénient.

— Rick, murmura-t-elle, la voix soudain rauque.

— Oui ?

L'envoûtant regard vert de Rick caressa ses traits comme il penchait la tête vers elle.

Bien qu'elle renversât déjà son visage vers le sien, elle parvint à articuler :

— Des voisins pourraient nous voir…

La main de Rick vint soutenir sa nuque, ses doigts se mêlèrent à ses boucles blondes.

— Qu'ils nous voient, chuchota-t-il avant de tendre les lèvres vers les siennes. Nous sommes fiancés, n'est-ce pas ?

Elle frissonna. C'était le moment ou jamais de raisonner. Elle pouvait encore reculer, s'éloigner de lui. Entrer dans la maison, rectifier les choses auprès des parents et de Meg. Ou bien…, elle pouvait être fiancée. Et, durant un long week-end, enfin vivre son fantasme de toujours : être la femme que Rick Bennet aimait.

Rick s'interrompit juste avant que leurs lèvres se joignent.

— N'est-ce pas ? répéta-t-il.

— Oui, acquiesça Tracy dans un souffle.

Puis elle laissa leur baiser briser ses pensées en mille éclats éblouissants.

Rick pénétra dans son ancienne chambre, au premier étage de la maison de ses parents, et ne la trouva guère changée.

Il jeta son sac militaire sur le lit étroit, puis,

debout au milieu de la pièce, tourna lentement sur lui-même, parcourant du regard les vestiges de son enfance.

Le fanion rouge et blanc du match final de son année de terminale pendait encore au mur, près d'un poster de recrutement pour le corps des marines. Deux ballons de football et un panier de basket s'alignaient dans un coin, à côté d'une malle qui contenait encore — il l'aurait parié — des vieux livres de classe et des vêtements trop petits. Sa mère ne jetait jamais rien.

Un sourire attendri aux lèvres, il s'avança vers le miroir posé sur la commode. Des photos glissées dans le cadre lui rendirent son sourire. Ses frères et lui adossés à la première voiture d'Andy. Meg dans sa robe de bal de fin d'année. Meg, Tracy et ses frères sur la plage, ce dernier printemps avant les examens de fin d'études.

Rick étudia le gai visage de la Meg d'autrefois, et tenta de se remémorer l'amour fulgurant de sa jeunesse que, à l'époque, il croyait devoir durer toujours. Mais il n'y parvint pas. Son regard glissa de Meg à l'adolescente hilare à l'arrière-plan.

Tracy.

Pieds nus, vêtue d'un short et d'un vieux T-shirt, les cheveux rassemblés en queue-de-cheval. Elle souriait si largement à Andy que Rick voyait distinctement ses bagues dentaires sur le papier glacé.

Son pouls s'accéléra brusquement. Il se pencha sur la photo. Certes, elle avait grandi. Maintenant, son allure était lisse, sophistiquée, sa mise impeccable. Mais le sourire restait le même. Et dégageait assez de magnétisme pour lui couper le souffle.

— Grands dieux ! marmonna-t-il en fourrageant nerveusement dans ses cheveux.

— Je suis vraiment heureuse que tu aies décidé de rester ici avec nous, déclara la mère de Tracy en l'aidant à monter ses bagages dans son ancienne chambre.

Tracy éclata de rire, puis déposa un sac de voyage sur son lit, avant de débarrasser sa mère d'une autre valise.

— Je ne pouvais tout de même pas aller ailleurs.

Nancy Hall remit inutilement en place quelques mèches grisonnantes, puis étudia un long moment le visage de sa plus jeune fille, avant de lâcher :

— Eh bien, si. A l'hôtel, par exemple. Avec Rick.

— Mais pour quelle raison, maman ?

Soudain, Tracy regarda l'air interloqué de sa mère

et se rendit compte qu'elle venait de commettre une bourde !

« Le Plan, voyons, Tracy ! Souviens-toi. »

Les joues de sa mère s'étaient empourprées et elle reprit la parole :

— Euh, c'est-à-dire… non que *j'approuve* cela, bien entendu, mais après tout, vous êtes fiancés. Et je comprendrais que…

— Non, maman, ne t'inquiète pas, Rick et moi en avons discuté. Nous voulons tous les deux profiter au maximum de nos familles.

Nancy Hall approuva en souriant.

— Parfait, ma chérie. De plus, les Bennet ne sont jamais qu'à trois portes d'ici. Je suis certaine que tu auras malgré tout plein d'occasions de le voir. Dieu sait que lorsque Meg et lui sortaient ensemble, il était toujours fourré ici, et…

Soudain gênée, elle s'interrompit.

— Pas de problème, maman, soupira Tracy. Moi aussi je vivais ici, à l'époque, rappelle-toi.

— Bien sûr, répliqua Nancy, qui hocha ensuite la tête. L'eau a coulé sous les ponts, depuis, n'est-ce pas ? Vous étiez tous si jeunes, alors…

Tracy, qui connaissait les signes d'émotion maternelle, repéra aussitôt les larmes qui emplissaient les yeux de sa mère.

Traversant la pièce, elle l'enlaça avec tendresse.

— Ne pleure pas, maman.

Après avoir tapoté l'épaule de sa fille, Nancy se dirigea en reniflant vers la porte de la chambre.

— C'est idiot de ma part, je le sais. Mais mon Dieu, tout de même, dire que mon *bébé* va se marier !

Un violent sentiment de trahison tordit l'estomac de Tracy, qui, rongée par le remords, garda le silence.

— Je suis si heureuse pour toi, ma petite chérie, reprit sa mère avec un nouveau reniflement. Tu as tout ce que tu désirais. Un bon job, une maison à toi, et maintenant, Rick.

— Oui, maman, murmura Tracy. Absolument tout ce que j'ai toujours désiré.

— Tout va bien, n'est-ce pas ?

— Hein ? Euh oui, acquiesça-t-elle. Juste un peu fatiguée, je pense. Le voyage a été long.

— Repose-toi un peu avant le dîner, alors.

Une main sur la poignée de la porte, elle lança un dernier regard attendri sur sa fille.

— Tu es vraiment ravissante, Tracy, tu sais. L'amour te va à merveille.

Puis, un sourire ravi aux lèvres, elle quitta la chambre.

« L'amour te va à merveille. »

Tracy se demanda de quoi elle aurait l'air lorsqu'elle se retrouverait de nouveau seule de retour chez elle.

Son relooking tout neuf — jolis vêtements, maquillage étudié et coupe de cheveux branchée — parviendrait-il à faire la différence ?

Ou bien se transformerait-elle en citrouille après la fête du lycée ?

Avec un énorme soupir, elle se tourna vers la banquette près de la fenêtre, sur laquelle elle avait autrefois passé tant d'heures à rêver. Au-dehors, les premières étoiles s'allumaient dans la nuit tombante.

Se blottissant sur les coussins moelleux à motifs roses, elle laissa son regard s'échapper vers la rue où elle avait grandi. Mais elle ne voyait ni les maisons familières ni les pelouses impeccables. Seule l'image de Rick occupait son esprit.

Un week-end avec lui suffirait à compenser les interminables années solitaires qui l'attendaient. Avait-elle raison de penser ainsi ?

De toute façon, il fallait qu'elle s'en persuade. A tout prix.

Rick jeta un coup d'œil aux chiffres fluorescents de son réveil. Minuit. Impossible de dormir.

Sans doute parce qu'il se trouvait dans sa chambre de petit garçon, environné des restes de son passé. Sans doute aussi parce qu'il se remémorait la nuit précédente, qu'il avait passée dans les bras de Tracy, dans le corps de Tracy.

Sous l'emprise presque douloureuse de ses reins en feu, il poussa un gémissement résigné, puis sauta à bas de son lit. Il avait besoin de marcher. De bouger. De sentir la fraîcheur nocturne sur son visage.

En enfilant son jean, il songea que jamais il n'aurait dû accepter de venir à cette réunion. Il aurait mieux fait de rester à la base. A Pendleton, les choses étaient simples. Noires ou blanches. Là-bas, il avait des obligations, et il s'en acquittait. Point final.

Et il aimait que les choses soient simples. Le cours de sa vie suivait un plan de route soigneusement établi.

Alors, comment devait-il considérer ce week-end ?

Comme un écart temporaire du chemin tracé ?

Ou comme un virage plus important... et plus durable ?

Tout en boutonnant son vieux jean délavé, il réfléchit sur cette dernière question. Des bribes de discussions qu'il avait eues avec Tracy pendant leur voyage en voiture lui revenaient à la mémoire.

Par exemple, elle lui avait rappelé que, bien que ses frères et lui aient grandi sur des bases militaires, cette vie n'avait jamais nui à sa famille. Au contraire, le mariage de ses parents, loin de sombrer, s'y était même renforcé.

Ensuite, il pensa à plusieurs couples vivant à Pendleton. Et, pour la première fois, il reconnut avec honnêteté avoir éprouvé une certaine jalousie lorsque ses collègues se hâtaient de rentrer auprès de leurs épouses, alors que lui, ne retrouvait que... sa télévision.

Une impression de vacuité se fit jour en lui alors qu'il comprenait soudain combien sa vie était dérisoire. Oh, bien sûr, il menait une belle carrière et avait d'excellents amis. Mais personne ne se souciait qu'il rentre ou non à la maison le soir...

Le cerveau en ébullition, le corps tendu, vibrant d'un trop-plein d'énergie, il enfila ses chaussures, passa un T-shirt et son blouson, avant de se glisser sur le palier à peine éclairé. Il vérifia d'un rapide coup d'œil que la porte de la chambre de ses parents était bien fermée, puis se dirigea sur la pointe des pieds vers l'escalier.

Les fils Bennet savaient depuis longtemps quelles étaient les marches qui grinçaient. Aussi Rick les évita-t-il sans peine, puis sortit le plus discrètement possible de la maison.

La quiétude du quartier familier l'accueillit sur le porche. Une fraîcheur humide baignait l'air nocturne. De longs nuages se pourchassaient dans le ciel sombre, voilant par moment la lune. Une brume légère venue de l'océan tout proche, montait en volutes fantomatiques dans le vent marin.

Emmitouflé dans son blouson, il franchit le perron et traversa la pelouse donnant sur la rue. Ensuite, il prit délibérément la direction opposée de la maison où, nul doute, Tracy dormait à poings fermés.

Maugréant entre ses dents, il commença à descendre l'étroite rue bordée d'arbres. Des images vinrent assaillir sa mémoire, plus troublantes les unes que les autres.

Il se figea au milieu du trottoir, puis fit volte-face vers la maison des Hall, aux contours à peine discernables dans la brume.

Bon sang ! En l'espace de ces trois derniers jours, Tracy était parvenue à lui entrer dans la peau. Il ne pouvait plus respirer sans penser à elle. Ni dormir sans rêver d'elle.

Sans même s'en rendre compte, il se retrouva devant chez les Hall. En traversant le jardin, il se rappela toutes les fois où il s'était échappé le soir pour retrouver Meg. Mais ne parvint pas à retrouver dans ces souvenirs le même sentiment d'urgence que celui qui le poussait en ce moment.

Il devait absolument voir Tracy.

Il s'agenouilla devant une des plates-bandes impeccables de Nancy Hall pour y ramasser une poignée de petits cailloux. Il se releva ensuite, recula, puis en lança quelques-uns vers la fenêtre sombre qu'il savait être celle de Tracy.

Bien que le bruit lui paraisse s'entendre dans toute la rue, rien ne bougea. Il recommença, tressaillant lorsque les cailloux heurtèrent la vitre.

Enfin, une petite lumière jaune s'alluma derrière les rideaux de dentelle. Les yeux fixés sur la fenêtre, il attendit que Tracy apparaisse et l'ouvre. Alors seulement, il put de nouveau respirer correctement.

— Rick ?

Penchée au-dehors, Tracy chaussait ses lunettes. Elle le regarda puis chuchota :

— Qu'est-ce que tu fais là ?

Rick ne put s'empêcher de sourire. Revêtue d'une simple chemise de nuit blanche, ses boucles tirées en une courte queue-de-cheval, elle semblait si jeune et tellement belle.

Un désir violent l'envahit et lui coupa le souffle. Ainsi qu'un autre sentiment, bien plus profond, bien plus intense, qui enveloppa son cœur.

— Descends me rejoindre, ordonna-t-il d'une voix sourde.

— Maintenant ?

— Oui, tout de suite, répondit Rick avec un rire bref.

Après une infime hésitation, Tracy acquiesça de

la tête. Puis elle referma la fenêtre et disparut de sa vue.

En s'approchant de la véranda qui bordait l'avant de la maison, Rick se remémora la dernière fois qu'il était venu là en pleine nuit. Mais la fugue prévue avec Meg n'avait pas eu lieu. Des années plus tard, il était de retour au même endroit. Mais attendre la sœur de Meg l'emplissait d'une impatience qu'il n'avait jamais connue auparavant.

Il grimpa les marches en deux enjambées, et se tenait devant la porte d'entrée lorsque Tracy l'ouvrit.

— Tout va bien ? demanda-t-elle.

Il l'attira vers l'extrémité de la véranda plongée dans l'ombre et la brume.

— Impeccable.

Il s'installa avec précaution sur la vieille balancelle de bois, invita Tracy à faire de même. Elle frissonna, et Rick l'entoura de ses bras. Aussitôt, elle se blottit contre lui. Il espéra que ce n'était pas uniquement à la recherche de chaleur…

— Que fais-tu ici, en plein milieu de la nuit ? reprit Tracy.

— Eh bien, je…

Pouvait-il lui avouer qu'il ne pouvait pas dormir parce qu'elle obsédait ses pensées ?

Non. Il avait assez de mal à se l'avouer lui-même, alors ce n'était pas le moment de le dire à Tracy.

Glissant ses mains le long de son dos, il mentit d'un ton placide :

— Je rends nos fiançailles crédibles. Nos parents s'attendent certainement à ce que nous nous échappions en douce pour passer un petit moment ensemble.

— Ah, se contenta de dire Tracy, qui se colla plus près de lui.

— Tu as froid ?

— Un peu, admit-elle avec un petit sourire. J'aurais dû mettre ma robe de chambre.

Il était heureux qu'elle eût négligé de le faire. Sa chemise de nuit toute simple en coton blanc était a priori le vêtement le moins érotique qu'il ait jamais vu. Pourtant, sur Tracy, il devenait plus sexy que n'importe quelle combinaison en dentelle noire.

Il suffoqua presque sous la puissance du désir qui l'assaillit, intense, brûlant.

Voilà pourquoi il était venu ce soir. Dans son lit, il avait revécu chaque instant partagé avec elle la nuit précédente, et il voulait vérifier si ce qu'il ressentait était réel — ou une simple réaction à la magie du moment.

Mais il éprouvait également un sentiment nouveau, lancinant, qui le terrifiait et le fascinait à la fois.

— Embrasse-moi, Tracy, murmura-t-il.

Le souffle de la jeune femme s'accéléra. Il glissa

sa main le long de sa gorge, et sentit sous sa paume la pulsation galopante du sang dans ses veines.

— Rick…

Un tourbillon de brume les enveloppait dans un manteau gris doux et humide. Ils se retrouvaient isolés du reste du monde dans un cocon intime qui n'appartenait qu'à eux.

Tracy frissonna encore, mais cette fois, Rick sut avec certitude que ce n'était pas à cause du froid. D'ailleurs, si elle ressentait ne serait-ce que la moitié des mêmes sensations que lui, elle devait brûler, se consumer dans un brasier dont la virulence augmentait chaque seconde.

Baissant la tête vers elle, vers ses lèvres entrouvertes, Rick eut le sentiment d'être enfin arrivé à bon port. Dès que leurs bouches se frôlèrent, son corps se tendit comme un ressort. Tracy mêla son souffle au sien, puis noua ses bras autour de son cou lorsqu'il l'attira sur ses genoux.

Prenant son visage entre ses mains, il la regarda longuement.

Maintenant, il savait, songea-t-il en lui ôtant doucement ses lunettes, qu'il déposa ensuite sur le sol.

C'était réel. Ce qui envahissait ses sens lorsqu'ils s'embrassaient était réel. Tracy lui inspirait des pensées irrésistibles de terres à conquérir, de dragons à terrasser, de palais à construire pour elle, autour d'elle.

Elle lui donnait envie d'être le chevalier dont elle rêvait.

Il pencha la tête pour s'assouvir de la bouche pulpeuse, de sa langue, de ses lèvres. Jamais il ne se rassasierait de Tracy.

Le désir, l'envie, la passion déferlèrent en lui avec la fureur irréductible d'une invasion de marines. Mais sur les talons des guerriers venaient la tendresse, la douceur, l'amour. Et comme lors d'une bataille, il riposta de toutes ses forces. Ses mains parcoururent le corps de Tracy, qui, sans montrer aucune résistance, se pressa contre lui, ses hanches venant à la rencontre de son membre viril dressé, presque douloureux à force de désir.

Il tenta de l'écarter un peu, mais Tracy resserra l'étreinte de ses bras autour de son cou, et pressa ses seins contre son torse.

Elle gémit à son tour, et il but à la source le souffle de ce soupir qui répondait au sien.

Il voulait plus. Bien plus.

Jamais auparavant il n'avait éprouvé pour personne un désir aussi sauvage, indomptable. Un besoin aussi absolu de s'unir à une femme. De la solliciter tout entière, corps et âme. Son cœur battait la chamade.

Son esprit s'emballait. Son corps réclamait délivrance, criait grâce.

Sans cesser d'explorer les secrets de sa bouche, il glissa doucement sa main droite entre ses cuisses, jusqu'au cœur précieux de sa féminité. Sous la caresse, Tracy exhala une plainte langoureuse, ondula contre lui tout en poursuivant la danse de sa langue enroulée autour de la sienne.

L'obscurité, bouclier de la nuit, les dissimulait. Le brouillard, cape de vapeur, les enveloppait. Bouche scellée à celle de Tracy, il avalait ses gémissements tandis que ses doigts l'exploraient avec une délicatesse exquise.

Le souffle court, il l'entraîna plus haut, toujours plus haut vers le plaisir. Le roulement affolé de son pouls vibrait sous la pulpe de ses doigts comme elle se pressait plus près de lui. Cambrée au-dessus de sa main, elle prit appui des pieds contre la vieille balancelle afin d'intensifier le contact.

Rick voulait la toucher plus loin, plus profond. Jusqu'à atteindre son âme, comme elle avait atteint la sienne. Il resserra son bras autour de sa taille, précisa sa caresse. Elle brisa un instant leur baiser pour le regarder, les yeux élargis, noyés de passion, et il cessa presque de respirer.

— C'est fou, articula-t-elle, la voix rauque.

Rick lui sourit. En fait, les trois derniers jours

avaient été complètement fous — et absolument merveilleux. Son sourire s'élargit.

— Tu veux que j'arrête ? la taquina-t-il.

Mordant sa lèvre inférieure, Tracy hocha la tête avec vigueur, puis murmura :

— Non… N'arrête pas. Surtout n'arrête pas. Jamais.

— Jamais, Tracy, promit-il doucement.

Alors, il plongea un doigt en elle. Puis deux. Les insinua doucement dans sa moiteur cachée, dans sa chaleur intime. Amorça un mouvement de va-et-vient d'abord lent, puis plus rapide pour l'amener progressivement à trouver l'apaisement qui le soulagerait en même temps qu'elle.

Cherchant un air difficile, les doigts agrippés à ses épaules, Tracy gémit son nom. Le visage enfoui contre son torse, le rythme frénétique de ses hanches toujours plus rapide, elle contractait sa chair autour des doigts de Rick.

Chuchotant d'une voix à peine audible, il l'encouragea à prendre son plaisir :

— Jouis, ma chérie, jouis, maintenant, l'enjoignit-il dans un souffle, tandis que son pouce pressait le noyau le plus sensible de son intimité.

Et il sentit sous sa paume la première vague de plaisir déferler en elle. Son corps vibra comme un arc. Sans relâcher sa caresse, il laissa une seconde vague la cueillir, puis la rejeter tremblante contre lui, étouffant ses cris de volupté dans le cuir de son blouson.

Rick la tint serrée dans ses bras. Tandis qu'elle reprenait son souffle, il sentit une impression de paix l'envahir. Etrangement, lui donner du plaisir avait apaisé son propre désir, pourtant fulgurant.

— Je n'arrive pas à croire que nous ayons fait ça, murmura Tracy quelques minutes plus tard.

« Moi non plus, songea Rick. Un militaire de carrière faisant l'amour à une femme sous la véranda devant sa maison, en plein milieu de la nuit, à la merci de n'importe quel regard… Incroyable.

Dommage que ce soit déjà terminé… »

— Je ne regrette pas, affirma-t-il, plongeant ses yeux dans ceux de Tracy. Et toi ?

— Moi non plus, dit-elle en soutenant son regard.

Sans mot dire, Rick l'étreignit plus fort. Il posa son front contre le sien et écouta les battements précipités de son cœur.

Il s'était demandé, il y avait peu, si tout cela était réel. Il avait la réponse, maintenant.

Et il semblait que ces prétendues fiançailles prenaient corps d'elles-mêmes.

10.

Impossible d'éviter Rick.

D'ailleurs, malgré la scène embarrassante sur la balancelle la nuit précédente, elle n'en avait aucune intention.

N'empêche qu'elle se serait volontiers accordé un répit de quelques heures, songea-t-elle en observant Rick et le mari de Meg par la fenêtre du salon de sa sœur. Le temps de rassembler ses idées. De trouver un moyen de le regarder sans rougir comme une lycéenne idiote.

Mais elle n'avait pas eu le temps de réfléchir à la conduite à adopter. Tôt ce matin, Rick s'était matérialisé devant la porte d'entrée, prêt à la conduire chez Meg et John.

Le trajet vers leur petite ferme était court, et Tracy n'avait cessé de jacasser de façon décousue, sans jamais lui laisser l'occasion de mentionner le moment partagé la veille.

Une nouvelle bouffée de chaleur l'envahit. Comment croire, à la lumière du jour, qu'elle avait pratiquement fait l'amour sous la véranda de ses parents ?

Ce souvenir la fit frémir. Elle chassa les picotements incendiaires qui se propageaient dans son corps. Que lui arrivait-il depuis quelques jours ? A croire qu'elle devenait insatiable en matière de sexe...

— Dis donc, tu pourrais le lâcher des yeux une minute, non ? se moqua Meg en entrant dans la pièce.

La mine coupable, Tracy se retourna vers sa sœur, qui déposa sur la table basse un plateau supportant deux tasses de café, ainsi que de généreuses parts de gâteau au chocolat. Meg s'affala ensuite sur le canapé.

— Allez, viens t'asseoir ici, lui ordonna-t-elle, une tasse à la main. Parlons un peu. Tu as encore toute la vie pour admirer Rick.

« Quelques jours, du moins », rectifia mentalement Tracy en s'installant auprès de sa sœur.

Pendant que Meg se lançait dans un long monologue, Tracy parcourut du regard le salon de sa sœur. Un désordre incroyable régnait dans la pièce, pourtant d'une propreté parfaite. Les confortables fauteuils débordaient de coussins dépareillés ; un patchwork fané recouvrait le vieux sofa ; d'innombrables photos des enfants de Meg et John s'alignaient sur le manteau de la cheminée ; jouets, poupées, chaussures et chaussettes jonchaient le grand tapis bleu étalé sur le plancher en lattes de pin.

C'était l'image même d'une maison heureuse et pleine d'amour. Tracy songea que si les murs pouvaient parler, ceux-là auraient sûrement raconté des contes pour enfants, des câlins du soir, des secrets confiés et des milliers de rires partagés.

La pensée de Tracy dériva sur-le-champ vers son propre appartement. Vide. Impeccablement rangé. Sans âme. A sa grande surprise, une boule gonfla sa gorge, tandis qu'elle luttait contre un brusque assaut de larmes.

Son joli duplex ne paraîtrait-il pas encore plus vide en rentrant ?

Meg posa une main chaleureuse sur son bras.

— Ça ne va pas ?

Arrachée à ses réflexions moroses, Tracy hocha la tête en reniflant, puis adressa un faible sourire à sa sœur.

— Si, tout va bien, je t'assure. Où sont les enfants ?

Meg éclata de rire.

— Tu plaisantes ? Je les ai tous expédiés chez leurs copains ce matin. Je voulais avoir un moment de tranquillité avec toi. Crois-moi, déclara-t-elle en rejetant ses longs cheveux blonds en arrière, avec quatre petits diables, on n'est *jamais* tranquilles.

Une infime pointe d'envie transperça le cœur de Tracy. Sa sœur avait un mari qui l'adorait, des enfants adorables, et une grande maison chaleureuse. Tandis qu'elle, pour sa part, disposait d'un duplex de trois pièces, d'une longue liste de partenaires professionnels, et avait dû s'inventer un fiancé pour éviter la pitié des gens.

Etrange de constater combien deux sœurs élevées dans le même foyer, dans la même ville, pouvaient finir avec des vies aussi différentes.

A quoi ressemblerait sa vie aujourd'hui si elle avait bénéficié un peu de la même confiance en elle que Meg au cours de son enfance ?

Sentant qu'elle était sur le point de laisser libre cours à son émotion, elle préféra changer de sujet.

— Quatre plus un feront bientôt cinq petits diables, dit-elle, la main posée sur le ventre légèrement rebondi de Meg.

Un bref frisson d'angoisse la traversa avec la pensée qu'elle aussi était peut-être enceinte en ce moment même. Mais bien qu'une partie de son cœur eût adoré que ce soit le cas, elle reconnaissait que les chances étaient minces.

— Eh oui, rétorqua sa sœur, dont le sourire s'attendrit. Tu te rends compte ? Un autre enfant. Tu dois me trouver complètement cinglée. Mais j'aime tellement les bébés.

— Non, tu n'es pas cinglée du tout, protesta Tracy avec conviction. Au contraire. Tu es une mère formidable.

— Je l'espère, mais parfois j'ai des doutes, répondit Meg en soupirant.

Meg ? Sa sœur si carrée, pouvait avoir des doutes ?

Tracy était stupéfaite de ce qu'elle venait d'entendre.

Le regard de sa sœur dévia vers la fenêtre, vers le jardin où se trouvait son mari. Elle posa sa main d'un geste protecteur sur le renflement de son ventre, puis elle poursuivit d'une voix hésitante :

— Tu sais, John et moi adorons les enfants. Nous en aurons autant que Dieu nous en donnera. Simplement, je…

— Oui ? l'encouragea Tracy, ses propres soucis momentanément oubliés.

— Oh, c'est idiot de ma part, ajouta Meg.

Elle reposa sa tasse sur le plateau, puis s'adossa de nouveau contre les coussins. Elle lança un regard d'avertissement à sa sœur, puis reprit :

— Si jamais tu répètes ça à qui que ce soit, je nierai — et ensuite je t'arracherai les yeux.

— Croix de bois, croix de fer, si je mens, je vais en enfer.

Meg approuva de la tête, rassurée. Elle prit une large inspiration avant de continuer :

— Bon, d'accord. Je ne te l'ai jamais dit avant, mais j'ai toujours été un peu… jalouse de toi. Je t'ai toujours enviée, en fait.

— Quoi ? s'exclama Tracy.

La remarque lui semblait tellement ridicule ! Meg avait tout ce dont elle, elle rêvait. C'était le monde à l'envers.

— Comprends-moi bien, souligna son aînée en levant vivement la main. Je n'échangerais pas une seule chose de ma vie pour tout l'or du monde. Je suis folle de John. Je n'imagine pas une seconde ma vie sans lui. Ni sans les enfants. Et vivre dans une ferme me convient parfaitement.

— Alors ? insista Tracy, qui ne comprenait pas.

— Eh bien, expliqua Meg en croisant les jambes. Parfois, lorsqu'il y a trop de bruit dans cette maison, trop de bazar, je pense à toi, seule dans ton appartement, bien tranquille. Avec ton boulot, que tu gères toi-même. Avec des clients qui comptent sur toi et qui apprécient tes qualités professionnelles. Et qui est capable d'aller aux toilettes sans que personne ne t'y emmène, conclut-elle avec un petit rire.

— Mais tu as tant dans la vie, la coupa Tracy.

— Je le sais bien. Et j'en suis très heureuse. Mais Tracy, toi, tu as quelque chose que je n'ai jamais eu. A l'école, j'étais toujours une élève médiocre. Tandis que toi, tu étais si brillante.

Tracy sentit les mots *grosse tête* s'afficher en lettres fluorescentes sur son front.

— Je n'ai jamais osé le dire, avoua Meg en étreignant sa main. Mais en même temps, j'étais aussi fière de toi que papa et maman. Et je le suis toujours, tu sais.

Plongeant les yeux dans ceux de Meg, Tracy vit qu'elle disait la vérité. Une vérité qu'elle n'avait pas su voir avant. Bouleversée par la sincérité de sa sœur, elle repoussa à grand-peine une nouvelle vague de larmes. Sa gorge était nouée.

Puis, un sentiment d'orgueil naquit au fond de son cœur. Alors, pour la première fois de sa vie, elle regarda sa sœur aînée, et se sentit à égalité avec elle.

« L'herbe semble toujours plus verte dans le champ du voisin » : peut-être que les clichés existaient parce qu'ils reflétaient la réalité.

Les deux sœurs s'étreignirent. Puis Meg se rassit, prit sa part de gâteau et l'attaqua avec appétit.

— Bon, lança-t-elle après une généreuse bouchée. Raconte-moi un peu. Ça a commencé quand, Rick et toi ? Pourquoi aucun de vous deux ne m'a rien dit ?

Tracy sursauta au brutal changement de sujet. Son moral sombra dans la foulée. Voilà. Sa sœur venait de lui ouvrir son âme, dans un climat propice aux confidences, et maintenant, elle allait devoir lui mentir. Quelle honte !

— Et il y a autre chose que je voudrais également savoir, chuchota Meg, vérifiant d'un coup d'œil coupable que personne ne pouvait les entendre. Rick est-il aussi bon au lit que je l'ai toujours imaginé ?

Les joues de Tracy s'empourprèrent tandis que des images très précises affluaient dans son esprit. Accompagnées d'une nouvelle pensée qui la combla tout autant. Rick et Meg n'avaient jamais eu de relation intime…

Le regard plein de curiosité complice, Meg se rapprocha de sa sœur.

— Ah, ah…, s'exclama-t-elle à voix haute. Si le simple fait d'y penser te fait rougir à ce point, alors, en tant qu'aînée, j'exige des détails !

Rick tendit la clé à molette à John, puis s'appuya de nouveau contre la camionnette pendant que son vieux copain replongeait sous le capot.

— Alors, jeta celui-ci, la voix curieusement étouffée par sa position. Tracy et toi. Qui l'eût cru, hein ?

— Mmm, répondit Rick.

Malgré lui, son regard s'échappa vers la ferme, de l'autre côté du jardin, comme pour tenter de traverser les murs et voir Tracy assise avec Meg dans la maison.

Tracy l'évitait depuis ce matin, il le savait. S'il n'était pas venu se planter dès l'aube sur la vieille balancelle à attendre qu'elle sorte, nul doute qu'elle l'aurait évité pendant plusieurs jours.

Bon, s'asseoir sur cette balancelle ne serait plus jamais pareil. Impossible, après la nuit dernière.

Ses ongles s'enfoncèrent dans la paume de ses mains comme sa mémoire s'éveillait de nouveau. Une fois de plus, son cœur battit la chamade. Depuis la veille, il n'avait cessé de revivre le moment magique où Tracy avait fondu dans ses bras. Lorsque sous l'assaut du plaisir, elle avait enfoui son visage contre lui afin d'étouffer ses cris.

Il voulait recommencer. Sentir encore son cœur battre pour lui. Il voulait ses sourires. Ses larmes. Son amour. L'épouser.

L'épouser ?

Il se prépara à la sensation de panique que provoquait habituellement en lui l'évocation du mariage. Mais cette fois, rien ne survint. Au contraire, un demi-sourire s'esquissa sur ses lèvres. La vie d'un homme pouvait-elle se trouver autant bouleversée en si peu de temps ?

Tracy serait-elle heureuse avec une vie nomade de militaire de carrière ? Ce qu'ils partageaient y résisterait-il ?

— Est-ce que ça pourrait marcher ? marmonna-t-il tout haut.

— Bien sûr que ça marchera, protesta John d'un ton offusqué. Ce camion est un vrai tas de ferraille, mais je te garantis que je vais le remettre en route.

Rick sourit tandis que son ami se redressait. John avait mal interprété sa phrase. Il continua dans la même veine.

— Tu as toujours été très habile avec les moteurs, c'est vrai.

— Tu parles ! s'esclaffa John en repoussant ses mèches brunes d'une main noire de cambouis. J'ai même entretenu cette épave que tu avais autrefois, et qui aurait dû être à la casse depuis des siècles.

Feignant d'être vexé, Rick objecta :

— Cette épave a quand même trimballé ta carcasse dans toute la région, non ?

— La mienne et celle de tes frères, compléta John avec un grand rire. C'était le bon temps, hein ?

— Le meilleur, acquiesça Rick sur le même ton.

Pourtant, il se souvenait à peine de son adolescence, essentiellement consacrée à savoir où s'isoler avec sa petite amie.

En fait, en y réfléchissant maintenant, il constatait que les derniers jours passés avec Tracy avaient généré des souvenirs bien plus agréables que la plupart de ses jeunes années.

Le Klaxon d'une voiture les ramena au présent, et les deux hommes se tournèrent vers le chemin qui menait à la ferme.

Une voiture familière, celle de la mère de Rick, s'approchait dans un grand nuage de poussière.

— Eh bien, s'exclama John. La bande est au complet.

— On dirait, oui, dit Rick en souriant.

Il s'avança vers le véhicule dont surgirent, le moteur à peine coupé, deux gaillards hilares.

— Bon sang, qu'est-ce que vous fichez ici, tous les deux ?

Andy Bennet jeta un regard narquois à son frère Jeff.

— Tu entends ça ? Notre frère aîné n'a pas l'air ravi de nous voir, hein ?

— Ouais, répliqua Jeff avec la même ironie. Réaction typique de gradé. Il faut toujours qu'ils contrôlent tout.

— Hé, tu exagères, là ! rétorqua Andy. N'oublie pas que je suis moi-même officier.

— Comment avez-vous réussi à emprunter la voiture de maman ? s'interposa Rick en distribuant de grandes claques affectueuses dans le dos de ses jeunes frères.

— Fastoche. On l'a ligotée et enfermée dans un placard.

Rick partit dans un éclat de rire. Le jour où un seul de ses militaires de fils aurait le dessus avec Patty Bennet n'était pas encore né…

— En fait, elle n'en avait pas besoin, expliqua Andy. Parce qu'elle allait chez les Hall. Pour discuter de ce mariage dont *tu* ne nous as rien dit.

Encore ce prétendu mariage !

Il soupira, puis se souvint qu'il était censé être un fiancé radieux. Il arbora donc un sourire.

— Mais je ne vous raconte pas toujours tout, les gars.

Jeff hocha une tête incrédule.

— J'ai eu du mal à croire papa quand il nous a annoncé la nouvelle. Autrefois, Tracy Hall était le fléau de ta vie, non ?

— Tu te rends compte ! Tu vas épouser une fille que tu appelais Pop-corn ! renchérit Andy.

— J'ai grandi, depuis, se rebiffa Rick, prêt à

202

défendre Tracy, contre ses frères. Vous devriez en faire autant.

— Ah, non merci, s'esclaffa Jeff. Ma seconde adolescence est bien trop agréable.

Soudain, Andy émit un long sifflement admiratif, tandis que son regard dérivait vers la ferme. Là-bas, sur le seuil de la porte, se tenaient Tracy et Meg, observant d'un air amusé leurs retrouvailles.

Le cœur de Rick fit un bond presque douloureux dans sa poitrine, et une vague envie de meurtre l'étreignit à l'égard de son frère lorsque celui-ci déclara d'une voix songeuse :

— On dirait que Tracy, elle aussi, a grandi. Et sacrément bien, même.

Quarante promotions d'anciens élèves avaient rallié Juneport, et la petite ville débordait d'une joyeuse animation. Plus la date de la réunion du lycée approchait, plus les hôtels étaient bondés. Les affaires marchaient comme jamais dans les boutiques du port, car les revenants jouaient aux touristes, dépensant sans compter en babioles et souvenirs.

Après avoir acheté des cornets de crevettes à la petite échoppe au bout du quai, Rick les distribua aux neveux et nièces de Tracy.

Les deux plus grands couraient devant eux, attirés par le jappement caractéristique des phoques. Mais la petite Jenny, âgée de quatre ans, ne lâchait pas la main de Rick. Son frère Tony, plus vieux d'un an, tirait sur celle de Tracy dans l'espoir de rattraper ses aînés.

Celle-ci jeta à Rick un regard amusé.

— Tu regrettes de t'être porté volontaire pour cette mission, capitaine ? demanda-t-elle en riant.

Le vent frais de l'océan gonflait les cheveux de Tracy en une auréole de boucles blondes et coloriait ses joues de deux touches de rose. Son sourire était éclatant et ses yeux brillaient de joie. Rick la trouvait belle à mourir.

Regretter d'être avec elle ? Ah non, alors ! La seule chose qu'il regrettait, c'était de la laisser partir après le week-end.

— Mission qui n'est pas sans risque, ajouta-t-elle en surveillant du coin de l'œil David.

L'enfant était en train d'escalader le garde-fou, pour améliorer son angle de vision sur les phoques.

— Je suis un marine, répliqua Rick, s'efforçant de prendre un ton léger. Le risque fait partie de mon métier.

Et il souleva Jenny dans ses bras avant qu'elle ne lui échappe pour rejoindre son téméraire de frère.

Trois heures plus tard, il songeait qu'affronter une

armée ennemie était presque moins compliqué que de garder l'œil sur quatre gamins surexcités.

— Ils sont épuisants, hein ? l'interrogea Tracy, les bras croisés sur la table de bois délavé par le soleil.

Rick observa les enfants, momentanément calmes, car plongés avec délice dans d'immenses bols de bisque de fruits de mer.

— Je me demande comment font John et Meg, grogna-t-il.

— Question d'endurance, répondit Tracy en essuyant le menton de Jenny.

— Tu te débrouilles très bien avec eux, toi aussi, dit-il d'une voix admirative.

Il avait remarqué qu'elle n'avait pas haussé la voix de toute la matinée. Et perdu ni son calme ni son sens de l'humour.

— Bah, ça demande de l'amour, rien de plus, répliqua Tracy en posant sur ses neveux un regard attendri.

Rick soupira. Ils avaient arpenté le port de long en large. Nourri un troupeau de phoques bruyants et puants. Visité toutes les toilettes publiques dans un rayon de trois kilomètres. Rattrapé David avant qu'il n'embarque sur un chalutier. Acheté un nouveau T-shirt à Becky, sept ans, après que son frère l'eut attaquée à coups d'algues vaseuses. Et enfin, refait tout le trajet à l'envers pour retrouver la poupée perdue de Jenny.

Pourtant, Tracy ne montrait aucun signe de fatigue. Elle semblait aussi fraîche et ravissante qu'en débutant cette interminable matinée.

De l'amour, Tracy en débordait. L'affection étincelait dans ses yeux dès qu'elle les posait sur ses neveux et nièces, lesquels le lui rendaient bien. En fait, les enfants étaient plus intelligents que les adultes. Ils prenaient l'amour qu'on leur donnait sans se poser de questions. Sans se demander si c'était bien ou mal. Sans se torturer avec des doutes inutiles.

Etait-il encore temps qu'il apprenne quelque chose d'un enfant ?

— A quoi penses-tu ? demanda Tracy, apparemment gênée par son regard fixé sur elle.

— J'étais en train de me dire que tu es vraiment belle. Et que j'aimerais beaucoup m'asseoir encore avec toi sur une balancelle, à l'occasion.

Gênée par le sous-entendu, Tracy rougit, ce qui renforça la teinte de ses joues caressées par le vent. Les pupilles soudain assombries, elle se tortilla sur son siège.

L'inconfort de Rick prit lui aussi une… ample proportion. Il savait que tous deux avaient la même chose en tête : ce qui s'était passé entre eux la nuit dernière ; et l'envie de recommencer.

206

— Rick…

Mais elle ne termina pas sa phrase, interrompue par les baisers sonores que David, l'aîné de ses neveux, plaquait sur le dos de sa propre main.

— C'est dégoûtant de parler comme ça à une *fille*, déclara l'enfant avec dédain lorsqu'il eut obtenu leur attention. Surtout pour un soldat !

Rick réprima un sourire. Il tâcherait de se rappeler de reparler avec David dans quelques années. Histoire de vérifier si l'enfant avait changé d'avis sur le sujet.

— Moi aussi, je suis jolie.

La voix flûtée de Jenny qui le tirait par la manche, le força à se pencher vers elle.

Souriant à la fillette qui le regardait avec tant de sérieux, Rick la prit dans ses bras et l'installa sur ses genoux. Puis il étudia son petit visage maculé de soupe, avant de feindre la stupéfaction.

— Tu sais quoi ? déclara-t-il enfin.

— Non ?

— Tu es même encore *plus* belle que ta tante Tracy.

La fillette gloussa de bonheur, puis lui embrassa vivement les joues. Cette marque spontanée d'affection le toucha au cœur. Il se retrouva désarmé.

Jamais au cours de sa vie d'adulte, il n'avait envisagé de se marier, d'avoir des enfants. Aujourd'hui, pourtant…

Ses yeux se posèrent sur Tracy, assise de l'autre côté de la table.

Elle lui souriait avec tendresse. Puis le regard de Rick descendit vers sa taille mince, son ventre plat. Peut-être que cette femme portait son enfant. Un minuscule et miraculeux mélange de lui et de Tracy.

Cette idée le terrifiait. Mais en même temps, elle le séduisait plus qu'il ne l'aurait jamais cru.

Leurs yeux se croisèrent. Il lut sur son visage que Tracy savait à quoi il pensait. Une ombre d'angoisse surgit soudain au fond des prunelles bleues, et Rick regretta de ne pouvoir la rassurer. Regretta de ne pouvoir discuter avec elle de cette éventualité pour leur futur. Mais ce n'était ni le lieu ni le moment.

Il s'exhorta à la patience. Après tout, il leur restait encore un peu de temps. Sa main caressa doucement les cheveux emmêlés de Jenny.

Leur enfant serait-il aussi tendre et câlin que cette adorable petite fille ?

Perdu dans le domaine vertigineux des probabilités, Rick ne vit pas l'adorable petite fille tirer la langue à son frère.

11.

Le vieux gymnase avait mal résisté à l'épreuve du temps.

Après tout, rien de plus normal. Le lycée était un des plus anciens bâtiments de la ville. Ses murs de pierres semblaient gris et usés dans la lumière de l'après-midi. Des banderoles des supporters de l'équipe sportive, aux encouragements peints en couleurs criardes, pendaient un peu partout, donnant à l'ensemble une allure de vieille matrone outrageusement maquillée. Mais le bavardage excité des organisateurs de la réunion réveillait dans le gymnase l'écho d'un temps où le lycée comme ses élèves étaient encore jeunes.

Tracy, juchée sur une échelle, tentait d'étirer les bras assez haut pour punaiser des guirlandes de papier crépon sur la paroi couleur vert chewing-gum.

— J'y suis presque, grommelait-elle entre ses dents serrées par l'effort. Encore un peu, et…

— Tu es complètement folle ? rugit une voix familière, venant d'en bas.

Sursautant de surprise, Tracy lâcha sa guirlande, laquelle voltigea vers le plancher ciré, et agrippa des deux mains les montants de l'échelle soudain vacillante. Elle attendit que son cœur ait retrouvé une cadence normale pour plonger les yeux dans le regard vert et furibond de Rick.

— Tu m'as fait une de ces peurs ! maugréa-t-elle après avoir repris son souffle.

— Et toi donc ! rétorqua Rick, en lui faisant signe de descendre de l'échelle.

Tracy songea qu'il arborait de nouveau son visage de marine ! Elle était fermement décidée à lui résister. Après tout, elle n'était pas un de ses subordonnés à qui il pouvait distribuer des ordres d'un claquement de doigts.

Elle avait beau l'aimer, elle n'allait pas se laisser marcher sur les pieds quand même !

— Passe-moi la bande de crépon, s'il te plaît, lui demanda-t-elle en lâchant avec précaution un montant de l'échelle pour lui tendre la main.

— Descends et laisse-moi faire, répliqua Rick.

Brusquement agacée, elle lança un coup d'œil aux quelques personnes qui s'activaient dans le gymnase. Pas besoin de rajouter aux ragots qui circulaient déjà sur leur compte dans toute la ville !

Dieu merci, personne ne semblait leur prêter attention. Pour l'instant, en tout cas.

Son regard revint sur l'homme debout au pied de l'échelle.

— J'ai presque fini, objecta-t-elle.

— Non, tu arrêtes tout de suite ! riposta Rick d'un ton catégorique. Bon sang, tu ne devrais pas monter sur une échelle !

— Et pourquoi pas ? lui rétorqua-t-elle, sourcils froncés.

Rick se frotta nerveusement le front, parcourut la grande salle du regard, puis se retourna vers elle.

— D'abord, parce que tu es déjà couverte de bleus. Tu as une sacrée tendance aux accidents, il me semble.

— Pas du tout.

Décidément, elle n'arrêtait pas de mentir, car la main qu'elle avait cognée ce matin contre son placard lui faisait toujours mal.

Sans répondre, Rick se hissa sur les deux premiers barreaux de l'échelle, qui craqua dangereusement sous son poids. Tracy écarquilla les yeux et resserra ses doigts sur les montants de bois usé.

— Descends de là, supplia-t-elle d'une voix précipitée. Tu vas nous faire tomber tous les deux.

— Il ne s'agit plus uniquement de toi, Tracy,

murmura Rick, ignorant sa demande. Imagine que tu sois...

Le reste de la phrase resta en suspens. Mais peu importait qu'il la termine ou non. Elle savait très bien de quoi il parlait. Or, elle n'y avait même pas songé en grimpant sur cette échelle. Et, pour être honnête, elle persistait à penser qu'il n'y avait pas lieu de s'inquiéter. Elle ne pouvait pas être enceinte. Pas du premier coup.

— Bon, très bien, marmonna-t-elle. Je descends.

N'importe quoi, pourvu que cette conversation cesse.

Plus elle durait, plus les chances qu'on les entende augmentaient.

Rick sauta à bas de l'échelle puis se posta devant, les bras levés vers Tracy pour l'aider à poser pied à terre. Ses mains encerclèrent sa taille, allumant en elle un incendie qu'elle décida d'ignorer.

— Pourquoi ne pas m'avoir dit que tu donnais un coup de main pour la décoration de la salle ? Je t'aurais conduite en voiture.

— Je croyais que tu étais parti pêcher avec tes frères.

Il hocha la tête en souriant. L'idée de s'asseoir dans un bateau exigu en compagnie de ses frères et de John lui avait paru furieusement moins attirante que celle de passer du temps avec Tracy. Bien entendu, une fois entré dans le gymnase, en l'apercevant juchée en haut d'une échelle qui ployait comme un bouleau sous l'orage, il avait vieilli de dix ans.

Certes, il adorait l'indépendance de Tracy. Il adorait qu'elle se consacre pleinement à chaque situation qui s'offrait à elle. Simplement, il aurait aimé qu'elle s'y consacre en prenant plus de précautions.

A présent, le regard plongé dans ses yeux pareils à des saphirs, Rick se demanda comment envisager de passer le reste de sa vie sans être auprès d'elle chaque jour. Sans pouvoir vérifier qu'elle faisait attention. Sans pouvoir faire l'inventaire de ses plaies et bosses. Sans entendre son rire. Sans la tenir dans ses bras la nuit et s'éveiller à côté d'elle le matin.

Bientôt, très bientôt, l'un et l'autre retourneraient à leurs quotidiens, reprendraient le cours de leurs vies *séparées*. Alors, le temps partagé ensemble se muerait en souvenirs.

Il leva une main pour repousser une boucle blonde sur le front de Tracy. Pourrait-il vraiment se résoudre à ne garder d'elle que son souvenir gravé au fond du cœur ?

Le souhaitait-il seulement ?

Mais quelle alternative avait-il, en fait ?

Tracy avait commencé par refuser des fiançailles *fictives* avec lui. Alors, pourquoi imaginer qu'elle en accepterait de réelles ?

Son cœur se serra tandis qu'il contemplait l'avenir interminable et vide de sens qui s'étirait devant lui.

— Rick ?

Le ton de Tracy lui signifia qu'elle l'appelait depuis un certain temps déjà. Aussi écarta-t-il ses sombres pensées et, revenant avec effort à leur conversation, parvint à dire après un rire bref :

— Pêcher ? Alors que j'ai l'occasion d'être ici en train d'accrocher des bouts de papier crépon entortillés ?

Il lâcha brusquement la taille de Tracy, qui, déconcertée, recula d'un pas. Rick remarqua combien ses mains lui semblaient soudain vides. Il haussa les épaules, puis il agrippa l'échelle et entreprit de l'escalader.

— Passe-moi les guirlandes, d'accord ?

Tracy ramassa les bandes de crépon rouge et or qu'elle lui tendit. Une fois punaisées sur le mur, Rick se tourna et baissa les yeux vers elle. Son sourire l'éblouit.

— Tu es très doué pour la décoration de gymnase, dis-moi, le taquina-t-elle.

— Tu penses ! A la base, je suis systématiquement sollicité pour les anniversaires et les mariages.

Ce dernier mot resta en suspens entre eux durant

un long moment de silence. Jusqu'à ce que Tracy le rompe d'une voix un peu sourde.

— Eh bien, capitaine, ne restez pas planté là. Ce gymnase attend d'être décoré. La réunion des anciens élèves a lieu demain. Nous n'avons pas de temps à perdre.

Pourtant, songea Rick, c'était précisément ce qu'ils faisaient, perdre du temps. A tournicoter autour de leurs sentiments l'un pour l'autre, au lieu de s'en emparer sans plus attendre en remerciant les dieux de leur avoir accordé pareils cadeaux.

— Bien, m'dame, répliqua-t-il, mimant un salut militaire qui fit dangereusement osciller l'échelle.

Le rire cristallin de Tracy se grava dans sa mémoire.

Demain, la réunion. Et ensuite, il ne lui resterait que les souvenirs…

Sur le moment, l'idée leur avait semblé épatante.

Seize copains se rendant au cinéma la veille du rassemblement du lycée. Seize adultes se comportant comme les gamins qu'ils avaient été, vautrés dans les fauteuils de velours rouge, se lançant des poignées de pop-corn et bavardant sans cesse à voix plus ou moins basse.

Rick fulminait. Il regrettait de ne pas être ailleurs avec Tracy. N'importe où, mais pas dans cette salle. Où il la partageait avec la moitié de la ville. Il avait envie *d'intimité*. Dans tous les sens du terme, d'ailleurs…

Les images venant de l'écran dessinaient d'étranges ombres de lumière mouvante sur les visages des spectateurs. Rick n'avait aucune idée de ce que racontait le film.

Assise sur le siège voisin, Tracy, elle, suivait attentivement l'histoire. Dans l'obscurité entrecoupée de lueurs désordonnées, il vit une larme rouler le long de sa joue. Extrêmement sensible, elle vivait ses émotions avec une telle intensité qu'elle les avait toujours à fleur de peau.

Comme elle reniflait et battait des cils, Rick l'entoura de son bras. Aussitôt, elle se blottit contre lui, posa sa tête sur son épaule d'un geste si naturel. Si juste.

Soudain, ce fut comme s'ils étaient *vraiment* seuls.

En fait, Rick voulait juste la réconforter. Mais à un moment donné, sa main glissa du bras de Tracy jusqu'à la courbe douce de son sein. Comme par hasard, l'action du film prit de l'ampleur, et le vacarme dans la salle couvrit le gémissement rauque qu'il ne put réprimer.

216

Tracy se rapprocha encore, l'encourageant silencieusement à poursuivre son exploration.

A l'abri de la salle obscure, Rick insinua la main dans l'échancrure de sa blouse de soie. Il serra les dents lorsque ses doigts croisèrent la dentelle du soutien-gorge.

Comme Tracy frissonnait sous son contact, il en ressentit l'écho dans sa propre chair.

Ecartant la fine barrière le séparant de la peau qu'il brûlait de toucher, ses doigts trouvèrent enfin un mamelon déjà érigé. Il aspira une gorgée d'air pendant qu'à l'écran, le héros éliminait bruyamment ses ennemis. Malgré l'accoudoir qui s'enfonçait dans sa hanche, Tracy remua sur son siège pour mieux se pelotonner contre lui.

Rick effleura doucement la pointe de son sein. Il sentit son souffle s'accélérer. A petites touches caressantes, il descendit sa main et finit par emprisonner le globe tout entier. Pétrissant avec délicatesse la chair satinée, il les soumit tous deux à une même torture, jusqu'à ce que son sexe tendu soit trop douloureux sous la toile de son jean.

Au diable le film ! Il posa son autre main sur la joue de Tracy. Elle tourna son visage au creux de sa paume qu'elle embrassa, y déposant avec la langue une longue brûlure humide.

Rick déglutit avec difficulté. Autour d'eux, l'obscurité s'approfondit, car la nuit tombait sur l'écran.

Du pouce et de l'index, il titilla le mamelon de Tracy, qui frissonna encore. De nouveau, il partagea le tressaillement de son corps, tandis qu'elle recouvrait sa main de la sienne, comme pour accentuer la caresse sur son sein, comme pour l'empêcher de s'arrêter.

Un désir fulgurant traversa Rick. Il devait la posséder. Enfouir son corps dans le sien. Tout de suite.

— Prends ton manteau, chuchota-t-il.

Dans l'étrange lueur venue de l'écran, il vit flamber dans les yeux de Tracy la même passion absolue qui bouillonnait en lui.

Elle acquiesça de la tête, ramassa ses affaires. Puis se laissa guider vers l'allée centrale.

Les spectateurs applaudissaient la fin du film pendant que Tracy et Rick, main dans la main, se précipitaient en direction des portes battantes ; traversaient le hall brillamment éclairé ; dépassaient la foule croissante autour du bar ; et enfin, sortaient dans la nuit froide.

A l'abri de la Range Rover, ils se jetèrent dans les bras l'un de l'autre pour un baiser fougueux. Mains nouées, souffles mêlés, une fièvre identique les reliait. Puis ils s'écartèrent un instant, les yeux agrandis.

— Où pourrions-nous aller ? demanda Tracy d'une voix rauque.

— Je ne sais pas, soupira Rick, maudissant le fait que tous les hôtels de la petite ville étaient archipleins.

Puis l'urgence désespérée de leur désir lui inspira une idée qu'il n'aurait jamais suivie en temps ordinaire. Il démarra la voiture. Des réverbères démodés éclairaient la rue étroite de faibles flaques jaunes. Des volutes de brouillard s'échappaient de l'océan à l'autre bout de la ville, traçant inexorablement leur chemin vers le centre de Juneport.

— Où allons-nous ? répéta Tracy, bien qu'au fond, elle s'en moquât, pourvu que ce soit près.

Elle resserra ses doigts sur la main de Rick.

Son cœur battait à tout rompre. Le sang courait dans ses veines comme un cheval affolé. Jamais elle n'avait éprouvé une pulsion aussi violente, un désir aussi brûlant.

Peut-être n'avait-il fait que croître sourdement depuis l'autre soir, sous la véranda ? Elle n'en savait rien. La seule chose qu'elle savait, c'était ce besoin urgent d'être avec lui. De le sentir de nouveau ne faire qu'un avec elle.

Un besoin dans l'immédiat aussi nécessaire

que l'air qu'elle respirait. Car elle voulait un autre souvenir de lui. Parce que dans quelques jours, il repartirait de sa vie.

Rick conduisait sa voiture à toute allure dans les petites rues familières. Tel un homme possédé. Pour l'un comme pour l'autre, pris dans une sorte d'envoûtement puissant, implacable, il n'y avait pas d'échappatoire.

La main de Rick lâcha la sienne, et vint se glisser sous l'ourlet de sa jupe. Puis elle remonta le long de sa cuisse, jusqu'à la bande de dentelle terminant ses bas. Rick gémit avant de s'aventurer plus haut, sur la peau soyeuse, puis encore plus loin, vers son entrejambe.

Tracy souleva ses hanches autant que le permettait la ceinture de sécurité, s'agrippa à l'accoudoir et laissa les incroyables sensations l'envahir.

Du bout des doigts, Rick caressait sa chair si douce, si féminine à travers la soie de son slip.

— Tracy, murmura-t-il. J'ai besoin de te toucher.

— Moi aussi, articula-t-elle d'une voix presque inaudible. Dépêche-toi, Rick, je t'en supplie.

Paupières closes, elle rejeta la tête en arrière, se concentrant sur ses sens embrasés. Déjà, des vagues de plaisir anticipé gonflaient en elle, raz-de-marée inexorable qui la porterait bientôt vers les sommets de délices, elle n'en doutait pas.

— On y est presque, annonça Rick, qui, à force de jouer avec la dentelle de son slip, franchit enfin la fragile barrière, et effleura doucement la peau sensible de son mont de Vénus. Si délicat soit-il, son geste décupla le désir de Tracy, qui pulsa en elle comme une force vive, avide d'apaisement.

Soudain, il retira sa main, lui arrachant un petit cri de protestation.

Elle ouvrit alors les yeux pendant que Rick arrêtait brutalement la voiture. La nuit était complète. Les silhouettes noires de grands arbres se découpaient sur le ciel à peine moins sombre, cependant dominés par la colonne obscure du vieux phare. Alors, elle sut où ils étaient. Au-delà du petit parking que l'on surnommait « le coin des amoureux » à Juneport. Rick avait dépassé la zone de stationnement, les conduisant à travers l'étendue d'herbe vers des ombres plus profondes, là où seul les atteignait le bruit de l'océan. On l'entendait battre et les vagues se fracasser contre les rochers du rivage, dans un rugissement sauvage.

Ils enlevèrent leur ceinture de sécurité en même temps. Rick s'assit à la place du passager et attira Tracy à califourchon sur ses genoux.

Murmurant son prénom, encore et encore, il s'empara de sa bouche comme un homme qui cherche son dernier souffle. Pendant ce temps, ses mains faisaient glisser le gilet et la blouse qu'elle portait, dégrafaient le soutien-gorge et libéraient ses seins qui frémirent dans ses paumes impatientes. Aussitôt, il en agaça les pointes entre ses doigts.

Tracy se cambra vers lui, noua les bras autour de son cou, et commença à onduler des hanches, tandis qu'il goûtait ses mamelons l'un après l'autre.

— Je ne peux pas attendre plus longtemps, Tracy, marmonna-t-il en reprenant son souffle. Je te veux maintenant. Il le faut.

— Moi aussi, Rick.

Elle prit entre les mains son visage qu'elle leva pour le regarder droit dans les yeux.

— Je te veux en moi, tout de suite.

Avec un gémissement rauque, Rick l'écarta un peu de lui, afin de se dégager de son jean bien trop serré. Ensuite, pendant qu'elle retirait son slip en se tortillant, il sortit de la boîte à gants un petit étui qu'il s'empressa de déchirer.

Tracy jeta un coup d'œil sur le préservatif, puis sur Rick. Le souffle court, elle remarqua en souriant :

— Je croyais que tu ne trimballais plus ces machins-là.

— Je viens tout juste de recommencer, avoua Rick en enfilant la protection.

222

— Plutôt excitant, je trouve, finalement…

— Ravi que ça te plaise, murmura-t-il en la soulevant par les hanches.

Les vitres embuées de la voiture leur donnaient l'illusion d'être seuls au monde. Et, lorsqu'il la fit lentement glisser sur son membre dressé, il comprit qu'avec elle, il pourrait se passer du reste des âmes sur cette terre.

Cette évidence l'éblouit. Elle était tout ce qu'il désirait. Tout ce qu'il voulait. Tout ce qui comptait. Tout simplement, elle était désormais l'*essence* même de sa vie.

Alors, pas question de la laisser partir. Peu importaient les risques d'une telle décision, il avait besoin de Tracy. Il voulait vivre le même mariage que ses parents. Avoir des enfants. Et que l'amour soit au centre de son univers. Et pour cela, il avait besoin de Tracy.

Elle remua au-dessus de lui, l'enfonça en elle, de plus en plus loin, de plus en plus profond. Rejeta sa tête en arrière, haletante.

Les mains resserrées autour de ses hanches, il accéléra la cadence, encore et encore. Sentant les premiers spasmes la parcourir, Tracy cria son nom, et l'instant suivant, il la rejoignit dans l'explosion d'un plaisir souverain qui les laissa tous deux pantelants.

Enfin, elle se coula contre lui, et Rick referma les bras autour d'elle en un geste protecteur.

— Je t'aime, chuchota-t-il à son oreille, prononçant pour la première fois des mots qu'il croyait ne jamais pouvoir dire.

Instantanément, il sut qu'il n'obtiendrait pas la réaction attendue. Tracy poussa un léger soupir et releva la tête vers lui.

— Tu n'es pas obligé de me dire ça.

— Je sais que je ne suis pas *obligé*, mais j'en ai envie. Je t'aime, Tracy.

Elle se dégagea avec précaution, puis se poussa pour le laisser regagner son siège. Tandis que l'un et l'autre se rajustaient, elle poursuivit :

— Tu ne crois pas que tu pousses ces soi-disant fiançailles un peu trop loin ?

— Je ne fais pas semblant, Tracy. Cela fait des jours que j'y pense. Je ne peux pas *m'empêcher* d'y penser. Je ne veux pas te perdre. Je veux t'épouser. Pour de vrai.

Tracy déglutit avec peine. L'espace de quelques secondes éblouissantes, elle s'autorisa à y croire. Puis la réalité vint éteindre son bref rêve radieux.

— Tu ne m'aimes pas, Rick, objecta-t-elle. Tu aimes la Tracy qui t'accompagne depuis le début de la semaine.

224

— Eh bien oui, grommela-t-il, décontenancé. Toi.

— Non, ce n'est pas vraiment moi. Je ne suis pas cette femme sophistiquée, impeccable. Et tu n'aimerais pas la vraie Tracy. Celle qui porte rarement des vêtements plus élégants qu'un jean et un vieux sweat-shirt. Et qui préfère la compagnie d'un bon livre à celle des gens.

— Tu permets ? riposta Rick. Je pense savoir reconnaître mes sentiments.

Yeux baissés, Tracy tira sur l'ourlet de sa jupe.

— Oui, je sais que tu penses le savoir.

Un coup vigoureux frappé à la vitre de la voiture interrompit leur discussion.

Tracy sursauta.

— Bon sang, marmonna Rick entre ses dents, tout en baissant sa vitre. Ah ! Salut, Mike, dit-il ensuite.

Le policier debout près de la Range Rover se pencha pour regarder à l'intérieur. Goguenard, il les regarda tous deux alternativement, puis revint sur Rick.

— Dis-moi, Bennet, tu n'as pas passé l'âge de venir te garer sous le phare ?

Après un coup d'œil furtif vers Tracy, Rick se retourna vers son camarade d'enfance.

— En tout cas, je viens de prendre un coup de vieux !

Mike Destry se redressa et rajusta sa casquette.

— Fais-moi plaisir, hein ? dit-il. Prends plutôt une chambre d'hôtel, d'accord ?

Tracy se cacha le visage entre les mains.

— On se revoit demain à la réunion du lycée, conclut Mike avant de rejoindre son véhicule de police.

— Je n'ose pas y croire, murmura la jeune femme derrière ses paumes tandis que Rick remettait le moteur en marche.

— Regarde le bon côté des choses, grommela-t-il en regardant le policier s'éloigner. Il aurait pu arriver cinq minutes plus tôt.

— Toute la ville sera au courant d'ici demain soir, gémit Tracy.

— Tant mieux, trancha Rick en passant la marche arrière. Je voudrais que la terre entière soit au courant de mes sentiments pour toi. Comme ça, peut-être finiras-tu par me croire.

12.

Les ballons et les guirlandes faisaient un sacré effet. Une sélection éclectique de musiques des quarante dernières années sortait des haut-parleurs placés de chaque côté de la scène. De gigantesques banderoles pendaient au plafond, citant les différentes promotions d'élèves réunies en ce soir mémorable. Le long des murs du gymnase, deux rangées de tables ployaient sous des monceaux de nourriture apportée par les participants.

Une partie de la foule occupait la place réservée à la danse, et toutes les danses y étaient représentées.

Pour tout dire, c'était une fête formidable.

Tracy se demandait pourquoi elle ne goûtait pas plus cette ambiance si joyeuse. La réponse s'imposa dans son esprit.

Parce que Rick n'était pas encore arrivé.

Peut-être ne viendrait-il pas du tout, d'ailleurs. Peut-être qu'après ce qui s'était passé la veille, il préférait rester aussi loin d'elle que possible… Et peut-être était-ce mieux ainsi. Car, bien qu'il lui manquât déjà, ne serait-il pas plus facile pour tous les deux qu'ils se quittent dès maintenant ?

Cette idée lui serra le cœur. Brusquement, cette réunion tout comme son stupide Plan lui parurent dénués de sens.

« Même cette robe est inutile », se dit-elle en effleurant de la main le modèle de créateur de soie bleu lavande. Elle l'avait achetée pour épater des gens dont elle se souvenait à peine. Pour impressionner. Pour sortir de sa chrysalide ingrate et devenir le papillon qu'elle avait toujours rêvé d'être. Mais à présent, le papillon se retrouvait sans ailes.

Elle parcourut la salle du regard. Les visages se brouillaient devant ses yeux. Les rires et les conversations fortes bourdonnaient à ses oreilles. Ses pieds martyrisés par des chaussures à talons vertigineux la faisaient déjà souffrir, et le sourire qu'elle gardait plaqué sur son visage était aussi faux que la bague de fiançailles qui brillait à son doigt.

Elle se remémora une fois de plus la proposition de Rick la nuit précédente. Elle suffoqua de nouveau au souvenir du bref et enivrant sentiment de joie qu'elle avait ressenti avant que la réalité ne reprenne le dessus.

Elle avait beau ne pas connaître grand-chose

à l'amour, elle savait reconnaître une déclaration lâchée sous l'emprise de la passion. Si Rick avait été dans son état normal, jamais il ne lui aurait proposé le mariage.

Quelqu'un la heurta dans le dos. Elle pivota sur ses hauts talons, prête à recevoir les excuses d'un inconnu. Son regard tomba sur l'étiquette que l'homme portait, à l'instar de tous les participants à la réunion, épinglée au revers.

« Dennis Thorn », lut-elle.

Pendant qu'elle se creusait l'esprit pour retrouver si elle le connaissait, le dénommé Dennis déchiffrait à son tour son étiquette, puis lui jetait un regard stupéfait et empli d'une admiration toute masculine.

— Tracy Hall ? demanda-t-il, manifestement abasourdi.

— Euh, oui..., bredouilla-t-elle, avant de le reconnaître soudain. Classe de biologie, n'est-ce pas ?

Ainsi que capitaine de l'équipe de basket, champion de course à pied, et de loin le plus beau garçon de toute la promotion lui souffla sa mémoire.

— Tu es magnifique, s'écria-t-il par-dessus la musique. Je ne t'aurais jamais reconnue !

— Merci, répliqua Tracy en tressaillant légèrement.

Aussitôt, Dennis comprit le sens sous-jacent de son compliment.

— Je ne voulais pas dire… Enfin, tu vois ce que…

— Oui, lui affirma Tracy avec un sourire exercé avant de se fondre dans la foule.

Oui, elle savait ce qu'il avait voulu dire ; la même chose que tous ceux à qui elle avait parlé depuis le début de la soirée.

Elle aurait dû justement être contente ! Ces réactions étaient précisément celles qu'elle espérait obtenir de ses anciens camarades de classe. Pourtant, rien n'avait changé, au fond. Une fois de plus, les gens la jugeaient sur son apparence.

Tandis que la *vraie* Tracy passait toujours inaperçue.

Virevoltant et zigzaguant, elle se fraya un chemin au milieu de la foule, saisissant au passage des bribes de conversation.

— Il est mort, tu sais, dit quelqu'un d'un ton lugubre.

— Ouais, Danny aussi.

— Non ! C'est fou !

Tracy s'enfuit.

— Tu ne la trouves pas hideuse ? demanda une femme, de l'épouvante plein la voix.

— Tu t'attendais à quoi ? rétorqua son amie. Toi,

tu utilises tes bons de réduction au supermarché, pas dans une clinique de chirurgie plastique.

Tracy fit la grimace et poursuivit son avancée en direction de deux femmes inconscientes de sa présence.

— Alors, où est le fiancé ? Voilà ce que je voudrais savoir, demandait l'une.

— On aurait pu penser qu'ils viendraient ensemble, non ?

Tracy se mordit la lèvre. Pas de doute, ces femmes parlaient d'elle. Rick et elle avaient convenu d'arriver tous les deux en même temps, mais elle était venue au lycée plus tôt, sans l'attendre. Et depuis, elle n'avait cessé de le chercher des yeux.

Pauvre idiote ! Son comportement était non seulement lâche, mais encore illogique.

— Je savais que ce n'était pas vrai, reprenait la première femme. Qui peut croire que Rick veuille épouser une petite fortiche comme Tracy Hall…

Bien qu'elle sache pertinemment que l'indiscrétion vous apprenait rarement des choses agréables sur votre compte, Tracy ralentit le pas et — non sans un certain masochisme — tendit l'oreille pour entendre la suite.

— Quand même, il est officier dans les marines ! Il lui faut une femme avec plus d'atouts qu'un talent en informatique.

— Mais tu as vu, elle a belle allure ce soir..., risqua sa copine.

— Peut-être, railla la pimbêche, sauf qu'on peut sortir le rat de sa bibliothèque, mais pas la bibliothèque du rat.

Un gloussement aigu conclut ce trait d'esprit, et Tracy s'éloigna à toutes jambes. Un désespoir aveugle la poussait à quitter cette foule au plus vite. Les paroles de la femme résonnaient trop comme l'écho de ses propres pensées depuis la proposition de Rick, la nuit précédente.

Marmonnant des excuses et jouant des coudes, elle se hâta vers la sortie la plus proche. Avant de pouvoir l'atteindre, une main posée sur son bras l'arrêta.

— Tracy ? demanda une voix féminine. C'est toi ?

S'armant d'avance contre un nouveau compliment à double sens, Tracy se retourna vers celle qu'elle reconnut comme Janelle Taylor, autrefois meneuse des pom-pom girls du lycée.

— Seigneur ! s'extasiait-elle. Meg m'avait dit que tu étais superbe, mais franchement tu es sensationnelle !

— Merci, Janelle, murmura Tracy. Toi aussi.

L'ex-pom-pom éclata de rire et tapota ses hanches larges.

— Tu parles ! Trois gosses ont ruiné ma beauté de sirène.

— Tu as trois enfants ? Bravo, toutes mes félicitations, s'exclama Tracy avec son premier vrai sourire de la soirée.

— Ne m'encourage surtout pas, la prévint Janelle. A la moindre sollicitation, j'exhibe des tonnes de photos.

Deux ou trois autres femmes s'approchèrent tandis qu'elle poursuivait :

— Meg dit que tu as monté ta propre société, maintenant ? De logiciels informatiques, c'est ça ?

— Exact, répondit Tracy, tout en jetant un regard méfiant vers les nouvelles venues.

— C'est génial ! murmura l'une d'elles. Moi, je rêve de travailler à mon compte.

— Si j'ai bien compris, reprit Janelle, tu conçois des programmes toi-même ?

Stupéfaite, Tracy étudia l'un après l'autre les visages qui l'entouraient, et se rendit à l'évidence : ces femmes étaient vraiment intéressées. Par elle. Pas par ses fiançailles. Ni sa nouvelle apparence. Non. Par son travail.

Un peu plus détendue, elle cita le dernier logiciel qu'elle avait élaboré, arrachant une exclamation à l'une des ses interlocutrices.

— C'est *toi* qui l'as conçu ? Ce programme a fait

économiser des milliers de dollars à la boîte de mon mari ! s'exclama-t-elle avant de balayer la salle du regard. Attends que je lui dise qui tu es…

Mais Tracy hocha la tête.

— Pas la peine. Mon nom ne lui dira rien. Je suis juste calée en informatique, comme plein d'autres gens.

— Oui, Bill Gates, par exemple, souligna la femme avec un petit rire.

— Tu te rends compte, chuchota une autre assez fort pour que Tracy l'entende. Elle est superbe, elle mène une carrière formidable, et *en plus*, elle va épouser Rick Bennet. Que demander de plus à la vie ?

Tracy esquissa un sourire nostalgique. Certes, sa vie n'était pas si parfaite — ni celle de personne, d'ailleurs. Mais elle se rendait compte pour la première fois combien elle était agréable, finalement.

En fait, son Plan avec l'invention du fiancé Brad lui semblait maintenant ridicule. Quel besoin avait-elle d'un homme pour se sentir brillante ? Elle avait monté et fait prospérer sa propre boîte en partant de zéro ; elle avait un appartement agréable ; quelques très bons amis ; une famille qui l'adorait. Que lui manquait-il ?

Rick.

234

Mais même sans Rick, sa vie restait agréable…
bien que terriblement solitaire.

Elle éprouva un pincement au cœur à cette
constatation.

Rick surgit derrière elle juste à temps pour
surprendre la fin de la discussion. Cela faisait une
heure qu'il la cherchait dans la foule, mais la moitié
de sa promotion l'avait arrêté en cours de route. Un
homme en uniforme d'officier attirait inévitablement
l'attention.

Il ne manqua donc pas d'attirer celle de Janelle,
qui, après un long coup d'œil appréciateur, sourit
et apostropha Tracy :

— Tracy, je crois que ce gars voudrait t'inviter
à danser.

Tracy fit volte-face, et pour Rick, tout le reste autour
d'elle disparut. Le bleu de sa robe rehaussait celui
de ses yeux, les gouttes en diamant qui pendaient à
ses oreilles étincelaient dans la lumière.

Elle l'évitait depuis la veille, et maintenant qu'il
l'avait enfin devant lui, il restait sans voix.

Un bon moment lui fut nécessaire pour reprendre
ses esprits et parvenir à dire, tout simplement :

— Danse avec moi, Tracy.

Elle accepta en silence, lui tendit la main et le
suivit sur la piste. Une ballade des années soixante

s'échappait des haut-parleurs. Rick l'enlaça et ils se mirent à danser au rythme de la musique.

— Nous devions assister à cette réunion ensemble, lança-t-il. Pourquoi es-tu venue sans moi ?

— J'ai pensé que ce serait plus facile, répondit Tracy, les yeux obstinément baissés.

— Plus facile pour toi ?

— Pour nous deux, dit-elle.

— Tu es belle, chuchota Rick dans son oreille, humant son délicat parfum fleuri.

— Merci.

— Je t'aime, poursuivit-il.

Le regard de Tracy se leva brusquement vers le sien. Un tel regret s'y reflétait qu'il ressentit un coup au cœur.

— Arrête, Rick, je t'en prie. Arrête.

— Je veux t'épouser, Tracy.

Autour d'eux, des couples tournoyaient en bavardant, perdus dans leurs propres rêves, oublieux des autres.

— Ce ne sera pas la peine, chuchota Tracy dans un murmure audible de lui seul. Je te l'ai déjà dit, les chances que je sois…, enfin tu vois de quoi je parle, sont infimes.

— Il ne s'agit pas de ça, Tracy.

Bien sûr, si elle était enceinte de son enfant, il tenait à prendre ses responsabilités. Mais surtout, il voulait faire partie de la vie de Tracy. Du cœur de Tracy. Jamais il n'avait pensé pouvoir tomber aussi éperdument amoureux, mais, bon sang, puisque c'était le cas, elle devait le croire !

Bien qu'elle s'efforçât de s'écarter de lui, il la maintint serrée contre lui, comme s'il craignait qu'en la laissant partir maintenant, il la perdrait de manière définitive.

Ces derniers jours, il avait découvert que sans Tracy, sa vie était vide. Certes, le mariage restait une démarche risquée, vie militaire ou pas. Mais cela valait le coup de prendre le risque.

Si seulement il parvenait à la convaincre de prendre des risques avec lui...

Il resserra son étreinte.

— Je t'aime, Tracy, répéta-t-il à voix basse.

Tracy hocha de nouveau la tête, et il crut déceler des larmes dans ses yeux.

— Mais non, tu ne m'aimes pas, Rick.

Il ne se souvenait pas combien Tracy pouvait être une fille obstinée !

Soudain, au grand étonnement des danseurs, la musique cessa. Un homme bondit sur la scène, et s'empara du micro. Tracy en profita pour essayer de se dégager de l'étreinte de Rick, mais il l'en empêcha.

Non, il ne la laisserait pas s'échapper. Plus maintenant. Plus jamais.

— Bon, les amis, l'heure est enfin venue, annonça joyeusement l'homme au micro. Il est temps de présenter nos gagnants. Tout le monde a voté pour décerner les trophées. Voyons maintenant qui a obtenu quoi.

Des applaudissements et des rires s'élevèrent dans l'assistance, et les gens se rapprochèrent de l'estrade en groupes serrés.

Tracy se trouva bousculée contre Rick, qui l'enveloppa de ses deux bras pour faire bonne mesure. Il n'avait aucune intention de renoncer. Pas quand son avenir tout entier — leur avenir — en dépendait.

Dès la fin de la distribution des prix, il emmènerait Tracy dehors, afin qu'ils puissent discuter tranquillement. Il trouverait bien les mots pour la convaincre de son amour. Elle finirait par le croire.

Les minutes suivantes passèrent à toute vitesse. De petites récompenses furent offertes au plus ancien participant, au plus jeune, à celui qui était venu de plus loin, ainsi que plusieurs autres du même acabit.

Enfin, le présentateur annonça le trophée « du diplômé de Juneport qui avait le plus changé ».

Après une pause théâtrale, il consulta son papier, parcourut la foule du regard, puis clama :

— Tracy Hall !

Celle-ci se figea entre les bras de Rick et remercia du menton les gens qui la félicitaient autour d'eux. Des applaudissements se firent entendre, tandis que Rick la lâchait à contrecœur.

Lentement, Tracy se fraya un chemin jusqu'aux marches menant à la scène. Tous les regards étaient posés sur elle. La nervosité lui tordait l'estomac lorsqu'elle saisit son prix de ses mains tremblantes. Puis, elle s'apprêta à faire un petit discours comme le voulait la tradition.

Serrant le petit objet, elle balaya l'assistance des yeux, aperçut des visages familiers : ses parents, sa sœur, la famille de Rick. Et enfin, Rick lui-même. Seigneur, qu'il était beau dans son uniforme ! Si grand, si fier, tellement séduisant. Il lui sourit et Tracy sut ce qu'elle devait dire.

Elle s'éclaircit la voix, dans l'espoir d'atténuer la brusque émotion qui la faisait trembler. Enfin, sans lâcher du regard l'assistance attentive, elle se jeta à l'eau.

— Je vous remercie du fond du cœur, mais je ne mérite pas ce prix.

On entendit des protestations confuses dans le public.

— Je n'ai pas changé. Pas vraiment, poursuivit-elle en désignant de la main sa tenue. Sous cette jolie robe et tout ce maquillage, c'est toujours moi. Tracy la surdouée ringarde. C'est vous qui avez changé. Vous tous. Question de maturité, je suppose. En devenant adultes, nous cessons de coller des étiquettes aux gens, et tentons de considérer les autres comme des individus à part entière.

Les murmures s'intensifièrent dans l'assemblée, mais elle ne se laissa pas distraire.

Après une large inspiration, elle reprit :

— Je… j'ai voulu revenir *différente* à Juneport. Une Tracy Hall neuve, améliorée, mais j'ai fini par découvrir que l'ancienne Tracy me convenait très bien, en fait.

Des applaudissements isolés retentirent, et Tracy sourit à ses parents. Puis elle reporta son attention sur Rick, et acheva sa confession.

— Pour être tout à fait honnête, je dois vous avouer que je ne suis pas non plus fiancée. Vous voyez, je voulais vous impressionner, alors je me suis inventé un fiancé. Ensuite Rick s'est proposé pour tenir le rôle, et…, bref, la situation m'a dépassée, j'imagine.

Le trophée lui blessait la paume des mains, tant elle le serrait fort.

Un grand silence suivit la fin de son discours.

Tracy, tête basse, se mordait l'intérieur des joues. Si se confesser soulageait l'âme, songea-t-elle, cela

240

blessait le cœur. Le sien saignait, car ses aveux marquaient la fin de son rêve.

Puis elle l'entendit. Une paire de mains qui applaudissait. D'abord doucement, puis gagnant peu à peu en vigueur comme en volume. La tête relevée, elle suivit Rick du regard tandis qu'il s'avançait vers la scène sans cesser son ovation solitaire.

Les gens s'écartèrent sur son passage. Tracy devinait qu'ils se demandaient ce qui allait se passer ensuite.

Tout comme elle à vrai dire.

Parvenu au pied de l'estrade, Rick se planta devant elle, la fixa, et dit d'une voix claire et forte :

— Epouse-moi, Tracy.

— Rick, je…

Du coin de l'œil, elle remarqua les sourires qui apparaissaient sur les visages attentifs de l'assistance.

— Epouse-moi, répéta Rick plus fort. Je t'aime.

A quoi jouait-il ?

Mais une telle détermination brillait dans les yeux de Rick rivés aux siens, qu'elle comprit que rien ne l'arrêterait. Résignée à devoir discuter avec lui en public, elle soupira.

— Tu ne me connais même pas, Rick. Alors, comment peux-tu m'aimer ?

— Tu te trompes, rétorqua-t-il.

Elle hocha la tête, sentit les larmes perler à ses paupières. Ses doigts agrippèrent le trophée comme un noyé s'accroche à une bouée.

Un sourire se dessina lentement sur les lèvres de Rick, et elle sentit son cœur s'emballer. Puis il commença à parler comme s'ils étaient tous seuls, et non environnés par la moitié de la population de Juneport.

— J'aime que tu remarques le nom des serveuses au restaurant, et que tu t'adresses à elles comme à des copines.

Le souffle de Tracy s'accéléra.

— J'aime ta douceur et ta patience avec les enfants. J'aime que tu t'amuses autant qu'eux, poursuivit Rick. J'aime que tu me fasses admirer un coucher de soleil. Ton rire m'enchante et tes larmes me brisent le cœur.

Tracy inspira à fond, sentant justement des larmes perler à ses paupières.

— J'aime que tu mettes des glaçons dans ta soupe pour la refroidir avant de la manger, reprit Rick avec un sourire plus large.

Quelqu'un éclata de rire dans la foule. Une larme coula sur la joue de Tracy.

— J'aime que tu portes tes lunettes quand tes lentilles te gênent.

« Respire, Tracy, respire. »

242

— Et j'aime aussi que pour toi, un bon bouquin soit un manuel de technique.

Plusieurs rires fusèrent cette fois. Même Tracy ne put s'empêcher de sourire. Une merveilleuse chaleur naquit dans son cœur tandis qu'elle scrutait le visage de l'homme qu'elle aimait.

Il ne s'était pas contenté de remarquer son apparence étudiée. Il l'avait vue, *elle*. Et il l'aimait.

— Oui, tu me connais vraiment, dit-elle d'une voix brisée.

— Mais surtout, poursuivit Rick, les yeux débordant de tendresse. J'aime être avec toi. J'aime lorsque nous… sommes ensemble. Je t'aime, Tracy. Et tu m'aimes aussi, compléta-t-il en souriant.

Alors, il leva la main pour prendre la sienne, en ôta la bague de diamant, et la remplaça par celle qu'il avait achetée l'après-midi même. Un mince anneau d'or portant un saphir entouré de diamants.

— Ce saphir me rappelle celui de tes yeux, déclara-t-il avant de poser un baiser sur son annulaire.

— Oh, Rick…, murmura Tracy, en regardant alternativement son visage et la bague.

Toute la salle attendait sa réaction avant de reprendre son souffle. Mais elle avait à peine conscience de l'assistance pendue à ses lèvres. Le regard noué à celui de Rick, elle déchiffra son futur inscrit dans ses yeux au vert si intense, et remercia en son cœur le destin qui l'avait menée à cet instant unique, magique.

Alors seulement, c'est d'une voix sereine qu'elle prononça les mots qu'il attendait :

— J'accepte, Rick. Parce que je t'aime aussi.

Il leva un doigt en signe d'avertissement.

— Tu te rends compte, ma chérie, que j'ai une foule de témoins pour te rappeler à l'ordre si jamais tu voulais nier ce que tu viens de déclarer ?

De nouveaux rires éclatèrent dans la foule rassemblée.

Tracy approuva en souriant. Dire qu'en l'espace de quelques jours, elle avait trouvé l'amour de sa vie ! Ce qui avait commencé comme un plan absurde pour des motifs ridicules était devenu le commencement d'une existence entièrement nouvelle. Une existence à partager et à chérir.

Plongeant son regard dans celui de Rick, elle murmura :

— Qui a besoin de Brad, finalement ?

Rick rit de bonheur et lui tendit les bras. Elle se pencha vers lui, le laissa la porter en bas de la scène, puis se perdit, entre ses bras, dans un long et profond baiser qui arracha un soupir envieux aux femmes les plus proches d'eux.

Un tonnerre d'applaudissements retentit dans le gymnase du lycée.

Et comme Tracy enlaçait le cou de Rick pour mieux savourer la sensation fabuleuse qui les unissait tous deux, elle crut entendre quelqu'un chuchoter tout près :

— *Qui* est Brad ?

Épilogue

Camp Pendleton, hôpital de la base militaire
Huit mois et trois semaines plus tard.

— Allez, Tracy, insista le médecin. Poussez encore.

— Je ne peux pas, gémit-elle en retombant, épuisée, dans les bras de son mari. Trop fatiguée.

— Tu peux le faire, chérie, murmura Rick en écartant ses boucles trempées de sueur de son front. Tu *dois* le faire, ajouta-t-il avec un sourire tendre.

— Non, marmonna-t-elle. J'abandonne.

Rick éclata de rire.

— Tu ne peux pas abandonner, mon cœur. C'est trop tard. Le bébé est presque là.

Qui mieux qu'elle le savait ? Déjà, au plus profond de sa chair, elle sentait s'annoncer la prochaine contraction encore plus douloureuse que la précédente.

Inspirant de toutes ses forces, elle leva la main vers la joue de Rick.

— Ramène-moi à la maison, tu veux bien ?

Rick embrassa le creux de sa main puis secoua la tête.

— Impossible, chérie. Pas avant que tu en aies terminé ici.

— J'ai changé d'avis, annonça-t-elle en reportant son regard sur le médecin debout au pied du lit. Je veux une césarienne. Ou une péridurale. Ou un grand coup de marteau sur le crâne. Par pitié !

— Trop tard pour toutes ces options, répliqua le médecin avec gentillesse. Votre bébé va bientôt naître, Tracy.

— Tu vois, mon amour, ajouta Rick en déposant un léger baiser sur son front. Encore une bonne poussée, et nous aurons cet enfant tant attendu.

— Non. Je suis trop fatiguée.

Après un travail interminable de dix heures, elle n'aspirait qu'à dormir.

— Tu peux le faire, chérie, répéta Rick.

La douleur se déploya, propagea ses longs tentacules dans chaque repli de son corps.

Elle gémit sourdement, ne sachant que trop ce qui arrivait.

— Je ne peux pas.

— Si tu peux, ma toute belle.

Il voyait la fatigue lui creuser les traits, et il souffrait avec elle. Après avoir vu la femme qu'il aimait souffrir toute la nuit, il n'avait qu'une envie, l'arracher de son lit de torture et s'enfuir. Pour prendre soin d'elle. La protéger. Mais l'heure n'était pas à la compassion. En tant que marine, il savait que parfois, les troupes avaient besoin d'un bon coup de pied aux fesses. Au sens figuré, bien sûr.

A voix basse, il chuchota à son oreille :

— Tu te souviens lorsque je te disais que nous avions fait un bébé, cette première nuit, au motel du bord de mer ?

Tracy acquiesça.

— J'avais raison, non ?

Elle sourit faiblement.

— Je ne vois pas comment je pourrais l'oublier…

— Bon, eh bien, j'ai encore raison cette fois-ci. Allez, mon amour, pousse encore une fois et on s'en va.

— Promis ? demanda-t-elle.

Soucieux de s'assurer pouvoir tenir sa promesse, Rick interrogea le médecin du regard. Comme celui-ci approuvait, il se pencha vers sa femme.

— Promis, affirma-t-il.

— D'accord, céda Tracy, grimaçant déjà sous la contraction féroce qui l'envahissait.

Rick lui maintint le dos de ses bras vigoureux.

Elle ferma les yeux et poussa de toutes ses forces.

Une éternité plus tard, le médecin cria :

— Bravo, Tracy ! Ça y est !

Le vagissement indigné d'un bébé s'éleva dans l'air, suivi du rire joyeux des deux infirmières.

Paralysé d'émotion, Rick contemplait la petite créature au visage tout rouge qui hurlait à pleins poumons. Il sentit Tracy lui saisir la main, et, le visage ruisselant de larmes, plongea son regard dans le sien.

— Comme elle est belle ! murmura-t-elle lorsque le médecin lui tendit sa fille.

Rick se pencha vers elle et l'embrassa sur le front.

— Non seulement elle est belle, déclara-t-il, péremptoire. Mais elle est magnifique. Presque autant que toi.

Tracy le regarda avec amour.

— Jc t'aime, mon capitaine.

— Je t'aime aussi, Pop-corn.

BRENDA JACKSON

Un tendre ennemi

Collection *Passion*

éditions Harlequin

*Cet ouvrage a été publié en langue anglaise
sous le titre :*
JARED'S COUNTERFEIT FIANCÉE

Traduction française de
FLORENCE MOREAU

Originally published by Sɪʟʜᴏᴜᴇᴛᴛᴇ Bᴏᴏᴋs,
division of Harlequin Enterprises Ltd.
Toronto, Canada

Prologue

— Une minute, mademoiselle. Voyons, vous ne pouvez pas entrer dans le bureau de M. Westmoreland sans être annoncée !

A la seconde même où Jared Westmoreland levait les yeux du document juridique qu'il consultait, se demandant ce que signifiait cette agitation, la porte de son bureau s'ouvrit en grand, et une femme d'une beauté époustouflante — mais de toute évidence furieuse — fit irruption.

A cette vue, le pouls de Jared s'accéléra.

Refoulant l'attirance spontanée qu'il ressentait envers la visiteuse inattendue, il se leva pour l'accueillir et l'évalua d'un rapide coup d'œil.

Une masse soyeuse de boucles auburn encadrait un visage au teint clair, tandis que les beaux yeux noirs de la jeune femme scintillaient de colère sous des sourcils parfaitement dessinés. Ses lèvres bien pleines avaient la couleur appétissante de la framboise. Même sa méchante humeur ne parvenait pas à gommer les fossettes qui creusaient ses joues. Quant à sa silhouette, elle était tout simplement délicieuse. Moulée dans un tailleur noir, l'inconnue affichait une élégance irréprochable.

— Monsieur Westmoreland, j'ai tenté de l'empêcher…

— C'est bon, Jeannie, déclara Jared à l'adresse de sa secrétaire qui talonnait la belle intruse.

— Voulez-vous que j'appelle la sécurité ? renchérit sa fidèle collaboratrice.

— Ce ne sera pas nécessaire, trancha-t-il, les yeux rivés sur la créature bouillonnante de colère qui se tenait devant lui.

— Comme vous voudrez, marmonna Jeannie avant de se retirer.

— Je suis certain que vous n'avez pas forcé la porte de mon bureau sans raison, mademoiselle…

— Rollins, compléta la créature d'un ton sec. Il va de soi que j'ai une bonne raison. Cela !

En prononçant ces mots, elle brandit l'enveloppe qu'elle venait de sortir de son sac à main.

— Cette missive libellée par *vos* soins exige que je renvoie *ma* bague de fiançailles à Luther Cord. J'ai bien tenté d'entrer en contact avec lui, mais il semblerait qu'il ne soit pas en ville. En désespoir de cause, je suis venue chez vous pour obtenir une explication.

Jared s'empara de la lettre sans même la parcourir. Il en connaissait le contenu.

— Y aurait-il un problème concernant la restitution de la bague, mademoiselle Rollins ? demanda-t-il.

— Tout à fait ! Luther a décrété sur un coup de tête qu'il n'était pas prêt à renoncer au célibat et a annulé notre mariage une semaine avant la date prévue. Outre l'embarras dans lequel il me place et l'humiliation qu'il m'inflige, il ne s'est même pas proposé de me dédommager pour les frais déjà engagés. Vous comprendrez que cette lettre est la goutte qui fait déborder le vase !

Jared prit une large aspiration. De toute évidence, cette jeune personne n'avait pas encore compris que Luther Cord lui avait fait une faveur en renonçant au mariage.

— Mademoiselle Rollins, commença-t-il, je vous invite à consulter votre propre avocat qui vous confirmera mes propos : mon client est dans son droit le plus strict. Une bague de fiançailles représente un cadeau conditionnel. D'un point de vue juridique, elle n'engage pas le fiancé. Si le mariage n'a ensuite pas lieu, quelle que soit la raison de l'annulation, cette bague doit être restituée. De la même façon que vous remettrez les cadeaux de mariage à vos invités.

A ces mots, Dana croisa les bras et décréta d'un ton séditieux :

— Je refuse de la lui rendre. C'est une question de principe.

— Hélas, mademoiselle, principe ou pas, la loi était la loi, rétorqua Jared en secouant la tête. Vous allez vous lancer dans une longue bataille perdue d'avance et qui risque de vous coûter fort cher. Voulez-vous ajouter des honoraires à tous les frais auxquels vous devez déjà faire face ?

Pressentant que l'aspect pécuniaire allait la ramener à la raison, il ajouta :

— Je comprends tout à fait que vous traversiez une épreuve difficile. Toutefois, permettez-moi un conseil : oubliez ce fâcheux épisode et allez de l'avant. Vous êtes une fort belle femme, vous trouverez bientôt un homme digne de vous. De toute évidence, Luther Cord ne l'était pas. Peut-être cette rupture prénuptiale est-elle même une bénédiction…

Il était bien conscient que ce n'était pas le discours que la belle avait envie d'entendre. Pour une raison qui lui échappait, il était désireux qu'elle ne souffre pas trop de cette triste affaire. Il souhaitait être aussi honnête que possible avec elle. Néanmoins, dans la mesure où Cord était son client, il ne pouvait guère en dire davantage.

D'ailleurs, n'avait-il pas déjà trop parlé ?

Dana demeura silencieuse. Nul doute qu'elle méditait sur ses derniers propos. C'est alors qu'elle sortit un écrin en velours blanc de son sac à main.

— J'apprécie votre conseil, déclara-t-elle sur un ton radouci en lui tendant l'objet. Même si la pilule est difficile à avaler. Je vous rends la bague.

Ouvrant la boîte, Jared observa un instant le diamant qui brillait doucement à l'intérieur, avant de la reposer sur son bureau.

— Vous agissez de façon fort raisonnable, mademoiselle Rollins, approuva-t-il.

Celle-ci hocha la tête et lui tendit la main pour prendre congé.

— Je n'ai pas envie d'alourdir mes dettes, expliqua-t-elle. Vous avez raison, Luther n'en vaut pas la peine.

Il prit la main qu'elle lui tendait. Une main fine et fraîche qui s'emboîtait à merveille dans la sienne…

— J'espère que les choses vont s'arranger pour vous, lui dit-il avec sincérité.

Elle le regarda droit dans les yeux, puis lui adressa un sourire reconnaissant.

— D'une façon ou d'une autre, je rebondirai,

lui dit-elle. Même si ce que vous m'avez dit était déplaisant à entendre, je vous sais gré de votre honnêteté. Il est si rare qu'un avocat vous témoigne de la compassion et de la gentillesse ! Je suis désolée pour mon irruption et vous prie de m'en excuser.

— Je vous en prie, répondit Jared d'un ton suave, c'est déjà oublié. En ce qui concerne mon conseil, considérez-le comme un service que je vous offre…

Le sourire qu'elle avait esquissé s'élargit.

— Merci, répliqua-t-elle. Et qui sait ? Peut-être pourrai-je un jour vous le rendre.

Jared lui relâcha la main et la regarda sortir de son bureau, songeur.

Dana Rollins était la femme la plus sensuelle qu'il ait jamais rencontrée !

1.

Un mois plus tard

Jared avait passé une matinée épouvantable.

A commencer par le message que sa mère avait laissé sur son répondeur la veille au soir et qu'il avait découvert en se réveillant : Sarah Westmoreland lui rappelait que l'anniversaire de son père et de son oncle tombait cette année le dimanche de Pâques, et elle l'encourageait à venir *accompagné* au repas de famille que tante Evelyn et elle-même organisaient.

Le récent mariage de son cousin Storm avait fait prendre conscience à sa mère que ses six fils n'entretenaient aucune relation sérieuse. En tant qu'aîné de la fratrie, Jared se devait, selon elle, de montrer l'exemple. Peu lui importait que ses enfants mènent avec brio leur vie professionnelle et apprécient les joies du célibat. Pour elle, le bonheur passait par le mariage.

Nerveux, Jared se leva pour aller se planter devant la fenêtre.

Comme si ce message ne suffisait pas, il était arrivé une heure en retard au bureau en raison des encombrements. Et, pour couronner le tout, il venait de recevoir un appel d'un artiste de music-hall, Sylvester Brewster, qui souhaitait entamer une nouvelle procédure de divorce.

Quand l'Interphone retentit sur son bureau, il le fixa avec hostilité : quelle mauvaise nouvelle allait encore lui annoncer sa secrétaire ?

Prenant la communication, il inspira une large bouffée d'air.

— Je vous écoute, Jeannie, déclara-t-il d'un ton détaché.

— Votre mère est en ligne, monsieur Westmoreland.

Jared secoua la tête. Décidément, le pire était toujours à venir !

— Passez-la-moi, dit-il, mâchoires serrées.

Quelques secondes plus tard, il s'exclamait d'un ton jovial :

— Bonjour, maman !

— As-tu écouté le message que j'ai laissé sur ton répondeur, Jared ? s'enquit celle-ci sans préambule.

— Oui, confirma-t-il en levant les yeux au ciel. Je l'ai écouté ce matin.

— Parfait ! Je mets donc un couvert de plus pour dimanche prochain.

Jared s'apprêtait à rétorquer qu'il était inutile qu'elle se donne cette peine car il y avait de fortes chances pour que la place reste vide, lorsque sa mère ajouta :

— N'oublie pas que tu es l'aîné et, qu'à ce titre, tu dois montrer l'exemple. En outre, laisse-moi te dire que tu ne rajeunis pas.

« Quelle remarque perfide ! » se dit-il en rongeant son frein. Il venait juste de fêter ses trente-cinq ans ! N'était-il pas encore à l'aube de sa vie ?

Sa mère n'ignorait pourtant pas tout le mal qu'il pensait de l'institution du mariage. Il était spécialisé dans les affaires de divorce, que diable ! Son rôle consistait à mettre un terme aux unions, pas de les favoriser. Et il avait traité assez de cas pour savoir que le mariage durait rarement.

Bien sûr, dans la famille Westmoreland, il n'y avait jamais eu de divorce. Néanmoins, il s'agissait pour lui de l'exception qui confirme la règle. Et il n'entendait pas faire figure de mouton noir au sein de la tribu en se distinguant par un mariage malheureux. Par ailleurs, il refusait de renforcer les statistiques.

— Jared, m'écoutes-tu ?

Il soupira. Quand sa mère prenait ce ton agacé, il en était réduit à se justifier.

— Oui, maman, répondit-il patiemment avant d'ajouter sur un ton désinvolte : Ne t'est-il jamais venu à l'idée que Durango, Ian, Spencer, Quade, Reggie et moi appréciions notre statut de célibataires ?

Ce à quoi Sarah répliqua du tac au tac :

— L'idée ne t'a-t-elle jamais traversé l'esprit que ton père et moi ne sommes plus tout jeunes et que nous aimerions profiter de nos petits-enfants tant que nous sommes encore valides ?

Par pitié… Non contente de vouloir marier ses fils à tout prix, elle exigeait à présent une descendance !

« Allons », pensa Jared résigné, il était inutile de tenir tête à Sarah Westmoreland. C'était une bataille perdue d'avance. Il préférait encore affronter un juge intransigeant que de s'opposer à sa mère.

— Je vais voir ce que je peux faire, éluda-t-il.

— Merci, mon fils. Un peu de bonne volonté, c'est tout ce que je te demande.

— Chérie, es-tu bien certaine de ne pas vouloir venir avec nous ?

Dana leva les yeux vers Cybil Franklin qui se tenait devant son bureau, l'air déterminé.

Cybil était sa meilleure amie depuis le lycée, et aussi la principale raison qui avait motivé, trois ans plus tôt, son déménagement de Tennessee à Atlanta pour occuper ce poste d'architecte paysagiste chez Kessler Industries.

— C'est très gentil à toi, Cybil, lui assura-t-elle. Je préfère toutefois que Ben et toi partiez en amoureux en Caroline du Nord, sans quoi j'aurais l'impression de tenir la chandelle.

— Allons, ce n'est pas un week-end romantique ! protesta Cybil. Nous allons juste camper dans la montagne. Je me sens si coupable de te laisser seule pour Pâques.

S'appuyant contre le dossier de son fauteuil, Dana adressa un petit sourire à son amie.

— Cela m'est égal d'être seule pour Pâques. J'ai vingt-sept ans, ma chérie ! lui rappela-t-elle.

D'ailleurs, les fêtes n'avaient plus la même saveur depuis le décès de ses parents. Cinq ans plus tôt, ils avaient perdu la vie dans un accident de voiture alors qu'ils se rendaient à l'université pour assister à sa remise de diplôme. Comme elle n'avait aucune autre famille, leur disparition l'avait laissée seule au monde. Lorsqu'elle avait rencontré Luther, au printemps dernier, elle avait cru que leur relation allait l'arracher à sa solitude… Manque de chance, la vie en avait décidé autrement.

— Parfois, j'ai envie de retrouver Luther Cord et de lui régler son compte, déclara Cybil en serrant les dents.

Dana se contenta de sourire : elle n'éprouvait plus de ressentiment envers son ancien fiancé.

La semaine précédente, il lui avait rendu une visite impromptue pour lui annoncer qu'il déménageait en Californie. Sa décision de ne pas l'épouser n'avait rien à voir avec elle, lui avait-il alors expliqué. De fait, il avait enfin choisi d'assumer ses préférences homosexuelles. S'il éprouvait une réelle affection pour elle, il n'aurait cependant jamais pu l'aimer comme un mari est censé chérir son épouse.

Au premier abord, les aveux de Luther l'avaient choquée, puis son honnêteté avait fini par la toucher. D'ailleurs, à la lumière de ces révélations, elle s'était rendu compte qu'elle-même avait fermé les yeux sur des indices pourtant révélateurs… Elle n'avait répété à personne la confession de Luther, pas même à Cybil.

— Allons, lui dit-elle, oublions cette histoire et cesse de te faire du souci pour moi ! Ce n'est ni le premier ni le dernier week-end que je passerai seule.

— Ah, j'aimerais tellement que…

— Assez, Cybil ! Je te rappelle que tu as rendez-vous avec Ben. Tu vas finir par arriver en retard au restaurant ! Tu sais pourtant qu'il a horreur d'attendre.

— Très bien, je m'en vais ! fit son amie en affichant un air fataliste. Tu m'appelles bientôt, n'est-ce pas ?

— Promis !

Dès que Cybil eut refermé la porte de son bureau, Dana poussa un profond soupir de soulagement.

Depuis sa rupture avec Luther, elle consacrait tout son temps et son énergie au travail. Oh ! Elle n'était pas dupe, une carrière ne pouvait remplacer une famille ou une vie personnelle. Toutefois, son métier lui permettrait d'oublier sa solitude.

Elle jeta un coup d'œil au calendrier. Difficile de croire que Pâques était la semaine prochaine…

Autrefois, ses parents attendaient toujours son retour de l'université avec impatience et sa mère cuisinait de délicieux petits plats de saison. Elle se rappela la dernière fête de Pâques qu'ils avaient passée ensemble : ils ignoraient alors que c'était la dernière…

Bah, inutile de s'appesantir sur un passé qui ne reviendrait plus. La vie continuait, malgré tout.

***

— Avez-vous choisi, monsieur ?

Absorbé dans la lecture de l'ardoise accrochée au mur, Jared tourna lentement la tête vers le serveur, derrière le comptoir.

— Je voudrais un sandwich au thon, un cornet de frites et un soda au citron, répondit-il.

— Parfait. Je vous apporte cela tout de suite.

Jared balaya l'endroit du regard. Le lieu était bondé, constata-t-il. Il était prêt à partager une table, mais encore fallait-il que son occupant n'y fût pas opposé.

Quand il ne déjeunait pas en compagnie de ses clients dans les meilleurs restaurants d'Atlanta, il commandait de la nourriture qu'il mangeait devant son ordinateur. Mais aujourd'hui, le temps était si radieux qu'il avait décidé de déroger à ses habitudes et d'aller déjeuner dans un snack, pas loin du cabinet. Au fond, était-ce vraiment une bonne idée ?

Il scruta les tables avec attention à la recherche d'une personne seule… Son regard s'arrêta alors sur une femme qui lui parut familière. Elle était absorbée dans la lecture d'un roman et plongeait de temps à autre une main nonchalante dans un cornet de frites.

Tout à coup, cela fit tilt dans son cerveau, et son sang se mit à courir plus vite dans ses veines.

Dana Rollins !

Cela faisait un mois qu'elle avait surgi comme une furie dans son bureau. Il se rappelait encore l'impact qu'elle avait alors exercé sur ses sens. Sans doute était-ce dû à la vie recluse qu'il menait : son travail l'accaparait tellement qu'il n'était pas sorti avec une femme depuis au moins huit mois.

Néanmoins, force était d'admettre que cette Dana possédait un charme bien particulier. Il y avait une éternité qu'une femme ne l'avait pas attiré de cette façon.

Pourquoi ne pas sauter sur l'occasion et rattraper le temps perdu ?

— Voici votre commande, monsieur.

Jared se retourna vers le serveur, le remercia puis, s'emparant de son plateau, regarda de nouveau Dana.

Sa décision fut prise en un éclair : il traversa la salle pour la rejoindre.

Plongée dans sa lecture, Dana ne s'était pas aperçue que quelqu'un s'était assis à côté d'elle. Les deux coudes posés sur la table, elle était légèrement penchée sur son livre, de sorte que son chemisier bâillait un peu et laissait entrevoir son décolleté… Vision furtive qui plut infiniment à Jared.

Conscient qu'il ne pouvait continuer de l'épier plus longtemps sans passer pour un rustre, il s'éclaircit la gorge.

— Mademoiselle Rollins ?

Elle lui jeta un vif coup d'œil en biais, et un magnifique sourire illumina alors son visage. Un sourire à se damner, sublimé par des fossettes.

— Monsieur Westmoreland ! s'exclama-t-elle. Ravie de vous revoir.

— Le plaisir est partagé, s'empressa-t-il de répondre. Le restaurant étant bondé, j'ai pensé que vous accepteriez peut-être de partager votre table avec moi.

— Bien sûr, dit-elle en se poussant pour lui faire de la place sur la banquette.

— Merci bien. Comment allez-vous depuis notre dernière rencontre ?

Elle battit un instant des paupières, avant d'enchaîner son regard au sien.

— Bien, répondit-elle avec conviction. J'ai suivi votre conseil et je suis passée à autre chose.

— J'en suis très heureux pour vous.

— Appelez-moi Dana, proposa-t-elle, sourire à l'appui.

— A condition que vous m'appeliez Jared, prévint-il.

— Entendu !

Il avala une gorgée de soda, puis recouvrit ses frites de ketchup avant de demander :

— Que lisiez-vous ?

— Un roman de Jane Austen. C'est mon auteur préféré, confia-t-elle comme si elle confessait un péché de gourmandise.

— En ce moment, je n'ai guère le temps de lire, avoua-t-il. Toutefois, j'ai commencé il y a quelque temps le dernier roman de mon cousin. Il écrit sous le nom de Rock Manson.

A ce nom, le regard de Dana se mit à pétiller.

—Etes-vous réellement de la même famille que Rock Manson ? demanda-t-elle, incrédule.

— Oui, fit Jared en riant. Son vrai nom est Stone Westmoreland.

— Je suis impressionnée ! J'adore ses romans, il est très doué.

— Je lui transmettrai vos compliments. Je dois le voir à Pâques. Nous fêterons également le soixantième anniversaire de nos pères, qui sont jumeaux. Nos mères respectives ont organisé une grande fête en l'honneur de leurs maris.

— J'imagine que vous allez bien vous amuser.

— La famille Westmoreland est nombreuse, et nous adorons les retrouvailles. Et vous ? Avez-vous une grande famille ?

Une lueur de tristesse traversa alors les yeux de Dana.

— Je n'ai pas de famille, répondit-elle. J'étais une

269

enfant unique, et un accident de la route a coûté la vie à mes parents, il y a cinq ans.

— Désolé, dit-il avec sincérité.

—Comme mes parents n'avaient ni frère et sœur et que mes grands-parents étaient décédés depuis longtemps, je me suis retrouvée seule au monde. Ce fut une rude épreuve, mais je m'en suis remise à présent.

Ces mots à peine prononcés, elle se mordit la lèvre.

Jared scruta son sandwich. Soudain, il avait perdu son appétit. Quel privilège il avait d'avoir une grande famille ! Même si les ingérences de sa mère dans sa vie privée lui gâchaient de plus en plus les réunions familiales… A propos, Sarah ne comptait-elle pas qu'il vienne *accompagné*, à la réception ?

Sur une impulsion, il demanda :

— Que faites-vous pour Pâques ?

— Rien de spécial, à part me reposer et lire.

— Pourquoi ne viendriez-vous pas au repas familial ? proposa-t-il à brûle-pourpoint. Tante Evelyn et ma mère sont de sacrés cordons bleus.

Elle ouvrit de grands yeux étonnés.

— Pardon ? Dois-je comprendre que vous m'invitez chez vos parents ?

— Oui, confirma-t-il.

— Pourquoi ? Nous nous connaissons à peine.

270

Décidant de jouer franc-jeu, il déclara :

— Si vous veniez, vous me rendriez un fier service.

— C'est-à-dire ? demanda-t-elle en sourcillant.

— Dernièrement, bon nombre de mes cousins se sont mariés, et depuis ma mère n'a plus qu'une obsession : que ses six fils les imitent. En tant qu'aîné, je subis une pression plus forte que les autres. Elle tient à tout prix à ce que je vienne accompagné à l'anniversaire de mon père et de mon oncle. Et comme vous me devez un service...

Dana cligna des paupières.

— Allons, je suis certaine que parmi vos connaissances, nombreuses sont les jeunes femmes qui rêveraient que vous les invitiez à déjeuner chez vos parents, répliqua-t-elle.

— Exact, fit Jared en souriant. Le problème, c'est qu'elles risquent de se méprendre sur le sens de mon invitation et de croire que je cherche à nouer une relation sérieuse...

Il lui adressa un regard mi-contrit, mi-amusé et poursuivit :

— Votre rôle se limitera à m'accompagner et à « endurer » les festivités familiales. Je suis conscient de requérir un grand service de votre part. En contre-partie, je vous en serai éternellement reconnaissant, car votre présence calmera ma mère pendant un certain temps.

Dana se mit à mordiller sa lèvre avec nervosité tandis que Jared l'observait, animé par la même fébrilité, comme si sa vie dépendait de sa réponse.

Pourquoi fallait-il que Jared Westmoreland ait une si bonne mémoire ?

La première fois qu'elle avait croisé le regard de cet homme, elle avait eu quelque difficulté à demeurer imperturbable. Elle avait souvent entendu parler de ce ténor du barreau. Mais en le découvrant de ses propres yeux, elle s'était rendu compte que les propos élogieux qui circulaient à son sujet étaient tout à fait justifiés : Jared Westmoreland représentait à un degré rare l'idéal masculin.

Aujourd'hui, il ne lui faisait pas moins d'effet. Habillé avec chic de la tête aux pieds — ses superbes chaussures en cuir devaient coûter une petite fortune —, il était grand et bien bâti. Solide comme un roc. Il avait les yeux couleur charbon, les cheveux noirs, très courts, et le teint olive. Ses traits étaient séduisants et sensuels…

Levant les yeux, Dana enchaîna son regard au sien.

Elle n'était pas dupe du magnétisme qui les attirait l'un vers l'autre. Etait-ce réellement une bonne idée de rechercher la compagnie de Jared ? D'un autre côté, avait-elle le choix ? Elle lui devait une faveur, ainsi qu'il le lui avait rappelé, et on lui avait appris qu'il n'était pas convenable de négliger ses promesses…

— Vous n'avez besoin de ma présence qu'une seule fois, n'est-ce pas ? s'enquit-elle.

— Tout à fait, affirma-t-il d'un ton catégorique.

Alors, estimant sans doute qu'elle venait de lui donner son accord, il enchaîna :

— Nous devrons inventer une histoire convaincante au sujet de notre rencontre. Par conséquent, je vous propose de vous appeler cette semaine afin que nous en discutions et que nous préparions des réponses pour parer aux éventuelles questions que pourrait poser ma famille.

— Quel genre de questions ? s'enquit Dana, sourcils froncés.

— Les demandes habituelles, du type : depuis combien de temps nous connaissons-nous ? Quand et comment nous sommes-nous rencontrés ? Notre histoire est-elle sérieuse ? En toute franchise, ma mère peut parfois faire preuve d'indiscrétion. Il se peut qu'elle vous demande si vous avez déjà emménagé chez moi, si vous souhaitez avoir des enfants et combien vous en désirez.

Dana éclata de rire. Et ce rire plut à Jared. Il le trouva éminemment excitant !

— Vous plaisantez, n'est-ce pas ? dit-elle une fois qu'elle se fut calmée.

— Hélas, non ! dit-il en riant à son tour. Attendez de voir ma mère. Elle est obsédée par l'idée de marier ses fils.

— Et de votre côté, vous ne voulez pas entendre parler de mariage, n'est-ce pas ? fit-elle d'un air à la fois moqueur et suspicieux.

— Exact ! Je traite de trop nombreux cas de divorces pour croire au mariage.

Ces paroles la laissèrent songeuse. Le fait est que le divorce représentait la principale source de revenus pour quelqu'un comme Jared.

— Eh bien, acceptez-vous de m'accompagner à ce repas familial ? enchaîna celui-ci.

Elle réfléchit encore quelques secondes, puis finit par hocher la tête en signe d'acquiescement.

Un grand sourire éclaira le visage de Jared : il était ravi du cours que prenaient les événements.

— Merci, Dana. Du fond du cœur, merci ! s'exclama-t-il. Jamais je n'aurais cru résoudre ce problème durant la pause déjeuner ! Vous m'enlevez une rude épine du pied. Vous ne savez pas ce que cela signifie pour moi d'échapper aux observations de ma mère.

274

2.

Dana regarda sa montre : Jared allait arriver d'un moment à l'autre, et elle était sur le qui-vive.

Comme prévu, ils s'étaient entretenus au téléphone pour se préparer à l'inquisition familiale. Le simple fait d'entendre la voix de Jared dans le combiné lui avait procuré de délicieux frissons... Des frissons qui lui avaient rappelé qu'elle était bel et bien une femme, avec des désirs tout spécifiques, ce qu'elle avait eu tendance à oublier depuis sa rupture avec Luther.

Toutefois, une autre voix — celle de la raison — l'avait bien vite dégrisée.

N'était-ce pas téméraire de s'aventurer sur ce terrain et de laisser des paramètres inconnus envahir son existence ? Avait-elle déjà oublié ses déconvenues avec Luther ? Il était exclu qu'elle redevienne vulnérable à cause d'un homme...

Elle sursauta en entendant la sonnette retentir.

« Du calme ! » s'ordonna-t-elle en prenant une large inspiration… Il était fort probable qu'elle ne revoie jamais Jared Westmoreland après cette journée, aussi n'était-ce pas le moment de craquer pour lui !

Forte de cette pensée, elle alla lui ouvrir.

Bluffé par la beauté de Dana qui surpassait aujourd'hui tous ses souvenirs, Jared la regarda d'abord sans mot dire.

La magnifique chevelure de la jeune femme tombait en cascade sur ses épaules. Son jean taille basse moulait ses hanches de manière sensuelle, et un ravissant haut à mailles ajourées sur un débardeur de soie mettait son buste en valeur. Comment passer toute une journée en sa compagnie et résister à la tentation de la prendre dans ses bras ?

— Bonjour, Jared. Entre, je t'en prie.

Au téléphone, ils étaient convenus de se tutoyer. Autant en prendre tout de suite l'habitude pour ne pas se trahir, une fois chez les parents.

— Salut, Dana, dit-il de façon machinale, avant d'ajouter, malgré lui : Tu es superbe !

Elle le remercia d'un sourire et s'effaça pour le laisser entrer.

— Je prends mon sac et j'arrive, dit-elle en s'éloignant dans le corridor.

Il fut soulagé de se retrouver seul quelques instants pour essayer de recouvrer un peu ses esprits. Dana possédait deux facettes : celle de la femme fatale et de l'ingénue. Et il ne devait pas sous-estimer ce cocktail explosif.

Pour chasser son trouble, il se mit à observer le petit salon décoré avec goût, mélangeant couleurs vives et mobilier de qualité, quand soudain quelque chose vint se frotter contre ses mollets.

Baissant les yeux, il aperçut un beau chat noir qui recherchait son affection.

— Bonjour, toi ! murmura-t-il après avoir pris le félin dans ses bras. Par où es-tu entré ?

— Je suis prête ! annonça Dana en pénétrant dans la pièce. Tiens, je vois que tu as fait la connaissance de Tom.

— C'est lui qui est venu me saluer, répondit Jared, un sourire attendri aux lèvres en écoutant l'animal ronronner.

— Je l'ai adopté il y a deux ans, quand il était tout bébé. Maintenant, c'est devenu un personnage beaucoup trop gâté. Seulement voilà, je ne peux plus me passer de sa compagnie.

— Il est très beau, observa-t-il.

— Chut ! Ne le dis pas trop fort, ironisa Dana. C'est un chat très vaniteux.

Amusé, Jared reposa Tom à terre. En se redressant, il se heurta au regard de la jeune femme.

Une bouffée de désir se saisit de son être.

— Prête ? demanda-t-il après avoir dégluti avec difficulté.

— Prête ! confirma-t-elle.

— Bienvenue chez nous ! Je suis si heureuse de faire votre connaissance.

Sans avoir le temps de répondre, Dana se retrouva propulsée dans les bras de la mère de Jared qui l'étreignit très fort contre son cœur. Si elle s'attendait à un accueil chaleureux, elle n'avait en revanche pas prévu une telle effusion !

— Merci à vous de me recevoir, dit-elle, un rien gênée, une fois que son hôtesse l'eut relâchée.

A cet instant, elle croisa le regard de Jared. Un regard impénétrable… Que pouvait-il bien penser de cette scène ? se demanda-t-elle, les yeux fixés sur lui.

Il portait un jean noir et un pull-over en cashmere vert anis : son élégance nonchalante lui conférait une indéniable sensualité. Elle se rappela l'élan de joie qui l'avait traversée tout à l'heure, lorsque Jared était arrivé chez elle…

— Vous aurez tout le temps d'échanger des regards énamourés plus tard, décréta Sarah Westmoreland, rayonnante. Venez, Dana, tout le monde est impatient de faire votre connaissance.

Jared se secoua, désireux de se ressaisir.

S'il se comportait ainsi, sa mère allait exiger qu'ils fixent une date de mariage avant de repartir ! La présence de Dana ayant pour unique dessein de la calmer, elle ne devait surtout pas tirer de conclusions hâtives sur leur relation.

— Sommes-nous les derniers arrivés ? s'enquit-il.

— Quade vient d'appeler pour prévenir qu'il serait en retard, répondit Sarah en se dirigeant vers le salon.

Quade travaillait pour les services secrets, et il était fréquent qu'il ne puisse pas participer aux réunions familiales. Ce n'était pas par mauvaise volonté. Comme tous les Westmoreland, il adorait retrouver les siens.

En entendant les voix qui s'élevaient du salon, Jared jeta un ultime coup d'œil à Dana.

A la lumière du chandelier en cristal suspendu au

plafond, elle paraissait plus belle encore. La forme de sa bouche retint alors son attention. Quel effet cela ferait-il de…

— Jared ! Veux-tu bien cesser de regarder Dana de cette façon ! le réprimanda sa mère d'une voix rieuse.

Bon sang ! S'il ne contrôlait même plus ses regards, il était dans de beaux draps. Avait-il oublié que sa mère était une fine observatrice ? Rien ne lui échappait…

Sarah lui adressa un tendre sourire, et pour la première fois il se demanda avec terreur s'il n'avait pas commis une erreur monumentale en conviant Dana à ce déjeuner.

— Ah, te voici enfin !

Jared tourna la tête et sourcilla. Son frère Durango, un don Juan invétéré, s'avançait vers eux, le regard braqué sur Dana.

— Bonjour, Durango ! s'exclama Jared d'une voix forte pour attirer son attention sur lui.

— Qui est cette superbe créature ? questionna son frère en l'étreignant.

— Dana est la petite amie de Jared ! l'informa sa mère d'un ton autoritaire.

*
* *

— Etes-vous sûre de ne pas vouloir une deuxième part de gâteau, Dana ?

— Non, merci. C'était délicieux, mais je suis repue, répondit Dana en souriant. Vous êtes une excellente cuisinière, madame Westmoreland.

Dès l'instant où elle avait pénétré dans la maison des Westmoreland, elle était tombée sous le charme. L'atmosphère qui régnait à présent dans le salon décoré de banderoles et de ballons était des plus chaleureuses. Il était manifeste que les membres de la tribu s'appréciaient et aimaient partager du temps ensemble.

Outre les frères de Jared, elle avait fait la connaissance de ses cousins : Dare, Thorn, Stone, Chase, Storm, Clint et Cole, tous des garçons, qui partageaient une complicité évidente. Les femmes n'étaient pas tout à fait absentes de la famille Westmoreland, puisque Jared avait aussi des cousines : Delancy, qui était mariée à un beau cheik oriental, et Casey qui vivait pour sa part au Texas. Sans compter les épouses des cousins, c'est-à-dire Shelly, Tara, Madison et Jayla, respectivement mariées à Dare, Thorn, Stone et Storm. Outre les parents de Jared et de ses cousins, il y avait aussi l'oncle Corey et la tante Abby.

Dana, qui n'avait jamais vu une si grande famille, n'avait pu s'empêcher de ressentir de prime abord un pincement de jalousie au cœur. Rapidement, toutefois, elle s'était sentie intégrée et le sentiment s'était dissipé.

Au départ, sa présence avait bien sûr éveillé la curiosité des Westmoreland, dans la mesure où c'était la première fois que Jared conviait une femme à un repas familial. Cependant, après avoir répondu à quelques questions, elle avait eu l'impression d'avoir réussi son examen de passage. Quand Quade était arrivé, l'attention s'était alors détournée de sa personne, et elle en avait été soulagée.

A l'instant, les femmes de la famille venaient de l'inviter à une partie de shopping le week-end suivant, afin de sélectionner les articles nécessaires aux futurs jumeaux de Jayla, qui était enceinte de six mois. Invitation dérisoire, eu égard à la mascarade que Jared et elle avaient ourdie, pensa Dana avec amertume. Elle l'avait déclinée avec politesse, prétextant des engagements dont elle ne pouvait se libérer.

Elle jeta un coup d'œil dans la direction de Jared. Celui-ci était en train de discuter avec ses frères et cousins, un coude appuyé avec indolence contre le dossier de sa chaise. Aussitôt, son cœur se mit à battre plus fort.

Comme s'il sentait ses yeux posés sur lui, Jared tourna la tête vers elle et attacha son regard aux siens… Des frissons lui parcoururent le dos, et elle exhala un léger soupir avant de se détourner vers la fenêtre.

La maison, de style colonial, était entourée d'un grand parc, et la baie du salon offrait un panorama sur le lac privé. En cette fin d'après-midi printanier, le jour commençait à décliner et le jeu de lumières était fantastique.

Pâques touchait déjà à sa fin, songea-t-elle avec mélancolie.

— Je dois te parler, entendit-elle soudain chuchoter à son oreille.

Elle retint un petit cri : perdue dans ses pensées, elle n'avait pas entendu Jared s'approcher d'elle. La chaleur de son souffle dans sa nuque, l'odeur subtile et épicée de son après-rasage la troublèrent instantanément.

Qu'avait-il donc à lui dire ?

Sa famille devait elle aussi se le demander, car tous les regards se tournèrent vers eux lorsqu'il la prit par la main pour l'entraîner dans la cuisine.

Refermant la porte derrière eux, Jared s'appuya contre le comptoir.

Ils se jaugèrent pendant quelques instants, sans échanger une parole. Puis il s'éclaircit la gorge.

— J'aurais dû te donner cela tout à l'heure, chez toi, déclara-t-il. Mais j'ai oublié.

En fait, il aurait pu tout aussi bien attendre de reconduire Dana chez elle pour lui remettre ce qu'il tenait à la main. Mais il avait été mu par le désir irrépressible de se retrouver en tête à tête avec elle.

— Luther Cord m'a envoyé un colis express vendredi, en me priant de te le transmettre, continua-t-il. Après son arrivée en Californie, il a eu, semble-t-il, un remords de conscience...

Intriguée, Dana contemplait la petite boîte blanche.

— Est-ce ma bague de fiançailles ? fit-elle, à la fois surprise et ravie.

— Exact, dit-il en souriant. Je...

— Je le savais ! Je savais bien qu'avec Dana, tu avais enfin trouvé une épouse.

Jared pivota sur lui-même : sa mère, qui venait d'entrer en trombe dans la cuisine, exultait.

— En passant devant la porte, j'ai entendu le mot « fiançailles ». Oh, Jared ! Je suis si heureuse, si fière de toi, s'exclama sa mère entre un éclat de rire et un sanglot.

Enlaçant alors Dana, elle ajouta :

— Bienvenue dans la famille, ma petite Dana !

Devant l'ampleur du quiproquo, Jared se sentit

saisi de vertige. Il s'apprêtait à ouvrir la bouche pour rétablir la vérité lorsque le reste de la famille déferla dans la cuisine.

— Que se passe-t-il ? demanda son père, voyant sa femme en pleurs.

Encore une fois, Jared tenta prendre la parole, mais la clameur que poussa sa mère recouvrit le faible son qui sortit de sa bouche.

— Jared et Dana sont fiancés ! Il vient de lui offrir une bague. Comme je suis heureuse ! Je n'arrive pas à croire que l'un de mes fils va enfin se marier.

Les félicitations se mirent à fuser de toute part, ainsi que les vœux de bonheur.

Jared lança un coup d'œil à Dana : à l'évidence, celle-ci était tout aussi choquée que lui par le tour inattendu que prenaient les événements.

Se saisissant de sa main, il l'étreignit dans la sienne, geste destiné à lui faire comprendre qu'il dissiperait le malentendu dès que possible. Il avait bien conscience qu'il n'aurait pas dû remettre ce devoir à plus tard, mais il y avait si longtemps qu'il n'avait pas vu sa mère aussi joyeuse...

— Jared, tu fais de moi une mère comblée, lui assurait à l'instant Sarah Westmoreland. Qui aurait pu deviner que tu serais le premier à changer d'avis concernant le mariage ? Ah, j'ai tout de suite senti l'amour que vous éprouviez l'un pour l'autre quand j'ai ouvert la porte.

Dana jeta un regard désespéré dans sa direction.

De nouveau, il la rassura en silence, lui indiquant par le langage des yeux qu'elle devait lui faire confiance. « Nous sortirons de ce mauvais pas, mais pour l'instant, laissons ma mère profiter de sa joie », priaient ses prunelles.

Dana aspira une profonde bouffée d'air, comme un poisson sorti de son élément naturel. Apparemment, jamais elle ne s'était retrouvée au cœur d'une aventure si rocambolesque. Il fallait qu'il la tire au plus vite de ce mauvais pas.

— Dana et moi allons prendre congé, décréta-t-il en l'entraînant vers la sortie.

— Comment cela ? Nous n'avons pas encore fêté la bonne nouvelle ! objecta sa mère tout en les poursuivant dans le corridor.

A cet instant, Jared se retourna.

Toute sa famille les avait suivis sur le pas de la porte. Tous affichaient des visages ravis, et il lisait même de l'envie sur les traits de ses frères. Encore une fois, il n'eut pas le courage de les détromper, de leur dire qu'il n'y avait rien à fêter.

— On se voit demain, marmonna-t-il.

Sans ajouter un mot, il prit d'autorité la main de

Dana dans la sienne et sortit de chez ses parents, refermant avec soin la porte derrière lui.

— Je suis navré pour ce qui vient de se passer, déclara Jared une fois qu'ils furent dans la voiture. La situation m'a échappé, et je n'ai pas eu le courage de l'éclaircir tout de suite. Ma mère paraissait si heureuse…

— Je comprends, fit Dana en hochant la tête.

Il coula un regard dans sa direction et lut une franche empathie dans les yeux de Dana. Elle comprenait réellement l'intenable position dans laquelle il s'était retrouvé.

— Merci, murmura-t-il.

— Inutile de me remercier, dit-elle en souriant. C'était un jour de fête pour ta famille. J'ai bien vu à quel point ta mère était émue quand elle a pensé que nous étions fiancés.

— J'irai la voir dès demain pour lever l'équivoque, assura-t-il.

— Très bien.

Soulagé de sa compréhension, Jared démarra.

Quelques rues plus loin, il s'arrêtait à un premier feu rouge. En changeant de vitesse, il aperçut la main de Dana, et son sang ne fit qu'un tour : elle avait la bague de fiançailles au doigt.

Curieux ! La voir porter le présent de Luther Cord le contrariait.

— Quel sort vas-tu réserver à cette bague ? demanda-t-il en s'efforçant de paraître naturel.

— Ce que j'avais prévu depuis le départ : la revendre et m'acquitter de la sorte des frais engagés pour le mariage. Je suis si surprise que Luther me l'ait rendue !

Jared retint un sourire. Lors de sa dernière conversation avec son client, il lui avait suggéré de se conduire avec décence et de ne pas laisser Dana assumer seule les coûts liés au mariage annulé. En lui remettant la bague. Luther avait suivi son conseil.

Lorsque le feu passa au vert, Jared lança un regard en biais à Dana et sourit cette fois franchement. Sa belle passagère avait fermé les yeux et reposé sa tête sur l'appui-tête.

Nul doute que la journée avait été éprouvante pour elle. Si lui était habitué à sa grande famille, il concevait sans difficulté qu'un étranger puisse vite se sentir étouffé par tous les membres qui la constituaient.

— J'espère que tu ne regrettes pas de m'avoir accompagné, dit-il.

Paupières toujours closes, Dana esquissa un sourire.

— J'ai passé une merveilleuse journée, Jared, assura-t-elle. La convivialité qui règne dans ta famille m'a rappelé les jours heureux où mes parents étaient encore en vie.

Se redressant, elle ouvrit les yeux et poursuivit :

— Je te sais gré d'avoir partagé ta joyeuse tribu avec moi aujourd'hui.

Sous son regard pénétrant, Jared décida d'ignorer l'intense chaleur qu'il ressentait dans le bas des reins.

Lui aussi avait apprécié la compagnie de Dana. C'était une fille charmante, qui n'exigeait pas que toute l'attention de son partenaire fût concentrée sur elle, à l'inverse de la plupart des petites amies qu'il avait eues. Elle avait immédiatement sympathisé avec les membres de sa famille et avait gagné leur cœur de façon tout aussi rapide. N'était-il pas compréhensible que sa mère le crût amoureux d'elle ?

Jared resserra le volant avec indignation. Le croire amoureux était une chose. Penser qu'il était fiancé à Dana en était une autre. Comment sa mère avait-elle pu arriver à une conclusion aussi erronée, connaissant ses positions sur le mariage ? C'était bien une nouvelle preuve de l'incurable naïveté maternelle de supposer qu'une femme ait le pouvoir de le faire changer d'avis sur un thème aussi grave !

Quelques minutes plus tard, ils arrivaient chez Dana.

Se garant devant la grille, Jared tourna la tête vers celle-ci... Et se rendit compte qu'elle s'était endormie. Zut, il allait devoir la réveiller !

Afin de ne pas l'effrayer, il se pencha vers elle.

— Dana, nous sommes arrivés, murmura-t-il avec douceur.

Dana battit des paupières.

Malgré lui, les yeux de Jared glissèrent alors vers la bouche de la belle alanguie. Ses lèvres étaient pulpeuses, appétissantes... Quel goût pouvaient-elles bien avoir ? Il aurait donné cher pour le savoir.

— Je t'accompagne jusqu'à ta porte, décréta-t-il, luttant contre l'envie de la prendre dans ses bras et de l'embrasser.

Après être descendu de la voiture, il alla lui ouvrir la portière et la raccompagna jusqu'au seuil de sa maison.

— Merci beaucoup, Jared, pour cette journée bien particulière, lui dit-elle alors.

Non, corrigea Jared pour lui-même, c'était elle qui était bien particulière. Il aurait tant aimé le lui dire ! Hélas, c'était la seule journée qu'ils étaient censés passer ensemble, cela faisait partie du contrat.

Aussi était-il vain de faire appel au registre de la séduction.

— Merci à toi d'être venue. J'appellerai ma mère dès demain matin.

— Entendu.

Il la regarda introduire la clé dans la serrure.

Soudain, Dana se tourna vers lui.

— Veux-tu prendre un verre ? proposa-t-elle après une légère hésitation.

La tentation était trop forte : elle lui fournissait l'occasion de concrétiser l'envie qui n'avait cessé de le tarauder toute la journée. Car il avait en tête bien autre chose que de prendre un verre…

— D'accord, dit-il en lui emboîtant le pas.

À peine la porte refermée derrière eux, il la saisit dans ses bras.

— Je ne peux pas envisager une meilleure conclusion pour cette journée que cela, murmura-t-il.

Puis il se pencha vers elle et captura enfin sa bouche. Le besoin d'en tester le goût lui était aussi vital que celui de respirer.

Des frissons de plaisir traversèrent le corps de Dana dès que leurs lèvres se touchèrent. Et, lorsque Jared mêla sa langue à la sienne, elle se sentit vaciller… Des sensations qu'elle n'avait encore jamais éprouvées vrillaient tout son être.

Soudain, il l'attira de façon plus étroite contre

lui. Son corps épousa alors le sien, tendu de désir, et elle se sentit fondre. Son baiser, d'abord sensuel, voluptueux, se fit plus pressant, plus impérieux… Il cherchait délibérément à l'envoûter !

Elle avait conscience qu'elle aurait dû le repousser, mais elle n'en avait pas du tout la volonté. Il avait raison : c'était une merveilleuse façon de clore cette journée extraordinaire. N'avaient-ils pas été attirés l'un par l'autre dès le premier regard ? Prétendre le contraire eût été une perte de temps. Et puisqu'ils ne devaient pas se revoir, autant profiter du peu qu'il leur restait.

Forte de cette pensée, Dana noua ses bras autour du cou de Jared, désireuse qu'il continue de l'embrasser, savourant chaque frisson qu'il lui procurait.

Lorsque le baiser prit un tour plus impérieux, elle poussa un petit gémissement.

Un gémissement qui enflamma Jared.

Au départ, il entendait échanger un simple baiser avec Dana. Une façon comme une autre de se dire au revoir. En outre, il souhaitait assouvir sa curiosité et connaître le goût de sa bouche. Sans savoir que, dès qu'il en aurait testé la douce saveur, il lui serait impossible de cesser de la déguster.

Il l'avait d'abord embrassée avec tendresse. Puis, peu à peu, il n'avait plus rien contrôlé. Quand elle avait cambré son corps contre le sien, un désir brûlant l'avait submergé...

Dana avait la faculté d'allumer tous ses sens. Jamais une femme ne l'avait rendu aussi fou de désir.

Quand, à bout de souffle, il releva enfin la tête, ce fut pour murmurer d'une voix rauque :

— Tu possèdes tous les charmes dont une femme puisse s'enorgueillir.

— Merci, dit-elle, confuse.

— C'est moi qui te remercie pour ta présence à mes côtés aujourd'hui, dit-il en la relâchant à regret.

— J'ai été ravie de me retrouver dans une atmosphère familiale si chaleureuse, et je te suis reconnaissante de m'avoir invitée. Ta famille est merveilleuse.

Pensif, il hocha la tête. Quel prétexte trouver pour la revoir ? s'interrogea-t-il en se frottant la nuque. La barbe ! Rien ne lui venait à l'esprit.

Il soupira, frustré. C'était la première fois de sa vie qu'il était incapable de prendre congé d'une femme.

Pour gagner du temps, il balaya la pièce du regard.

— Où est Tom ? demanda-t-il alors.

— Je suppose qu'il est sur mon lit.

Maudit chat ! Il en avait de la chance...

Jared croisa le regard de Dana. Bon sang ! Il devait prendre ses jambes à son cou avant de commettre l'irréparable !

— Au revoir, Dana, lui dit-il, la gorge serrée.

— Bonne nuit, Jared.

— Prends soin de toi.

Après ces adieux douloureux, il pivota sur ses talons, franchit le seuil et sortit enfin.

3.

Vers 10 heures, le lendemain matin, Jared se garait devant la maison familiale. Il avait annulé son rendez-vous de 9 heures au tribunal afin de se rendre chez ses parents et de dissiper le malentendu de la veille.

— Maman ! Papa ! appela-t-il en traversant le séjour pour gagner la cuisine.

— Je suis dans la cour, répondit son père.

Jared ouvrit la porte qui donnait sur la cour arrière. Son père était en train d'astiquer sa Ford Mustang avec une peau de chamois.

— Salut, papa.

— Bonjour, mon fils. Quelle surprise de te voir ici un lundi matin !

— Une audience a été annulée, éluda Jared. Où sont les autres ?

— Durango a dormi chez Stone, et Ian et Spencer devaient prendre le petit déjeuner au restaurant de

Chase. Quade est reparti à l'aube par le premier vol en partance pour Washington. Quant à Reggie, je suppose qu'il est parti travailler.

Jared hocha la tête, puis décréta :

— Il faut que je parle à maman. Elle est à l'étage, je suppose ?

— Non, répondit son père en se rembrunissant. Elle avait rendez-vous chez le docteur ce matin.

— Rien de grave, au moins ? s'enquit Jared, sourcils froncés.

— Tu connais ta mère : je suis toujours le dernier informé sur son état de santé sous prétexte que je m'alarme pour un rien. D'ailleurs, je n'aurais même pas su qu'elle avait rendez-vous chez le médecin si ce dernier n'avait pas laissé un message sur le répondeur pour confirmer l'heure. D'après ce que j'ai compris, le dernier examen a révélé l'existence d'une nouvelle grosseur...

Jared s'assombrit à son tour. Trois ans auparavant, Sarah avait été atteinte d'un cancer du sein qui avait été soigné par chimio et radiothérapie.

— Comment est-elle allée au rendez-vous ? demanda-t-il. Sa voiture est garée dans l'allée.

— Ta tante Evelyn s'est chargée de l'accompagner. Tu les connais, toutes les deux. Elles s'étaient arrangées entre elles sans m'informer de rien !

Son père et lui échangèrent un vague sourire.

Sarah et Evelyn étaient les meilleures amies du monde. Elles avaient été au lycée ensemble avant d'épouser les jumeaux Westmoreland et de devenir belles-sœurs.

— Cette grosseur, crois-tu qu'elle puisse être maligne ? demanda Jared en tâchant de masquer son émotion.

Les thérapies que sa mère avaient subies, trois ans auparavant, l'avaient mise à rude épreuve. Ses frères, son père et lui-même avaient alors commis l'erreur de la traiter comme une invalide, ce qui n'avait guère amélioré la situation. Par chance, elle s'en était sortie. Il comprenait toutefois qu'elle n'ait pas mentionné le rendez-vous ce matin chez le médecin : Sarah redoutait que toute la famille l'accompagne en pensée.

— Je l'ignore. En toute franchise, j'avais des soupçons ces derniers temps. Je la sentais inquiète, même si elle s'efforçait de donner le change. Encore que tout ait changé hier...

— Hier ? fit Jared en levant un sourcil interrogateur. Que s'est-il donc passé hier ?

— Eh bien, tu as comblé son cœur de mère en annonçant tes fiançailles, bien sûr !

Avant qu'il n'ait le temps d'objecter qu'il n'avait rien annoncé du tout et que sa mère avait d'elle-même tiré des conclusions hâtives, son père poursuivit :

— Quel que soit le diagnostic que le médecin va établir aujourd'hui, cette nouvelle lui a redonné goût à la vie et l'envie de se battre. Pour ma part, je t'en suis infiniment reconnaissant. Te rappelles-tu l'état dépressif dans lequel l'avaient jetée les fichus traitements qu'elle a dû endurer la dernière fois ? Si elle doit repasser par une telle épreuve — ce que je ne souhaite pour rien au monde —, elle se montrera plus battante en vue de l'événement qui se prépare.

— Quel événement ?

— Mais ton mariage, enfin ! répondit James Westmoreland, un sourire aux lèvres. Elle en a parlé toute la soirée, et ce matin au réveil elle n'avait que ce sujet à la bouche. Dana lui a beaucoup plu. Selon elle, c'est la femme qu'il te fallait et vice versa. Toujours est-il que tes fiançailles ne pouvaient être plus opportunes. En cas de récidive, ta mère supportera bien mieux une éventuelle chimiothérapie, stimulée comme elle l'est à l'idée de préparer ton mariage.

— « Mon mariage », répéta Jared avec lenteur.

Nom d'un chien ! Comment sortir de ce cauchemar ?

— Je suis sûr qu'elle serait prête à affronter n'importe quel traitement, insista son père, sachant que l'un de ses fils lui donnera bientôt un petit-fils.

298

Jared se figea dans le silence et sentit une sueur froide lui couler dans le dos.

Bon sang, songea-t-il, il était carrément impossible pour le moment de rétablir la vérité au sujet de Dana et lui !

L'œil vissé au judas, Dana sourcilla. Que faisait Jared Westmoreland à 18 heures devant sa porte ? Ils n'étaient pas censés se revoir !

Nerveuse, elle s'efforça de maîtriser les battements de son cœur. Le souvenir du baiser qu'ils avaient échangé la veille venait de nouveau de s'imposer à son esprit. Il est vrai qu'il l'avait hantée toute la journée…

Jared portait un costume, ce qui signifiait qu'en sortant de son cabinet ou du tribunal, il n'avait pas pris le temps de repasser chez lui pour se changer. Il avait l'air d'un notable qui contrôle la situation, et pourtant ses airs respectables ne parvenaient pas à gommer son redoutable pouvoir de séduction. Oui, Jared Westmoreland était terriblement sexy, et il était quasi impossible de résister au charme viril qui émanait de sa personne…

Dana s'efforça de retrouver son calme en inspirant et expirant plusieurs longues bouffées d'air. Puis elle ouvrit enfin la porte.

— Jared ?

Pour le naturel, c'était raté ! pensa-t-elle. Rien qu'en prononçant son prénom, sa voix avait tremblé. Nul doute qu'il avait perçu son trouble. Un trouble qu'aggravait encore le regard intense et brûlant de son visiteur.

— Désolé de te déranger, Dana. Je devais m'entretenir avec toi de toute urgence.

Elle écarquilla de grands yeux. Vu l'expression de Jared, elle ne doutait pas du sérieux de ses imminentes révélations.

— Entre, lui dit-elle.

Elle s'effaça pour le laisser passer puis, refermant la porte derrière lui :

— Installons-nous dans le salon. Je t'offre un verre ?

— Non, merci.

Ce n'était pas un verre, mais une bouteille entière dont Jared aurait eu besoin pour se remettre de ses émotions, depuis sa conversation avec son père. C'est-à-dire depuis qu'il avait compris qu'il ne pourrait pas lever le malentendu concernant sa relation avec Dana.

Du coin de l'œil, il regarda Tom descendre du

sofa où il dormait en toute quiétude pour filer vers la cuisine.

Les animaux avaient un sixième sens pour deviner les situations de crise, pensa-t-il.

Sur l'invitation de Dana, il s'assit sur le canapé près de la place encore toute chaude du chat, et celle-ci s'installa dans le fauteuil face à lui.

Avec tous les soucis qu'il avait en tête, avait-il besoin de remarquer que la jupe de Dana avait dévoilé une partie généreuse de ses cuisses quand elle s'était assise ? Fallait-il réellement qu'il note que son haut en Lycra épousait sa poitrine comme une seconde peau ?

— Qu'as-tu donc de si important à me dire ? interrogea Dana.

Cette question l'arracha à ses pensées et lui rappela le but de sa visite. Il croisa alors les prunelles intriguées de son interlocutrice.

— Ce matin, je suis allé voir ma mère dans l'intention de rétablir la vérité à notre sujet. Hélas, rien ne s'est passé comme je l'espérais. Ma mère n'étant pas à la maison, c'est avec mon père que je me suis entretenu.

Comme il s'était interrompu, hésitant, Dana avança :

— Tu lui as avoué que nous n'étions pas fiancés, quand même ?

— Non.

— Pardon ?

— Il y a un problème, la prévint-il.

Impossible de repousser la confession, il devait se jeter à l'eau. D'autant que Dana attendait à présent avec impatience des explications.

— Il y a trois ans, commença-t-il, accablé, ma mère a eu un cancer du sein. Elle a d'abord été opérée, puis elle a dû subir huit semaines de chimio et radiothérapie. Elle est passée par des hauts et des bas, mais elle a fait preuve d'un courage exemplaire.

Dana hocha la tête, compatissante.

— J'imagine par quelles affres tes frères, ton père et toi êtes passés, murmura-t-elle. J'ai pu constater, hier, à quel point toute la famille chérit Sarah.

— Bref, reprit-il, ce matin, avant que j'aie pu lever le malentendu, mon père m'a annoncé qu'un examen médical de contrôle avait révélé la présence d'une nouvelle grosseur chez ma mère. S'il s'agit d'une grosseur maligne, elle devra endurer les mêmes traitements.

— Oh non ! murmura Dana.

De façon spontanée, elle vint s'asseoir près de lui et posa la main sur son bras.

— Je suis navrée, Jared.

Sans répondre, il se leva, et fourra ses mains dans ses poches. Le contact de Dana avait suscité

302

de curieuses sensations en lui. Des sensations qu'il n'était pas en mesure de gérer pour l'instant. Il devait rester concentré sur son sujet.

Il reprit alors d'une voix lente :

— J'ai moi aussi été consterné d'apprendre cette nouvelle, même si je sais que ma mère est une battante et qu'elle va de nouveau lutter contre sa maladie. Toutefois, je peux cette fois lui faciliter la tâche.

— C'est-à-dire ?

— C'est une idée un peu folle… Néanmoins, je suis résolu à tout pour l'aider, y compris au mensonge.

Dana sourcilla. Le mensonge ? Quel rapport avec la maladie ?

— A quel sujet devrais-tu mentir ? interrogea-t-elle en se levant elle aussi.

Jared serra les mâchoires et détourna les yeux. Quand il croisa de nouveau son regard, ses prunelles brûlaient d'une rare intensité.

Quels tourments agitaient donc leur profondeur ? se demanda-t-elle, inquiète.

Il hésita, puis finit par dire :

— A notre sujet. En discutant avec mon père, j'ai compris combien ma mère était heureuse à l'idée que j'aie fini par me stabiliser et que je me marie. S'il s'agit d'une réelle récidive, je ne peux pas lui retirer cette joie, Dana. Pas maintenant.

Ces propos la jetèrent dans la plus vive confusion. Avait-elle bien saisi leur signification ?

— Qu'es-tu en train de me dire au juste ? demanda-t-elle d'une voix lente.

— J'ai une proposition à te faire, annonça-t-il sans la lâcher des yeux.

— Quel genre de proposition ? fit-elle, la gorge serrée.

Alors, dans un sourire embarrassé, il répondit :

— Il faudrait que nous continuions à mentir sur notre relation pendant quelque temps... Pour le salut de ma mère.

La proposition laissa Dana sans voix. Quelle idée avait-elle eu de se lever ! Elle vacillait presque sur ses jambes.

Elle scruta Jared avec attention, espérant voir s'allumer dans ses beaux yeux l'étincelle rieuse qui lui indiquerait qu'il plaisantait. Hélas ! Elle n'y percevait que le plus strict sérieux.

Son cœur se mit à tambouriner comme un fou dans sa poitrine...

— Faire comme si nous étions vraiment fiancés ? put-elle enfin prononcer.

— Oui, dit-il.

— Jared... C'est impossible. Nous ne pouvons

pas mentir à ce sujet, protesta-t-elle d'une voix sourde.

Pendant quelques secondes, il se contenta de la fixer, les yeux dans le vague. Puis il redressa les épaules, et son regard devint plus clair, plus déterminé.

— Si, nous le pouvons ! assura-t-il. Je n'avais pas encore compris à quel point il était important pour ma mère que ses fils aient une relation stable avec une femme. Désormais, je souhaite faire tout ce qui est en mon pouvoir pour la satisfaire.

— Même te marier ?

— J'espère ne pas en arriver à une telle extrémité ! Croire que je suis fiancé lui permettra de mieux affronter la maladie. Après…

Il s'interrompit et poussa un profond soupir.

— Que se passera-t-il, *après ?* demanda Dana d'une voix tendue.

— Après, je lui dirai que nous ne nous entendons plus et que nous rompons les fiançailles. Ce sont les aléas de l'amour.

Incapable de rester debout plus longtemps, Dana s'écroula sur le sofa.

— En effet, confirma-t-elle d'un air consterné, et je suis bien placée pour le savoir.

— Dana, je suis désolé… C'est beaucoup exiger de toi, j'en suis conscient, après ta récente rupture avec Luther. Cependant, je ne vois pas d'autre issue.

Encore une fois, les propos de Jared l'émurent. Se redressant sur son siège, elle tâcha de mettre de l'ordre dans ses idées.

Jared possédait un sens fort louable du sacrifice. Il n'avait nulle intention de se marier et il ne s'en cachait pas. Toutefois, par amour pour sa mère, il consentait à se compromettre en donnant à croire qu'il était fiancé — étape conduisant en général au mariage !

A cette pensée, Dana lissa sa jupe avec nervosité.

— Si j'accepte de jouer le jeu, Jared, qu'attendras-tu au juste de moi ?

A son tour, il se rassit, apparemment soulagé qu'elle ne rejette pas d'emblée sa proposition peu orthodoxe.

— Je n'ai jamais été fiancé, commença-t-il. Toi, si. Comme cela se passait-il entre Cord et toi ?

Dana eut un sourire amer.

— Au départ, j'envisageais de rester toute ma vie avec lui, répondit-elle. A présent, je me rends compte que je ne l'épousais pas pour les bonnes raisons. L'amour n'avait rien à voir avec notre histoire. Luther est séduisant et réussit tout ce qu'il entreprend...

— Et il est gay, compléta Jared.

— Tu le savais ? fit-elle, étonnée.

— Je n'en étais pas certain jusqu'à ce que je fasse

306

ta connaissance. Dès que tu es entrée dans mon bureau, j'ai compris qu'un hétérosexuel doté de toute sa raison n'aurait pas pu rompre ses fiançailles avec une femme comme toi.

— Merci pour le compliment. J'ignorais les préférences sexuelles de Luther jusqu'à ces jours-ci. Il y a quelques jours, il est venu me voir pour me révéler la vérité. Je lui sais gré à présent d'avoir mis un terme à notre relation avant le mariage.

— Vous sortiez ensemble depuis environ un an, me semble-t-il. Ne t'étais-tu aperçue de rien ? interrogea Jared, intrigué.

— En toute franchise, non, répondit-elle. Après ses révélations, je me suis toutefois souvenue de certains indices qui auraient dû me mettre là puce à l'oreille à l'époque. J'avais sans doute préféré les occulter.

— Quel genre d'indices ?

— Les rapports sexuels, par exemple…

A cet instant, Jared eut l'air de s'étrangler quelque peu.

— C'est-à-dire ? fit-il avec une curieuse voix.

— Nous avions décidé d'attendre le mariage pour coucher ensemble.

— Qui en avait eu l'idée ?

— Luther. De fait, j'étais d'accord avec lui : j'estime

que de nos jours on accorde une part trop importante au sexe. Une place qu'il ne mérite pas.

Cette fois, Jared semblait au comble de la stupéfaction.

— Comment se fait-il que tu tiennes des propos si catégoriques sur le sexe ?

— Par expérience, tiens ! rétorqua Dana. Avant Luther, j'ai connu d'autres hommes, et je ne trouve rien de si extraordinaire aux rapports physiques.

— Peut-être n'as-tu pas encore rencontré le partenaire qui te convient ? suggéra-t-il.

Ces propos énoncés d'une voix de velours pour mieux masquer leur aspect sentencieux firent courir un frisson le long de sa colonne vertébrale.

A quoi ressemblerait l'amour avec Jared ? se demanda-t-elle malgré elle.

Désireuse de reprendre le contrôle de ses sens, elle s'éclaircit la gorge.

— Je veux bien admettre que le petit ami que j'avais à l'université n'ait pas été à la hauteur. Toutefois, je suis ensuite sortie avec un autre homme, et il ne m'a pas fait changer d'avis.

Jared hocha la tête, dubitatif.

— A quand remonte cette relation ?

— Trois ans. Presque quatre.

— Pardon ? Tu n'as pas couché avec un homme depuis quatre ans ?

Dana releva le menton. Comment en étaient-ils donc arrivés à aborder un sujet si personnel ? Bon, inutile de jouer les effarouchées.

— Oui, tu as bien compris, confirma-t-elle.

Jugeant qu'elle avait assez parlé d'elle, elle enchaîna alors :

— Pour revenir à notre conversation, quel comportement attends-tu de moi durant la période où nous serions prétendument fiancés ?

A cet instant, elle s'humecta les lèvres…

Comme Jared enviait cette petite langue rose qui léchait sa bouche ! Et pourquoi fallait-il à présent que Dana croise les jambes et que son regard coulisse malgré lui vers ses longues cuisses ? Le désir lui fouettait les reins à l'idée de toucher sa peau douce et soyeuse.

Mal à l'aise, il s'agita sur son siège.

Et s'il lui suggérait une relation physique sans implication émotionnelle ? Non… Eu égard à sa récente rupture, la proposition serait inconvenante. Qui plus est, il requérait sa collaboration. Aussi devait-il se montrer raisonnable, refréner ses ardeurs et ne pas indisposer sa belle complice.

Ah ! Ce qu'il pouvait maudire le sort ! Il était indéniablement attiré par Dana, alors qu'il aurait eu besoin d'une relation dénuée d'ambiguïté avec elle pour servir la cause de sa mère.

Il toussota et demanda à son tour :

— A quel genre d'activités vous adonniez-vous, Cord et toi ?

Un sourire malicieux éclaira son visage lorsqu'il précisa :

— Puisque je connais déjà celle à laquelle vous aviez renoncée.

A cet instant, Dana rejeta ses boucles dans son dos, attirant son regard sur le haut de son corps, et plus exactement sur sa poitrine…

Tout à coup, ses doigts se mirent à le picoter. S'il n'avait écouté que ses pulsions, il se serait levé, aurait retiré à son interlocutrice son petit top moulant, aurait dégrafé son soutien-gorge — si tant est qu'elle en portait un —, puis il aurait soupesé ses seins et fait rouler leur pointe entre ses doigts, avant d'en saisir un dans sa bouche et de…

— Luther et moi sortions beaucoup, déclara Dana avec dignité.

Il en sursauta presque : ses pensées l'avaient emporté si loin !

— Nous allions au concert, au cinéma, dîner chez des amis, continuait-elle. En tant que commercial, Luther mène une vie sociale animée.

— Parfait ! dit-il. Nous pourrons faire la même chose. Le métier que j'exerce exige aussi que j'entretienne mes relations. En outre, ma mère organise souvent des repas familiaux, et elle comptera sur notre présence à tous les deux. Cela ne te dérangera-t-il pas trop d'y assister ?

Dana se rappela le dimanche de Pâques, chez les Westmoreland. La fête lui avait beaucoup plu, un peu trop d'ailleurs...

— Comme je te l'ai dit hier, ta famille m'est fort sympathique. Voilà d'ailleurs pourquoi l'idée de leur mentir m'afflige.

— C'est pour la bonne cause, la rassura Jared avant d'ajouter, un sourire diabolique aux lèvres : Tu verras, je suis moi-même un type tout à fait convenable, et nous allons bien nous divertir, toi et moi.

« Convenable » ? C'était bien le dernier mot qui aurait pu qualifier les pensées de Dana à cet instant ! Son cœur battait la chamade rien qu'à regarder Jared.

— A ton avis, combien de temps va durer la mascarade ? demanda-t-elle.

— Tout dépend de l'état de santé de ma mère. Si la grosseur n'est pas maligne, on peut parier sur deux semaines. En revanche, s'il faut recourir à la chimiothérapie... La dernière fois, le traitement a duré huit semaines. Est-ce trop long pour toi ?

Dana poussa un soupir. De toute façon, elle n'avait guère le choix. A moins d'être indifférent à son prochain, comment ne pas éprouver de la compassion pour Sarah Westmoreland ?

— Non, marmonna-t-elle, ça ira.

Visiblement, l'incertitude et la méfiance qu'elle ne put dissimuler indisposèrent Jared, lequel se rembrunit. Se levant, il mit ses mains dans ses poches et conclut, presque abruptement :

— Tu es donc partante pour jouer ma fiancée ?

Une bonne minute s'écoula avant que Dana ne donne sa réponse définitive. Un long silence tendu. Nul doute qu'elle allait au-devant de difficultés, étant donné l'attraction que son prétendu fiancé exerçait sur elle. Impossible néanmoins de lui refuser ce service.

— Oui, répondit-elle enfin.

Un sourire soulagé éclaira le visage de Jared. Prenant sa main, il l'invita à se lever.

— Merci, Dana ! A présent, c'est moi qui te suis redevable.

Cette pensée la troubla. Pour masquer sa gêne, elle décréta sur le ton de la plaisanterie :

— Sois sans crainte. Je n'exigerai rien que tu ne puisses me procurer.

Ce qui laissait tout de même une large palette de possibilités…

*
**

312

De façon irrésistible, le regard de Jared glissa de nouveau vers les lèvres de Dana : des lèvres encore humides du récent passage de sa langue. Ils étaient si prêts l'un de l'autre qu'il lui suffirait de se pencher pour satisfaire son désir de capturer sa bouche.

— Par quoi commençons-nous ? interrogea-t-elle.

Il tressauta et manqua lui répondre par un baiser.

— Que veux-tu dire ?

Dana sourit. Avait-elle deviné la pensée qui lui était venue à l'esprit ? C'était probable.

— Devrons-nous bientôt rendre visite à ta famille ?

Question fort pertinente ! Pour un peu, il aurait oublié la festivité prévue le dimanche suivant.

— Oui, répondit-il. A part Quade qui est reparti pour Washington, tous mes frères sont restés à Atlanta, cette semaine. Nous avons prévu un barbecue pour samedi prochain.

Dana hocha la tête. Depuis dimanche, elle savait que Quade travaillait pour les services secrets. Durango exerçait pour sa part le métier de garde forestier dans le Montana. Ian vivait à Memphis et était capitaine d'un paquebot de luxe qui croisait sur le Mississipi. Quant à Spencer, il était conseiller financier dans la tranquille et désuète bourgade de

Sausalito, en Californie. Seuls Jared et son jeune frère Reggie habitaient à Atlanta.

— Sont-ils au courant de la possible récidive de ta mère ?

— Non. La connaissant, elle ne nous livrera que ce qu'elle estime indispensable. C'est-à-dire bien peu d'informations. C'est sa façon à elle de nous protéger. Pour ma part, je vais leur confier ce que je sais. Nous dînons chez Chase, ce soir, avec mes cousins. J'appellerai Quade plus tard.

— Vas-tu leur dire la vérité à notre sujet ?

— Non. Il est préférable que personne ne le sache, afin qu'aucun d'entre eux ne commette un impair.

Dana opinait du chef, quand soudain elle s'écria :

— La bague !

Jared sourcilla. Dès son arrivée, il avait remarqué qu'elle ne la portait pas.

— Je ne l'ai plus, continua Dana. Je l'ai revendue à un bijoutier à l'heure du déjeuner.

Et zut ! Bien qu'il n'ait guère apprécié de voir la bague de Cord au doigt de Dana dimanche après-midi, ce satané bijou n'en représentait pas moins le symbole de leurs fiançailles aux yeux de sa mère.

— Quel bijoutier ? la pressa-t-il.

— Garbella. Crois-tu qu'ils l'aient encore ?

— Je l'ignore…

Jared regarda sa montre.

— A cette heure-ci, la bijouterie est fermée, poursuivit-il. J'appellerai demain à la première heure. S'ils ne l'ont pas revendue, je la rachèterai.

— Et s'ils ne l'ont plus ?

— J'en choisirai une autre.

— Ta famille a vu la bague ! Personne ne va comprendre pourquoi j'en porte une nouvelle.

— Exact ! approuva-t-il en soupirant. Il faudra réfléchir à la raison qui t'a conduite à la changer.

— Entendu.

— Il faut que je m'en aille maintenant, si je ne veux pas arriver en retard au dîner.

Sur le seuil de la porte, elle leva le visage vers lui.

— Je t'appellerai demain, dit-il d'une voix rauque. Puis-je te téléphoner au bureau ?

— Tout à fait... Attends ! Je te donne ma carte professionnelle.

Il la regarda s'éloigner dans le corridor. Sa silhouette était si parfaite qu'il fut presque tenté d'émettre un petit sifflement appréciateur. Le désir cingla ses reins lorsqu'il fixa son regard sur les hanches de Dana avant de le laisser redescendre le long de ses cuisses... Elle était vraiment trop sexy. Pauvre de lui !

— Voilà ! dit-elle en revenant vers lui, une carte à la main. Tu as là toutes mes coordonnées.

Lorsqu'il se saisit de la carte, leurs doigts s'effleurèrent, et il sentit Dana frissonner à ce contact.

— Merci, dit-il.

Comme il ne bougeait pas, elle demanda, après un petit toussotement gêné :

— Aurais-tu oublié de me préciser autre chose, Jared ?

De fait, il avait encore une petite précision à apporter.

— Oui, dit-il. Pour sceller notre accord, je crois qu'au lieu d'échanger une poignée de main, il serait préférable de procéder de cette façon.

Et avant qu'elle n'ait le temps de reprendre sa respiration, il se pencha vers elle, effleura ses lèvres… Avant de les presser avec ardeur et de l'embrasser à pleine bouche, ainsi qu'il en rêvait depuis qu'il avait franchi le seuil de sa porte, tout à l'heure.

Le léger gémissement qu'elle poussa alors, le durcissement de ses seins contre son torse, la propre réaction de son anatomie, tout concourait à rendre délicieuses les sensations que lui procurait ce baiser. Il se serait damné pour qu'il dure toujours.

Et que sa raison ne vienne pas le rappeler à l'ordre ! C'était bien simple, son cerveau était hors service. D'ailleurs ses mains étaient en train de s'égarer bien malgré lui sur les cuisses de Dana, au niveau de l'ourlet de sa jupe…

A bout de souffle, il finit par la relâcher.

Dana Rollins était la tentation absolue, et pourtant la séduire n'était pas au programme !

— Penses-tu que c'était sage ? lui reprocha-t-elle d'une voix aussi douce que voilée.

Il se mit à fixer ses lèvres toutes gonflées.

— En toute honnêteté, je crois que c'est la chose la plus intelligente que j'aie faite aujourd'hui, répondit-il dans un sourire contrit.

Les yeux perdus dans le vague, Jared sirotait le cognac qui avait été servi après le dîner.

Comme il l'avait prévu, ses frères avaient été bouleversés d'apprendre le risque de récidive qu'encourait leur mère, et tous s'accordaient à penser que les fiançailles de Jared ne pouvaient pas mieux tomber — même s'ils se réjouissaient qu'il s'agisse de leur aîné et non d'eux.

— Tout va bien, Jared ?

Levant les yeux, il se heurta au regard de Dare. Son cousin n'avait que quelques mois d'écart avec lui, et ils avaient toujours été très proches l'un de l'autre.

Il acquiesça d'un air grave avant de préciser :

— Si tant est que cela puisse aller, étant donné les circonstances…

— On va se serrer les coudes, promit son cousin. Pour ma part, je suis confiant.

— Je ne sais même pas comment s'est déroulé ce rendez-vous chez le médecin, déplora Jared. Je suis pourtant passé chez mes parents avant de venir ici, mais maman a éludé le sujet. Elle n'avait que mes fiançailles en tête.

— Avoue tout de même que tu nous as fourni un beau sujet de conversation ! dit Dare en riant. Qui aurait pu croire qu'un jour tu accepterais qu'une femme te passe l'anneau au doigt ?

— Hep là ! Pas si vite. Je ne suis pas encore marié, objecta Jared.

— C'est vrai, concéda son cousin. Néanmoins, à ce que je sache, les fiançailles sont le prélude au mariage. Un jour ou l'autre, Dana et toi échangerez des vœux devant l'autel, non ?

Jared avala une gorgée de cognac et chercha le regard de Dare par-dessus son verre. Sa carrière lui avait appris à repérer les personnes capables de garder un secret.

S'assurant d'un rapide coup d'œil que tous ses autres frères et cousins étaient bien sur la terrasse, il déclara :

— Ce sont de fausses fiançailles.

— Pardon ? s'insurgea Dare.

Jared lui raconta par le menu comment l'affaire avait commencé et la façon dont les événements s'étaient enchaînés sans qu'il ait vraiment prise sur eux.

— Il ne manquait plus que cela ! s'exclama Dare en souriant. Regarde la façon dont ça s'est terminé entre Shelly et moi, lorsque nous avons joué les faux fiancés ! Nous avons bel et bien fini par tomber amoureux l'un de l'autre.

— Cela ne m'arrivera pas, assura Jared. Tu connais mes réserves concernant le mariage.

Dare éclata de rire.

— Je n'en pensais pas grand bien non plus avant de rencontrer Shelly. Maintenant, en toute confidence, je ne pourrais pas imaginer ma vie sans elle.

— Vous aviez une longue histoire derrière vous. Et puis il y avait A.J.

Dare hocha la tête tandis que tous deux pensaient à ce fils qu'il n'avait connu qu'à l'âge de dix ans, lorsque Shelly était revenue à Atlanta.

— Nous avons dû refaire connaissance. Dix ans de séparation, c'est long. Il nous a fallu de longues semaines pour découvrir que nous nous aimions.

Un silence s'ensuivit, puis Jared reprit :

— Mon métier me force, malgré moi, à avoir une piètre opinion du mariage. Comment croire aux vœux que deux personnes échangent devant l'autel lorsqu'on sait qu'elles ont de fortes chances de s'entredéchirer plus tard devant un juge ?

Emettant un petit rire, il poursuivit :

— Le client dont je défends demain les intérêts devant le juge réclame à sa future ex-femme une pension pour le chien ! Dérisoire…

— Ne te laisse pas influencer par ton métier, Jared, lui conseilla son cousin. Tous les mariages ne finissent pas par des divorces.

— Navré, Dare, mais ni toi ni personne ne me convaincra des vertus du mariage, affirma-t-il d'un air buté. Ces prétendues fiançailles sont destinées au salut de ma mère. Et je te garantis que rien ne me fera oublier qu'il s'agit d'une mascarade.

4.

La porte du bureau de Dana grinça légèrement.
Elle leva les yeux de son écran pour voir qui entrait
dans la pièce.

— Bonjour, Cybil, dit-elle d'un ton joyeux.
Comment vas-tu ?

— Comment te sentirais-tu, à ton avis, si tu
découvrais que ta meilleure amie te cache tout ?
rétorqua cette dernière avec flamme.

— Excuse-moi ? fit Dana en haussant les sourcils.

— Je ne sais pas si je vais pouvoir t'excuser,
répondit Cybil en se penchant sur son bureau. Sais-
tu que la nouvelle de tes fiançailles fait la une de la
chronique société, ce matin ?

A ces mots, elle lui brandit sous les yeux la dernière
édition d'*Atlanta Constitution*.

— Je l'ignorais ! s'écria Dana en s'emparant du
journal.

Cybil leva un sourcil sceptique et croisa les bras.

— Qu'est-ce que tu prétends ignorer, au juste ? Que tu es fiancée à l'un des plus beaux partis d'Atlanta, ou que la nouvelle figure dans le journal ?

La colère sourdait dans la voix de son amie.

Levant les yeux de l'article, Dana se heurta à son regard suspicieux.

— Je peux tout t'expliquer, promit-elle.

— Je t'écoute, concéda Cybil avec l'air d'une reine blessée.

Par prudence, Dana alla fermer la porte de son bureau.

— Je te conseille de t'asseoir, la prévint-elle.

Il lui fallut une bonne vingtaine de minutes pour tout expliquer, d'autant que Cybil ne cessait de l'interrompre pour poser des questions.

— Je n'arrive pas à y croire ! fit cette dernière. Le bureau est en effervescence. J'espère au moins que Jared t'achètera une nouvelle bague de fiançailles… Les gens ne manqueraient pas de jaser s'ils te voyaient porter la même que celle que Luther t'avait offerte.

Dana retint un petit cri d'exclamation. Elle n'avait pas pensé à ce détail… Il est vrai qu'elle ne s'attendait pas à ce que l'on donne une telle publicité à ses fiançailles avec Jared.

322

— Comptes-tu porter plainte contre le journal ?

— A quoi bon ? Le mal est fait...

Nul doute que c'était un membre de la famille Westmoreland qui avait communiqué la nouvelle à *Atlanta Constitution*. Il était d'ailleurs probable que ce fût Sarah. L'article n'était pas du tout malveillant : il indiquait que l'un des célibataires les plus convoités de la ville s'était fiancé avec une jeune femme nommée Dana Rollins pendant le week-end de Pâques.

— Je me demande si Jared en a eu connaissance, fit Dana, songeuse.

L'œil pétillant, Cybil déclara :

— A mon avis, oui ! En tout cas, je peux t'assurer que tout le monde ici est au courant.

L'air anxieux, Dana demanda :

— Et comment prend-on la nouvelle ?

Si quelqu'un était bien placé pour le savoir, c'était Cybil. Aucun commérage ne lui échappait. Non qu'elle-même y participât de façon active, mais il se trouvait que ses deux assistantes étaient connues à Kessler Industries pour être les reines du ragot.

— Tout le monde est perplexe, dans la mesure où personne ne t'a vu porter de nouvelle bague de fiançailles, expliqua Cybil. Cependant, je crois que la plupart se réjouissent de ta rupture avec Luther.

Et les femmes t'envient beaucoup d'avoir conquis le beau et riche Jared Westmoreland.

Soudain, le sourire de Cybil disparut et elle ajouta, d'un air tragique :

— Hélas, quand tu annonceras que tu as rompu aussi avec Jared, les gens vont commencer à croire que tu fais fuir les hommes. Ah ! Toute cette histoire ne me dit rien qui vaille, Dana…

Dana pinça les lèvres.

Cybil pensait-elle que l'affaire lui plaisait ? s'insurgea-t-elle en son for intérieur. A présent qu'elle avait donné sa parole à Jared, elle ne pouvait toutefois plus se dédire.

Au moment où elle allait tenter malgré tout de rassurer son amie, le téléphone posé sur son bureau retentit. Heureuse de ce répit, elle s'empressa de décrocher.

— Allo !

— Bonjour, Dana.

En entendant la voix veloutée et sensuelle de Jared, Dana retint sa respiration. Ce qui n'empêcha pas son cœur de s'emballer sans qu'elle n'ait plus le moindre contrôle sur lui ! Le baiser échangé la veille s'imposa immédiatement à elle… Elle sentit de nouveau le contact des mains de Jared sur ses cuisses. Un contact brûlant, audacieux, renversant.

— Bonjour, Jared, répondit-elle au bout de

quelques secondes, tout en lançant un coup d'œil d'avertissement à Cybil.

Celle-ci ne paraissait pas du tout pressée de sortir du bureau, nota-t-elle alors avec contrariété.

— As-tu lu le journal ? s'enquit Jared, à l'autre bout du fil.

Fixant Cybil avec insistance, Dana lui adressa une mimique indiquant que la conversation était d'ordre privée. Mais, indifférente à sa requête, son amie resta tranquillement assise sur sa chaise. Dana lui lança un regard noir avant de confirmer :

— Oui, j'ai lu l'article.

— Désolé de n'avoir pu t'en avertir. J'ignorais moi-même sa publication. J'en ai pris connaissance en feuilletant le journal ce matin. La joie de ma mère ne connaît plus de limites. C'est elle qui a livré l'information à la presse, j'en suis certain.

— Ça m'en a tout l'air, répondit-elle, ne sachant trop que dire.

Jared ne paraissait pas bouleversé. Au contraire. A moins qu'elle ne fût le jouet de son imagination, dans sa voix pointaient de la chaleur et de la tendresse...

— Veux-tu déjeuner avec moi chez Jenzen ? proposa-t-il tout à trac.

Dana ouvrit de grands yeux.

Jenzen était un restaurant fort réputé dans le nord

d'Atlanta. Il fallait réserver des semaines à l'avance pour avoir une table. En outre, les prix y étaient rédhibitoires. Pour toutes ces raisons, elle n'avait jamais fréquenté l'établissement. Mais puisque l'occasion se présentait...

— Parfait, dit-elle. On se retrouve là-bas ?

A son ton réservé, bien malin qui aurait pu deviner qu'elle était folle de joie à l'idée de voir Jared pendant la pause déjeuner.

—Non, je passerai te prendre, répondit-il. Midi, cela te convient-il ?

Dana regarda sa montre. Elle avait une réunion à onze heures, mais serait sortie à midi.

— Entendu ! Je t'attendrai devant l'immeuble.

— Je suis impatient de te voir, chuchota-t-il. A tout à l'heure.

Une fois qu'elle eut raccroché, Dana resta la main posée sur le combiné, les yeux dans le vide. Comment Jared pouvait-il susciter cette envolée d'émotions en elle ? Des émotions toutes nouvelles...

— Tout va bien ?

Dana redressa la tête. Elle avait oublié la présence de Cybil !

— Oui oui... C'était Jared.

— J'avais compris, fit son amie, un sourire entendu aux lèvres. Profite bien de ton déjeuner ! Cependant, promets-moi une chose.

— Laquelle ?

— Que tu ne te laisseras pas entraîner trop loin. J'ai bien vu l'expression de ton visage quand tu as reconnu la voix de Jared.

— Que veux-tu dire ?

— Je ne supporterai pas qu'un homme te brise de nouveau le cœur. Voilà ce que je veux dire !

— Entre Jared et moi, ce n'est pas du tout ce que tu crois. Je lui rends un service, c'est tout.

— J'ai eu l'occasion de rencontrer Jared Westmoreland, répliqua Cybil avec fermeté. C'est le genre d'homme à faire craquer *toutes* les femmes. Et d'ailleurs, jusqu'où irez-vous pour rendre crédibles vos fiançailles ? Deviendrez-vous intimes ?

— « Intimes » ? répéta Dana, en déglutissant avec difficulté.

— Ne fais pas l'innocente ! En clair, je te demande si vous avez l'intention de coucher ensemble. Partager les mêmes draps, avoir un orgasme simultané...

A cette seule idée, le cœur de Dana se mit à battre si fort qu'elle crut qu'elle allait s'évanouir.

— Bien sûr que non ! se récria-t-elle, outrée que son amie lui tînt de tels propos.

— Pour ma part, je n'en suis pas si sûre ! affirma celle-ci d'une voix railleuse.

Sur ces mots, elle sortit du bureau sans lui laisser le temps de répliquer quoi que ce soit.

Jared leva les yeux vers le client que Jeannie venait de faire entrer dans son bureau.

Sylvester Brewster ! Il ne se rappelait plus qu'ils avaient rendez-vous. Sans doute était-ce un oubli révélateur…

Si Sylvester était un chanteur à succès en Géorgie et caracolait en tête des top cinquante régionaux, sa vie privée en revanche ne connaissait pas le même succès. Il changeait d'épouse à un rythme surprenant et, grand seigneur, avait l'habitude de léguer une généreuse pension alimentaire à l'infortunée dont il divorçait. La présence du chanteur dans son bureau aujourd'hui signifiait à coup sûr qu'une cinquième Mme Brewster se profilait à l'horizon.

Seul problème cette fois, sa future ex-épouse exigeait davantage de Sylvester que la somme qu'il voulait bien lui concéder, ce qui avait le don de mettre en rage ce dernier.

— Enfant ou pas, décréta-t-il, il est hors de question que je lui accorde un dollar de plus !

Jared sourcilla. Un enfant ? Sylvester n'en avait pas fait mention jusque-là.

— Votre femme est enceinte ?

— Elle prétend l'être. Ce qui ne change rien à ma résolution, puisque l'enfant n'est pas le mien.

— Comment pouvez-vous en être certain ?

— Je le sais ! affirma Sylvester.

Baissant la voix, il ajouta alors sur le ton de la confidentialité :

— Je suis stérile, aussi stérile qu'un hôpital flambant neuf ! A cause d'une maladie infantile. Si Jackie est enceinte, ce n'est donc pas de moi.

— Dans ces conditions, un test de paternité suffira à lever toute ambiguïté.

— Exact ! Aucune femme ne peut affirmer que je suis le père de son enfant.

Jared le regarda un instant faire les cent pas dans son bureau, puis déclara d'un ton détaché :

— J'imagine que je ne devrai pas être surpris si vous vous remariez dans les heures qui suivront votre divorce.

C'était en général de cette façon que son client procédait.

A cette question, ce dernier s'immobilisa et plongea son regard dans le sien.

Jared, surpris, y lut une profonde tristesse.

— Non, répondit Sylvester. J'aimais Jackie et je n'entretenais aucune relation extraconjugale. Elle était si spirituelle. Avec elle, je ne m'ennuyais jamais ! Pour la première fois de ma vie, j'étais amoureux… Et regardez ce qui m'arrive ! Qui plus est, Jackie refuse de jouer franc-jeu, alors que je l'ai informée de ma stérilité. Pire : elle prétend que c'est moi qui mens.

Après un petit sifflement rageur, il conclut :

— Jamais plus je ne me remarierai.

Jared resta un moment silencieux : il était persuadé que son client ne tiendrait pas sa promesse. Le mariage était indispensable à la vie de Sylvester. Comme il était heureux de ne pas souffrir de la même dépendance !

— Je vais prendre contact avec l'avocat de Jackie, dit-il. Je suis désolé que la situation ait pris cette fâcheuse tournure, vous formiez un beau couple, tous les deux. Toutefois, si vous prétendez qu'elle vous a été infidèle, je…

— J'en suis sûr et certain ! coupa Sylvester. J'ignore l'identité de son amant, mais sa grossesse prouve de façon incontestable qu'elle a eu une liaison.

Une demi-heure plus tard, Jared avait terminé d'enregistrer sur son magnétophone la lettre que sa secrétaire devait retranscrire. S'accordant quelques minutes de pause, il se dirigea vers la fenêtre.

Encore une matinée difficile, songea-t-il. Tout d'abord le choc qu'il avait reçu au petit déjeuner : il était tombé sur l'article annonçant ses fiançailles avec Dana alors qu'il lisait tranquillement le journal en prenant son café !

Avant de se rendre à son cabinet, il était passé

chez Garbella, le bijoutier, pour apprendre que la bague de Cord avait déjà été revendue. Il en avait donc choisi une autre, tout en se demandant ce qu'il allait bien pouvoir inventer pour justifier le nouveau bijou aux yeux de sa famille. Peut-être que la grosseur du diamant, qui faisait le double de la précédente, pourrait faire office de justificatif…

En soupirant, il regarda sa montre. Bon sang ! Il était déjà l'heure de partir, sans quoi Dana allait attendre.

Dana… Elle devenait une réelle préoccupation.

Il ne considérait pas leur arrangement comme un contrat ordinaire, sinon il aurait déjà rédigé les documents nécessaires. D'instinct, il savait qu'elle ne lui ferait pas faux bond. Seulement, certains facteurs non prévus dans l'équation étaient apparus en cours de route…

Comme l'irrésistible attrait qu'il ressentait pour elle. Ou encore les rêves érotiques liés à sa personne qui ne cessaient de l'obséder.

Cette nuit, c'étaient les jambes de la belle qui l'avaient hanté. Dans son rêve, il reprenait le baiser qu'ils avaient échangé la veille là où celui-ci s'était arrêté. Ses doigts se glissaient alors dans l'entrecuisse tout chaud de Dana…

Encore, s'il n'y avait eu que ces fantasmes nocturnes ! Mais n'avaient-ils pas échangé de troublants baisers, tous les deux ? Des baisers bien réels ? A leur seul souvenir, l'eau lui venait à la bouche. Et quand il pensait au corps sensuel de Dana, le désir lui fouettait les reins.

Nom d'un chien ! Il ne comprenait pas cette attirance incontrôlable. Il avait pourtant côtoyé les plus belles femmes de la terre, il était même sorti avec une ex-Miss Géorgie ! Que possédait donc de si spécial Dana Rollins pour qu'il compte les minutes et les secondes qui les séparaient encore ?

Force était de reconnaître que ses anciennes maîtresses étaient toutes égocentriques et agressives. Dana était bien différente ! Elle avait du caractère, bien sûr, ainsi qu'elle l'avait démontré en débarquant en trombe dans son bureau le premier jour. Mais c'était avant tout une personne généreuse. La santé de sa mère ne l'avait pas laissée indifférente, et elle avait accepté sans broncher sa proposition outrageante de jouer la fausse fiancée.

Quant à sa mère, elle adorait Dana, même si elle ne l'avait vue qu'une fois. Hier, elle avait même suggéré qu'ils se marient en juin. Révolté, il l'avait alors prévenue que c'était impossible. Cependant, le bonheur qu'il lisait désormais sur le visage de Sarah l'empêchait de regretter son mensonge.

Il repensa à la conversation qu'il avait eue avec Dare. Sa décision était des plus fermes : quelle que soit la façon dont sa relation évoluerait avec Dana, il ne l'épouserait pas.

Allons, ce n'était pas la première fois qu'une femme l'attirait. Ni la dernière. La visite de Sylvester l'avait encore renforcé dans sa conviction : le mariage finissait *toujours* mal, et il avait bien l'intention de demeurer célibataire le reste de son existence.

Le beau discours que Jared s'était tenu avant de rejoindre Dana s'éclipsa devant la poussée de désir qui l'investit à la vue de cette dernière, devant l'immeuble de Kessler Industries.

Elle avait l'air d'une parfaite femme d'affaires avec son élégant tailleur et son ravissant chignon. Dieu merci, sa jupe était plus longue que celle de la veille ! Dans le cas contraire, il n'aurait pas été certain de résister à la tentation de glisser la main dessous.

Ouvrant la porte, Dana s'engouffra à l'intérieur de la voiture.

— Bonjour, Jared.

— Salut, Dana, marmonna-t-il.

Une boule lui nouait la gorge. L'habitacle venait de se charger d'une tension sexuelle presque palpable. Le parfum de Dana avait empli la voiture et était venu se loger dans ses poumons. Une fragrance

333

toute féminine qui la rendait encore plus sensuelle et alimentait l'imagination débridée de Jared.

Il mit ses lunettes de soleil tout en s'efforçant de retrouver un battement de pouls normal. Du coin de l'œil, il la regarda attacher sa ceinture de sécurité. Un œil qui dériva malgré lui vers ses jambes, ses longues jambes dont il avait rêvé la nuit précédente…

— Tu m'attendais depuis longtemps ? s'enquit-il.

Elle lui sourit avant de s'enfoncer dans le siège en cuir, ce qui eut pour effet de relever l'ourlet de sa jupe. Comment pouvait-elle être à ce point inconsciente des remous intérieurs qu'elle créait chez lui !

— Non, je venais juste de sortir.

Mains crispées sur le volant, Jared s'efforça de se concentrer sur la circulation. Le pouvoir que sa passagère exerçait sur ses sens était par trop dangereux.

— As-tu récupéré la bague ? questionna-t-elle.

— Non, le bijoutier l'avait déjà revendue. J'en ai acheté une autre.

— Qu'allons-nous dire à ta famille ? fit-elle avec une moue contrariée.

— Que je préfère celle-ci, répondit Jared.

Ce qui était l'entière vérité, bien qu'il ne comprît toujours pas d'où lui venait la contrariété qu'il avait ressentie en voyant Dana porter la bague de Cord.

Sans doute était-ce parce que, connaissant toute l'histoire, il estimait que Dana méritait mieux.

— Il va falloir que tu trouves des arguments convaincants, observa-t-elle.

Malgré lui, il lui jeta un petit coup d'œil. Un sillon creusait son front, entre ses adorables sourcils.

— Bah, je suis avocat, lui rappela-t-il. Mon métier consiste à convaincre mon auditoire.

A ces mots, un sourire éclaira le visage de Dana, chassant le vilain pli.

— Désolée, j'avais oublié…

Après quelques secondes de silence, elle ajouta :

— Au fond, c'est mieux ainsi.

— De quoi parles-tu ?

— Il est préférable que la bague ait été vendue. A cause de l'article paru dans *Atlanta Constitution*, toute la société a voulu voir ma bague. Si j'avais encore porté celle que Luther m'avait offerte, j'aurais éveillé de lourds soupçons.

— Comment as-tu expliqué, en revanche, l'absence de bague à ton doigt ce matin, après la célébration de nos fiançailles ?

— J'ai prétendu que je devais la faire ajuster.

— Désolé de t'avoir placée dans une position si délicate.

— Bah, ce n'est rien. Même si, il est vrai, je ne

m'attendais pas à ce que nos « fiançailles » figurent dans le journal. Moi qui croyais jouer les fiancées pour ta famille seule, c'est tout Atlanta que je dois à présent mystifier, dit-elle avec humour.

— Cela te pose-t-il un problème ? demanda-t-il, contrarié par l'étendue que prenait la mascarade.

— Non, tant que cela ne t'en pose pas…

— Que veux-tu dire ? interrogea-t-il, confus.

— Tu es l'un des célibataires les plus convoités de la ville. Or, notre pseudo-engagement te met pour quelque temps hors course.

Un léger sourire apparut au coin de ses lèvres. Il était vrai que ce nouveau statut allait changer sa vie, quoique de manière toute provisoire.

— Pendant un certain temps, oui, répondit-il. Pas éternellement.

En prononçant ces mots, il se tourna vers Dana pour sonder sa réaction, à l'affût d'un indice trahissant qu'elle aurait aimé qu'il en aille autrement… A son grand soulagement, celle-ci demeura de marbre.

Encore heureux qu'elle ne se fasse aucune illusion sur leur relation ! Il n'aurait plus manqué que les torrides baisers qu'ils avaient échangés lui fasse confondre des notions aussi différentes que le désir et l'amour.

Leurs fiançailles étaient un jeu de rôles, rien de plus.

**

Dana avala avec application une cuillerée de sa glace au champagne. L'homme assis en face d'elle dans ce restaurant select la troublait de façon sensible.

Tout avait commencé lorsqu'il avait paru à l'angle de la rue dans sa luxueuse voiture. Les vingt minutes de trajet qui s'étaient ensuivies avaient été des plus éprouvantes, dans la mesure où les questions de Cybil concernant leur degré d'intimité n'avaient cessé de la hanter.

Jared avait-il l'intention d'échanger davantage que des baisers avec elle ? Cette idée la plongeait dans une vive confusion. Elle aurait aimé éclaircir le sujet avec lui, dissiper le doute…

Hélas, elle ne parviendrait jamais à faire rouler la conversation sur ce thème. Elle avait même l'impression que Jared évitait d'aborder le contrat moral qui les liait. Ils avaient parlé cinéma, littérature, ainsi que des récentes élections en Géorgie. Des sujets qui ne fâchaient pas.

Elle n'avait pas été surprise d'apprendre qu'il habitait à Alpharetta, la banlieue chic d'Atlanta. C'était le quartier des V.I.P., et le prix de l'immobilier y était plus élevé qu'ailleurs.

— Tu es bien silencieuse…

Elle leva les yeux et se heurta à l'impact du regard

ébène de Jared. Celui-ci l'observait à son insu depuis quelques secondes. Elle vit une étincelle s'allumer dans ses prunelles de braise. Une étincelle qui mit le feu à son sang…

Quand Cybil l'avait conjurée d'être prudente, elle avait balayé ses exhortations d'un revers de main, agacée. Elle était si sûre d'elle-même ! Or, ses belles certitudes commençaient à s'effriter.

Jared Westmoreland n'était pas une personne à prendre à la légère. De son côté, elle était assez intelligente pour lire entre les lignes. Ne lui avait-il pas fait comprendre qu'il n'était pas le genre d'homme à qui une femme pouvait remettre son cœur ?

— Regrettes-tu la faveur que tu me rends ? demanda-t-il à brûle-pourpoint.

— Non, ce n'est pas la question. Toutefois… Voilà, je voudrais éclaircir un point avec toi.

— Je t'écoute.

Elle aspira une longue bouffée d'air, mal à l'aise, bien trop consciente du courant magnétique qui les reliait l'un à l'autre. C'était cette attraction précise, cette alchimie d'ordre sexuel, qui lui faisait craindre de s'être engagée sur un terrain miné avec lui.

— Nos baisers…, commença-t-elle dans un murmure hésitant.

— Eh bien quoi, nos baisers ? l'encouragea-t-il d'une voix suave.

Gênée par la lueur de désir qui venait de s'allumer dans les yeux de Jared, elle baissa la tête sur la tasse de café qu'on venait de lui servir.

Elle se sentait défaillir. Comment poursuivre ?

« Du cran ! » s'ordonna-t-elle. Relevant les paupières, elle déclara alors :

— Je ne souhaite pas que cela aille plus loin.

Il la fixa un instant en silence, avant de demander, l'air pince-sans-rire :

— « Plus loin », cela désigne-t-il ce que Cord et toi n'avez jamais fait ensemble ?

— Oui, murmura-t-elle en baissant de nouveau les yeux, craignant que son regard ne trahisse son mensonge.

— Dana ?

Le ton impérieux de Jared l'obligea à soutenir son regard.

— Pourquoi l'idée de faire l'amour avec moi te contrarie-t-elle autant ?

A cette question insidieuse posée d'une voix de velours, elle sentit son estomac se contracter.

La pensée de faire l'amour avec lui ne la contrariait pas. Elle la déstabilisait, nuance ! Elle imaginait des étreintes sauvages et torrides… Par contraste, le désert de sa propre vie sexuelle ne lui en apparaissait que plus frappant.

Cela faisait quatre ans qu'elle n'avait pas dormi

avec un homme. Jusque-là, l'abstinence ne l'avait pas dérangée, il était même rare qu'elle y pense. Ce qui n'était plus le cas depuis sa rencontre avec Jared ! Pour la première fois de sa vie, sa libido la tourmentait : elle avait le pressentiment qu'une expérience avec son faux fiancé pourrait la faire changer d'avis sur la réputation surfaite du sexe.

Vouloir s'en tenir à une relation platonique avec Jared n'était guère réaliste, étant donné ses préoccupations actuelles. Après tout, n'était-elle pas une femme ? Et lui un homme comme elle n'en avait jamais rencontré ? En sa compagnie, elle se sentait belle, désirable…

Bon, il lui avait posé une question. Elle se devait d'y répondre en toute honnêteté.

— Non, Jared, cela ne me contrarie pas. Mais cela me déstabilise.

Il prit son temps pour répondre, comme s'il accusait le choc.

— Je meurs d'envie d'avoir une relation charnelle avec toi, commença-t-il d'une voix lente. Toutefois, cela t'aidera-t-il de savoir que je ne te forcerai pas la main tant que tu ne seras pas prête ?

— C'est bien là le problème, dit-elle en sourcillant. Quand saurai-je que je suis prête ? Tout cela est si nouveau pour moi.

— Tu le sentiras, Dana. Sans que personne te le

dise. Je te mentirais en affirmant que je n'éprouve pas de désir pour toi. En ce moment même… Désolé, je ne suis pas Luther Cord. Mais bien sûr, nos fiançailles n'étant pas réelles, je ne suis pas en mesure d'attendre ou d'exiger quoi que ce soit de ta part. C'est toi qui décideras d'aller plus loin ou non.

— Merci, dit-elle.

Une onde de désir vrilla l'air entre eux, tout aussi palpable que leur nouvelle complicité concernant leur curieuse situation.

Jared n'était pas dupe : si Dana ne savait pas encore qu'elle le désirait, il avait pour sa part percé à jour ses envies.

Il aurait aimé tordre le coup aux imposteurs qui lui avaient fait croire que les plaisirs charnels n'en valaient pas la peine. Il était persuadé que, si elle connaissait l'amour entre ses bras, elle ne regretterait pas les heures de sommeil perdu. Mieux, elle le supplierait de la tenir en éveil jusqu'au lever du jour !

— En ce qui concerne les baisers, reprit-il, je conçois que ce soit dangereux, encore qu'inévitable. Si nous ne nous embrassons pas, notre entourage se posera des questions. Par ailleurs, bien que nous n'ayons pas à nous étreindre quand nous sommes seuls, j'avoue que j'adore t'embrasser. Et j'ai la prétention de croire que ce plaisir est partagé. Toutefois, si tu préfères…

— Non, les baisers ne me posent pas de problème. Je suis ravie que nous ayons abordé le sujet sans tabou, Jared. En outre, ainsi que tu l'as encore souligné tout à l'heure, notre prétendu engagement n'est que temporaire.

Ils firent le trajet de retour en silence. Qu'auraient-ils pu ajouter d'autre ? Ils avaient éclairci la situation, et n'étaient-ils pas tombés d'accord sur l'attitude à tenir ?

Jared se gara devant l'immeuble de Kessler Industries.

— Voici la nouvelle bague, annonça-t-il alors que Dana débouclait sa ceinture de sécurité.

Dana prit la boîte en velours rouge que Jared lui tendait et l'ouvrit. Elle ne put retenir un petit cri de surprise.

Puis elle fit glisser la bague à son doigt. Elle lui allait parfaitement.

— N'est-ce pas de la folie ? demanda-t-elle en levant les yeux vers lui.

Un grand sourire barra les lèvres de Jared.

— Non, répondit-il. De la sorte, je convaincrai plus aisément ma famille de mon incapacité à résister à la tentation de te l'offrir.

342

L'alibi se tenait, pensa-t-elle.

Jamais elle n'avait vu une si belle bague, le diamant était énorme et avait dû lui coûter une fortune ! Bien sûr, elle la lui rendrait une fois que la petite comédie aurait pris fin.

— Elle est magnifique, Jared, décréta-t-elle en tendant la main pour admirer le bijou.

Son compagnon lui adressa un beau sourire. Saisissant sa main, il la porta à ses lèvres et déclara :

— Je suis heureux qu'elle te plaise.

Le geste, aussi empressé qu'inattendu, la fit frissonner.

— J'ai une question à te poser, ajouta-t-il alors.

— De quoi s'agit-il ? questionna-t-elle, à peine remise de ses émotions.

— Les deux personnes qui nous observent sur le trottoir, tu les connais ?

Dana suivit le regard de Jared… Pour découvrir les deux assistantes de Cybil plantées devant l'entrée de la société. Elles firent immédiatement mine d'être plongées dans une conversation intéressante.

— Ce sont les deux commères de Kessler Industries, soupira-t-elle.

Une lueur malicieuse s'alluma alors dans les yeux de Jared.

— Et si nous apportions de l'eau à leur moulin ? suggéra-t-il.

Dana sourit. Elle savait ce que celui-ci avait en tête. N'étaient-ils pas convenus de s'embrasser en public ? D'ailleurs, pour être honnête, elle rêvait de sentir ses lèvres sur les siennes.

— Entendu.

Elle retint son souffle lorsque, d'autorité, Jared l'attira sur ses genoux et captura sa bouche.

Elle se sentit aussitôt fondre sous son baiser. Un baiser long, ardent, voluptueux, un baiser qui la faisait frissonner de la tête aux pieds. Il ressemblait aux deux précédents, tout en étant encore plus délectable. Elle en appréciait toute la saveur, savourait la montée insidieuse du désir dans ses reins…

Tandis que leurs langues s'emmêlaient avec passion, une flamme commune embrasait leurs corps. A le sentir tout palpitant contre elle, elle comprit que Jared avait oublié qu'ils s'embrassaient dans le dessein de faire jaser les deux commères.

Lentement il la relâcha, et elle posa les mains sur son torse, le temps de retrouver une respiration normale.

— Penses-tu que nous avons été convaincants ? demanda-t-il, la voix rauque.

— Je peux t'affirmer qu'elles vont passer leur après-midi à commenter ce baiser, confirma-t-elle d'un air mutin.

Tout en se disant en elle-même qu'il allait non

344

seulement la hanter tout l'après-midi mais aussi toute la nuit, et qu'elle se réveillerait en y songeant encore le lendemain matin.

A trop jouer avec le feu, le piège n'allait-il pas finir par se refermer sur eux ?

C'était bien ce qui arrivait aux incendiaires...

5.

Les lampions accrochés aux arbres projetaient
une lumière dorée sur la façade de la villa des
Westmoreland. Des chaises et des tables avaient été
assemblées près du lac et une piste de danse avait
également été aménagée. Une odeur d'agneau grillé
et de poulet rôti excitait les papilles, tandis que sous
une vaste tente se dressait un impressionnant buffet,
réparti sur plusieurs tables et présentant des mets
tous plus délectables les uns que les autres, et pour
l'heure assailli par une foule enthousiaste.

Dana jeta un regard circulaire.

Outre Jared et ses cousins, des anciens camarades de classe et des amis avaient été conviés au
barbecue. Elle avait été présentée à tout le monde
comme la fiancée de Jared. Chaque fois qu'on l'avait
interrogée sur la date du mariage, elle avait souri,
répondant qu'elle n'était pas encore fixée et que,

selon toute vraisemblance, la cérémonie n'aurait pas lieu cette année.

— Je comprends pourquoi Jared préfère cette bague, décréta Madison.

Dana s'arracha à ses rêveries, s'efforçant de prendre de nouveau part à la conversation.

Jared avait raison : sa famille n'avait pas un instant mis en doute le motif qu'il avait invoqué pour justifier le changement de bague.

— C'est une véritable déclaration d'amour ! intervint à son tour Tara. Cette bague est superbe. L'autre aussi était très jolie, mais celle-ci ressemble plus à Jared.

Dana s'apprêtait à interroger Tara sur le sens de son ultime remarque, lorsque la mère de Jared s'approcha d'elle.

— Est-ce que vous vous amusez bien, Dana ?

— Beaucoup, répondit-elle, rendant son sourire à Sarah. Je vous remercie de m'avoir invitée.

— Inutile de me remercier ! Vous faites désormais partie de la famille.

Dana hocha la tête. Ce qu'elle détestait mentir à une femme si remarquable !

— Vous avez été le secret le mieux gardé de Jared, enchaîna cette dernière. Nous étions bien loin de soupçonner qu'il entretenait une relation sérieuse, lui qui clamait toujours haut et fort qu'il ne se marierait jamais.

Sarah éclata de rire avant d'ajouter, l'œil brillant :

— Voilà ce qui arrive quand on tombe amoureux : on oublie toutes les belles théories. Car je peux vous assurer que mon fils est fou de vous, il faudrait être aveugle pour ne pas s'en rendre compte ! Il ne vous a pas lâchée du regard de la soirée. Jamais je ne l'ai vu aussi attentif à une femme. Autant vous dire que je suis sur un petit nuage !

Et dire que tout ce bonheur reposait sur un mensonge, pensa Dana, alarmée. Un mensonge pourtant nécessaire… Une sorte de fabulation thérapeutique, en somme, se dit-elle encore pour se réconforter. Toute cette mascarade générait en elle un malaise diffus.

— Que penses-tu du cinéma permanent de Jared ? questionna Jayla quelques minutes plus tard, alors que la conversation roulait sur les derniers films à l'affiche.

Dana lui lança un regard étonné, sans comprendre le sens de sa question.

— « Son cinéma permanent » ? répéta-t-elle pour gagner du temps.

— Comment ? Ne t'a-t-il pas parlé de la salle de

348

projection qu'il a aménagée dernièrement ? Quand es-tu allé chez lui pour la dernière fois ?

Confuse, Dana ne savait plus que répondre. Avouer qu'elle n'avait jamais mis les pieds chez Jared aurait paru curieux.

Au moment où elle ouvrait la bouche pour bredouiller une explication, Jared se matérialisa à ses côtés. Se penchant vers elle, il bâillonna sa bouche d'un tendre baiser et étouffa dans l'œuf le mensonge qu'elle s'apprêtait à proférer.

— Allons danser, ma chérie, lui susurra-t-il.

Après avoir jeté un regard malicieux à sa mère et à ses cousines, il ajouta :

— Si vous voulez bien nous excuser…

Puis il passa son bras sous le sien et l'entraîna vers la piste de danse. Il l'attira alors à lui, et ils se lancèrent dans un slow langoureux.

Qu'il était agréable de sentir la forme parfaite de la poitrine de Dana contre son torse ! pensa Jared. D'ailleurs, tout son charmant petit corps épousait le sien de façon exquise.

— Suis-je arrivé à temps pour te secourir ? interrogea-t-il dans un sourire.

Il aurait aimé qu'ils fussent seuls pour l'embrasser comme il rêvait de le faire depuis le début de la soirée :

avec fougue, sans retenue aucune. Oui, il mourait d'envie de lui administrer un baiser indécent !

— Je m'apprêtais à me joindre à votre groupe lorsque j'ai entendu Jayla te questionner au sujet de mon cinéma permanent, précisa-t-il.

—Tu m'as sauvé la mise de peu, dit-elle. Il aurait été pour le moins singulier que je ne connaisse pas ta maison ! Cette salle de projection comporte-t-elle des caractéristiques particulières ? Décris-la-moi, afin que je ne sois pas démunie la prochaine fois que l'on m'interroge à ce sujet.

Prenant son temps pour répondre, il fit glisser ses doigts le long du bras nu de Dana et ne fut pas dupe du petit frissonnement qui parcourut sa peau soyeuse… C'était un prêté pour un rendu, dans la mesure où lui-même ne contrôlait plus très bien une partie précise de son anatomie. Il désirait Dana sans équivoque, et étant donné que leurs corps étaient étroitement emmêlés, il était impossible qu'elle ne s'en soit pas aperçue.

— J'aime regarder de vieux films, expliqua-t-il enfin. J'ai installé chez moi un home vidéo avec un écran plasma géant. Le son y est encore plus performant que dans une salle de cinéma.

En vérité, il n'avait guère envie de s'étendre sur le sujet, même s'il était par ailleurs très fier de son aménagement. Ce qu'il voulait à cet instant précis, c'était étreindre Dana le plus fort possible et lui donner un baiser qui leur ferait perdre le souffle et la tête à tous deux.

— Je suis impressionnée, dit-elle en souriant.

« Impressionnée... et brûlante ! » pensa-t-il.

La chaleur de Dana s'était communiquée à tout son être, attisant son désir. Il faut dire qu'elle possédait un sens inné de la mise en valeur. Le moindre tissu prenait sur elle un caractère quasi érotique. Ce soir, elle portait une robe fourreau vert émeraude qui épousait ses formes et dévoilait ses bras. Cette tenue avait eu un effet dévastateur sur ses sens dès l'instant où elle était montée dans sa voiture. Dana Rollins était à la fois distinguée et sexy, c'est ce qui la rendait si irrésistible.

— Il serait grand temps que tu viennes visiter ma maison, afin de ne pas être prise au dépourvu la prochaine fois, conclut-il.

Sur une impulsion, il effleura ses lèvres.

Allons ! Les petits baisers en public étaient autorisés, recommandés même, et ils étaient inclus dans leur pacte. Le problème, c'était qu'il ne l'embrassait pas pour jouer la comédie, mais parce qu'il avait une envie réelle de savourer le goût de ses lèvres...

— Sais-tu cuisiner ? demanda-t-elle dans un petit rire.

Riait-elle à cause des sensations que lui avait

procurées le baiser ou de l'audace de sa question ?
Bah, peu importait !

Un sourire suave aux lèvres et l'esprit déjà embrouillé à l'idée de tout ce qu'ils pourraient faire en tête à tête, il répondit :

— Tout à fait ! Je t'invite à dîner le week-end prochain, si tu es libre.

— Hélas, non, répondit-elle en s'assombrissant. Je me rends à Brunswick. Samedi en huit, c'est l'anniversaire de ma mère, et comme chaque année j'irai déposer des fleurs sur sa tombe.

Il baissa les yeux vers la jeune femme. Le sujet semblait l'avoir d'un coup dégrisée. Ses yeux ne pétillaient plus, ils reflétaient une immense mélancolie.

— Je serai avec toi en pensée, promit-il avec douceur.

Il était près d'1 heure du matin lorsque Jared raccompagna Dana chez elle. Bien qu'il fût très tard, elle l'invita à prendre un café, et il accepta.

Ils avaient dansé de nombreux slows près du lac étale, sous la lumière mordorée des lampions. Chaque fois, Dana avait pu mesurer la force de son désir tout contre son ventre. Il l'avait même entraînée dans un coin obscur, désireux de l'embrasser à pleine bouche, mais Durango les avait interrompus.

Le regard meurtrier qu'il avait alors lancé à son frère n'avait pas pu échapper à Dana. A présent, ils étaient chez elle, et seuls. Personne ne viendrait les déranger…

A peine eut-elle refermé la porte derrière eux qu'il la prit dans ses bras. De son côté, elle noua tout naturellement ses mains autour de son cou, visiblement impatiente elle aussi de sentir ses lèvres sur les siennes, sa langue dans sa bouche…

Cet abandon lascif suscita en lui un désir presque effrayant… Il n'avait plus qu'une obsession : la toucher, la caresser, la déguster. De ses mains affamées, il palpait sans relâche ses épaules, ses hanches tandis qu'elle poussait des petits gémissements voluptueux. Des gémissements qui enflammaient son propre corps au-delà des limites de la résistance…

Pantelant, il se détacha d'elle. La tentation de l'emporter dans sa chambre et de lui faire l'amour toute la nuit devenait trop forte. Lorsque leurs prunelles s'enchaînèrent, il comprit que les mêmes pensées hantaient Dana.

Sur une impulsion, il enfouit sa tête dans son cou et traça de la langue un sillon brûlant sur sa peau frissonnante… S'il ne se ressaisissait pas à l'instant, il était perdu, pensa-t-il. Mais avait-il encore la volonté de se reprendre ?

Dans un ultime effort, il releva la tête, dardant des yeux éperdus de désir sur Dana. Il aurait donné cher pour faire coulisser la fermeture Eclair de sa robe, la voir glisser à ses pieds et admirer sa nudité. Alors, il aurait pris ses seins entre ses paumes et, après en avoir titillé les pointes, il se serait agenouillé devant elle, aurait embrassé son entrecuisse et…

— Jared ?

Son doux murmure le fit sursauter. C'était tout dire sur l'état de ses nerfs !

— Oui ? fit-il d'une voix rauque.

— Je crois qu'il est temps que tu partes.

Cette phrase le révolta. Pourquoi Dana se refusait-elle à lui alors que, de toute évidence, son corps se brûlait de désir ?

Conscient de violer la promesse qu'il lui avait faite chez Jenzen, il décida d'insister, de plaider sa cause. « Chassez le naturel… »

— Tes yeux trahissent le désir que tu éprouves pour moi, argua-t-il. Je l'entends même dans la façon dont tu respires. Je le sens dans tes baisers. Pourquoi le nier ?

Plaçant un doigt sur ses lèvres, elle répliqua :

— Je ne peux pas me lancer dans une liaison condamnée d'avance, Jared. Dès que ta mère sera

354

rétablie, tu rompras cette parodie de fiançailles et tu me quitteras. Pourquoi le nier ?

Sur ces mots, elle le regarda avec intensité, attendant sa réponse.

Mis au pied du mur, il avoua en toute honnêteté :

— Je ne le nie pas.

— Eh bien, cher maître, vous conviendrez donc avec moi que j'ai raison de ne pas me laisser guider par mes désirs, conclut-elle en reculant d'un pas.

— Tu sais bien que je ne peux te donner plus, Dana, répliqua-t-il sourcils froncés.

— J'en suis tout à fait consciente, répondit-elle. Tout comme tu ne dois pas exiger plus que je ne puis te donner.

Agacé par son raisonnement, il passa une main sur son visage afin de se calmer… En vain.

D'une voix où sourdait la frustration, il s'exclama alors :

— Pourquoi tout compliquer ?

— Ne sois pas injuste ! se récria-t-elle. Je m'efforce au contraire de gérer au mieux une situation déjà délicate. Si j'estimais que je pouvais assumer une liaison avec toi, je te garantis que nous serions déjà dans ma chambre. Seulement, voilà : c'est au-dessus de mes forces.

Elle soupira, visiblement frustrée elle aussi.

— Je suis navré, Dana, dit-il alors, l'attirant gentiment à lui. Je n'ai pas tenu ma promesse de ne pas insister… Je sais que c'est insensé, mais tu es la première femme pour qui j'éprouve autant de désir.

Un désir qui l'aveuglait, obscurcissait sa raison, faussait son raisonnement. Pardi, il aurait été prêt aux pires concessions pour l'assouvir ! Il devait de façon impérative trouver un moyen pour se protéger de lui-même.

La relâchant, il déclara :

— Cette semaine, je serai en déplacement et ne rentrerai pas avant vendredi soir. Quand pars-tu pour Brunswick ?

— Samedi matin, à la première heure. J'ai sept heures de route, car je compte prendre l'itinéraire touristique et passer la nuit sur l'une des îles de la côte.

— Laquelle ?

— Jekyll Island. C'est une très belle île, toute proche de Brunswick. Autrefois, mes parents et moi y allions camper, l'été.

— Quand rentreras-tu ?

— Dimanche soir. Tard, je suppose.

Tout ce temps sans la voir ! se lamenta-t-il intérieurement, déjà nostalgique de sa compagnie.

Dans un geste tendre, il l'attira à lui pour déposer un gentil baiser sur ses lèvres… Mais, de nouveau, la sensation de ses seins contre son torse le troubla et entraîna une prompte réaction dans la région de son bas-ventre.

— J'espère que je te manquerai un peu, dit-il en détachant bien vite sa bouche de la sienne. Bonsoir, Dana.

Sur ce bref adieu, il se dirigea vers la porte.

Une seconde de plus, et il ne se contrôlait plus !

Deux heures plus tard, Jared, étendu sur son lit, fixait le plafond.

Pourquoi avait-il ainsi précipité le cours des choses ?

Lui qui était toujours maître de lui-même, il ne se reconnaissait plus ces derniers temps, lorsqu'il se trouvait en compagnie de Dana. Et quand il était loin d'elle, il ne parvenait pas à la sortir de ses pensées !

Il n'avait jamais eu l'intention de profiter de leurs prétendues fiançailles pour avoir une brève liaison avec elle. Et pourtant, il avait toutes les peines du monde à se persuader que leur relation n'était pas réelle. Même ses frères et ses cousins l'avaient taquiné ce soir au sujet de l'amour, selon eux manifeste, qu'il ressentait pour Dana. Qui plus est, son père l'avait entretenu en tête à tête sur son futur mariage avec

Dana : était-il certain, lui avait-il demandé, de ne pas vouloir sceller leur union dans l'année ?

Le désir qu'il éprouvait pour Dana était-il donc si évident ? Le plus troublant, c'était que lorsqu'il l'avait présentée à ses voisins et amis, il avait vraiment éprouvé la sensation qu'elle était sa fiancée.

Qu'elle était *sienne*.

A cette pensée, son cœur se mit à tambouriner comme un fou dans sa poitrine.

Il n'avait jamais considéré une femme comme sienne, parce qu'il refusait de façon catégorique qu'une femme puisse décréter qu'il lui appartînt. Seul l'aspect charnel d'une relation l'intéressait, pas les émotions. Ce domaine-là, il le laissait à ses clients et n'enviait pas du tout leurs imbroglios sentimentaux !

Se levant d'un bond, il sortit de la chambre et se dirigea avec décision vers la piscine intérieure située à l'autre bout de sa maison. Pourvu que ce bain de nuit soit salutaire à ses ardeurs et à son esprit ! pria-t-il.

L'aube pointait presque lorsqu'il retourna se coucher.

Mais si son corps était épuisé, son esprit était encore sous l'emprise de Dana.

***

Le début de semaine passa à la vitesse de l'éclair pour Dana, qui avait fort à faire au travail.

La passagère effervescence liée à l'annonce de ses fiançailles était retombée, même s'il arrivait encore qu'une collègue passe dans son bureau pour admirer le fameux diamant, dont les dimensions avaient fait le tour de la société.

Le mardi matin, elle reçut un appel de Sarah Westmoreland.

— Quelle agréable surprise ! s'exclama-t-elle en toute sincérité.

Elle aimait beaucoup la mère de Jared, qui lui rappelait la sienne : comme cette dernière, Sarah était amicale et chaleureuse, toute dévouée à sa famille.

— Comment allez-vous, ma chère Dana ? J'aimerais vous inviter à déjeuner chez Chase.

Dana regarda sa montre.

— Entendu ! répondit-elle. Midi vous convient-il ?

— Parfait ! Savez-vous vous y rendre ?

— Oui, j'y suis allée déjà plusieurs fois. La cuisine y est excellente.

— Eh bien, à tout à l'heure !

Cette conversation replongea Dana dans ses interrogations concernant Jared.

La veille, celui-ci avait laissé un message sur

son répondeur, pour l'informer de l'endroit où il se trouvait. Une information qu'une fiancée se devait de savoir pour éviter tout malentendu si, d'aventure, on l'interrogeait à ce sujet. Il lui avait même laissé le numéro de l'hôtel où il était descendu, en cas de besoin.

Mais elle n'avait pas besoin de lui — ainsi qu'elle se le répétait plusieurs fois par jour !

Il ne fallait pas qu'elle se nourrisse d'illusions. Jared n'avait-il pas réaffirmé sans ambiguïté aucune que leur parodie de fiançailles prendrait un terme avec la guérison de sa mère ?

Cependant, pourquoi ne profiterait-elle pas des bons moments, tant que cela durait ? lui susurrait une diabolique petite voix intérieure. A quoi bon craindre les regrets ultérieurs ?

Elle redoutait de tomber amoureuse de Jared Westmoreland, soit… N'empêche qu'elle l'était déjà à moitié, il fallait bien l'admettre.

Un nœud se forma dans sa gorge.

Elle refusait d'admettre quoi que ce soit !

D'ailleurs, il était extrêmement imprudent de dépendre des autres pour être heureux. Elle avait eu amplement l'occasion de le comprendre, avec toutes les pertes et abandons qu'elle avait subis ! Le décès de ses parents d'abord, puis la défection de Matt et de Luther. Deux hommes qui étaient entrés dans sa vie et en étaient ressortis sans crier gare. Tout comme Jared s'apprêtait à le faire.

A cette différence près que ce dernier l'avait prévenue. De la sorte, elle n'aurait pas de mauvaise surprise. Elle devait juste garder les distances nécessaires, et elle n'y manquerait certes pas !

Dana repéra Sarah dès qu'elle franchit le seuil du restaurant.

A cinquante-sept ans, Sarah Westmoreland était encore une fort belle femme. Elle avait un port altier, de superbes yeux noirs, et de charmantes fossettes creusaient ses joues quand un sourire éclairait ses traits. Nul doute qu'elle ne serait pas une simple belle-mère mais une réelle mère pour ses futures belles-filles, si un jour elle devait en avoir.

— Bonjour, madame Westmoreland, dit Dana en s'approchant de sa table.

— Dana ! Quel plaisir de vous voir, répondit la mère de Jared.

Sur ces mots, elle se leva et l'embrassa avec effusion. Qui aurait pu croire que leur dernière rencontre remontait à samedi dernier ? C'est-à-dire trois jours… Néanmoins, Dana ne doutait pas un instant de sa sincérité.

— Un plaisir partagé, s'empressa-t-elle de répondre,

tout en s'alarmant de succomber aussi facilement à l'affection de cette femme et de s'y habituer.

— Comment se passe votre travail ? demanda Sarah, une fois assise. Jared m'a dit que vous étiez architecte paysagiste. Quel métier intéressant !

— Effectivement, dit Dana en souriant. J'aime beaucoup mon métier. Mes parents possédaient une pépinière, si bien que je me suis intéressée très tôt aux arbres, aux plantes et aux fleurs.

Elle s'interrompit quand la serveuse leur apporta la carte.

— Beaucoup de personnes, reprit-elle, ignorent le rôle que jouent les architectes paysagistes lors de la construction d'un immeuble. Ce rôle consiste à faire en sorte que la partie extérieure de l'immeuble ne soit pas uniquement fonctionnelle, et qu'elle s'intègre de façon harmonieuse dans l'environnement naturel.

Sarah hocha la tête. Soudain, une lueur de tristesse s'alluma dans ses yeux.

— Jared m'a appris que vos parents étaient décédés, déclara-t-elle. Quelle terrible épreuve vous avez dû traverser !

— C'est vrai, reconnut Dana. J'étais enfant unique, et très proche d'eux. Leur disparition m'a laissée sans famille.

Un sourire réconfortant aux lèvres, Sarah posa sa main sur la sienne.

362

— Tout va changer, désormais ! lui assura-t-elle. Vous faites maintenant partie de la famille Westmoreland, et je veux que vous vous sentiez un membre à part entière de notre tribu.

— Merci, balbutia Dana, gorge serrée.

Cette parodie était trop cruelle ! s'emporta-t-elle intérieurement. S'emparant de la carte des menus, elle se mit à l'étudier. Impossible de regarder Sarah Westmoreland droit dans les yeux en ce moment !

— Avez-vous eu des nouvelles de Jared depuis son départ ? demanda cette dernière.

— Oui, répondit-elle, il a appelé hier soir.

Réponse en partie honnête, même si elle omettait de préciser qu'ils ne s'étaient pas parlé de façon directe, Jared ayant laissé un message sur son répondeur.

— Je suis sûre que vous lui manquez, affirma Sarah.

Dana se contenta de sourire. Elle en doutait fort. En revanche, elle avait déjà la nostalgie de son faux fiancé. Elle s'efforçait en vain de l'écarter de ses pensées, où il semblait avoir élu domicile de façon définitive.

— Et vous, comment allez-vous ? demanda-t-elle, désireuse de changer de sujet.

— Bien ! répondit Sarah en souriant. Je suppose que Jared vous a parlé du cancer du sein que j'ai développé il y a quelques années. Lors d'un récent examen, le médecin a découvert une nouvelle grosseur. Il est fort probable que ce ne soit qu'un amas adipeux. Je dois le faire retirer dans deux semaines, et il sera alors analysé.

Elle fit une pause avant de continuer, dans un sourire confiant :

— Même si la grosseur était maligne, je suis convaincue que je m'en sortirais. Bien sûr, la chimiothérapie et la radiothérapie sont de lourdes épreuves, toutefois, je suis une battante. Qui plus est, ma famille me donne les moyens de combattre.

Alors, une note d'excitation dans la voix, elle conclut :

— Je rêve du jour où je serai grand-mère ! Mon fils m'a assuré que vous vouliez des enfants.

En son for intérieur, Dana maudit Jared pour cette promesse inconsidérée, qui n'entrait *absolument pas* dans leur pacte.

A cet instant, la serveuse revint prendre la commande, et elle lui sut gré de son arrivée opportune.

Ses « fiançailles » n'étaient-elles pas déjà assez difficiles à gérer, sans qu'elle commence à fantasmer sur un éventuel enfant avec Jared ?

6.

Le mercredi soir, après avoir nourri Tom, Dana se pelotonna dans son fauteuil préféré, un livre à la main, bien décidée à se détendre après une journée plutôt pénible : l'un de ses clients était furieux que les autorités de la ville refusent de lui accorder un permis relatif à la construction de chutes d'eau sur le terrain où il comptait faire bâtir l'immeuble de sa société.

Inutile de ruminer sur ce problème, pensa-t-elle avec sagesse. Mieux valait se rappeler le déjeuner partagé avec la mère de Jared, qui avait contribué à resserrer le lien entre Sarah et elle… Et à accroître dans le même temps son sentiment de culpabilité.

Comment réagirait la famille de Jared quand celui-ci annoncerait la rupture de leurs fiançailles ? Si la grosseur de Sarah était bénigne, la révélation aurait lieu dans deux semaines déjà…

Ce fut alors que la sonnette retentit.

Qui cela pouvait-il bien être ? Il était 19 heures, et elle n'attendait personne.

Quand elle vissa son œil au judas, elle crut que son cœur allait s'arrêter de battre : *Jared* en personne se tenait derrière la porte.

N'était-il pas censé ne rentrer que vendredi à Atlanta ?

Aspirant une large bouffée d'air, elle lui ouvrit.

— Quelle surprise ! dit-elle d'un ton détaché. Je ne t'attendais pas si tôt.

— J'ai fini plus vite que prévu, expliqua-t-il. J'arrive directement de l'aéroport. Il fallait que je te voie.

Curieux ! Avait-il entendu parler de son déjeuner avec Sarah et désirait-il qu'elle lui en dresse un compte rendu détaillé ? Encore qu'il aurait pu se contenter de l'appeler, si tel avait été son dessein.

Inclinant la tête, elle scruta son visiteur de façon plus attentive. Il se tenait devant elle dans toute la force de sa virilité. Il en était presque impressionnant…

— Entre, lui dit-elle alors d'une voix rien moins qu'assurée.

Jared poussa un discret soupir de soulagement en pénétrant chez Dana. De toute évidence, sa visite inopinée déroutait la jeune femme.

A dire vrai, il en était tout aussi étonné ! Lorsque

l'avion avait atterri à Atlanta, il n'avait eu qu'une obsession : la revoir. Il avait alors cédé à son impulsion, et voilà, il se trouvait chez elle, avec elle… Il tourna les yeux dans sa direction.

Les ultimes rayons de soleil qui s'attardaient dans le salon baignaient Dana d'un halo doré. Il aurait pu rester des heures à la contempler. Elle était si belle, tout de blanc vêtue : son pantalon soulignait les courbes de sa gracieuse silhouette, tandis que son T-shirt proclamait : « Je suis à toi ». Il aurait tant aimé que cela fût le cas ! Chaque parcelle de son corps s'animait à cette pensée.

Revoir Dana avait causé un véritable court-circuit dans son cerveau, et il se sentait la proie des sensations qui se jouaient maintenant en lui. Le parfum de Dana imprégnait tout son être et, dans la profondeur de ses yeux noirs, il lisait toutes les interrogations qu'elle nourrissait sur la raison de sa visite.

Une question brûlante le tourmentait lui aussi. Une question dont la réponse lui était vitale.

Sans réfléchir, il demanda alors :

— T'ai-je manqué ?

Dana se mordilla les lèvres.

Allait-elle lui mentir et affirmer que non ? Ou bien laisser son cœur s'exprimer et lui crier que oui ?

Elle choisit de lui retourner la question.

— Et moi, t'ai-je manqué ?

Une lueur amusée s'alluma dans les prunelles de Jared. La belle savait manier l'art de l'esquive. Qu'à cela ne tienne ! Il allait lui donner une réponse. Et tant pis si elle ne lui plaisait pas ! On ne pouvait pas jouer en toute impunité avec le feu.

— Enormément, répondit-il sur le ton de la sincérité. Je n'ai cessé de penser à toi, impossible de te chasser de mes pensées. Ni le jour ni la nuit. Et dans mes rêves, tu consentais à tout ce que tu me refuses dans la vie. De mon côté, je t'initiais aux plaisirs de l'amour.

Prenant le temps de se croiser les bras, il ajouta :

— Voilà, j'ai répondu à ta question. A ton tour, à présent. T'ai-je manqué, Dana ?

Le regard enchaîné l'un à l'autre, ils avaient conscience que l'atmosphère de la pièce venait de changer. Ils n'étaient plus au bord du précipice, ils s'accrochaient au rebord, luttant pour ne pas tomber dans le vide au-dessous d'eux. L'alchimie qui passait entre eux était plus puissante, plus explosive que jamais.

Oh oui, il lui avait manqué ! songeait Dana. Etait-ce bien raisonnable de lui avouer à quel point ? Fallait-il jeter de l'huile sur le feu de leur désir ?

Elle se rappelait l'ultime baiser qu'il lui avait donné, la veille de son départ, dans cette même pièce. Un baiser dont la saveur était restée pendant des jours sur ses lèvres… Elle aussi avait rêvé de lui. Des rêves érotiques avaient peuplé chacune de ses nuits. Des rêves dans lesquels, insatiable, Jared lui faisait l'amour jusqu'au petit matin. Et dans les profondeurs de son inconscience, elle cédait à toutes ses exigences, tandis qu'il lui procurait un plaisir dépassant tout ce qu'elle pouvait imaginer.

La réalité serait-elle aussi belle que les rêves ? ne cessait-elle de s'interroger bien malgré elle. Jared pouvait-il l'emporter autant de fois vers les cimes du plaisir en une seule nuit ? En vérité, une seule fois aurait été une grande première pour elle.

— Dana ?

Elle sursauta.

— Oui ? fit-elle en reprenant ses esprits.

— Je t'ai demandé si je t'avais manqué, répéta-t-il avec douceur.

— Oui, tu m'as manqué, admit-elle alors. Et moi aussi, j'ai rêvé de toi.

Si ces paroles le troublèrent, il s'efforça de demeurer impassible.

— Et dans ces rêves, que se passait-il ? reprit-il, un petit sourire aux lèvres.

— C'est personnel, décréta-t-elle d'un ton catégorique en relevant le menton.

Il fit un pas dans sa direction.

— Dois-je le deviner ? demanda-t-il.

— Je doute que tu puisses.

Jared sourcilla d'un petit air ironique…

« Et zut ! » se dit-elle. Elle avait commis l'erreur de lui lancer un défi. Un défi qui, de toute évidence, avait enflammé son imagination à en croire la lueur de convoitise qui brillait à présent dans ses yeux sombres.

Elle déglutit avec difficulté et tenta de se raccrocher à leur ultime conversation et aux promesses qu'il lui avait faites. Mais son cerveau était si confus qu'elle avait peine à rassembler ses pensées.

— Je croyais que nous étions convenus de ne pas compliquer les choses, dit-elle enfin.

Un nouveau sourire amusé barra le visage de Jared.

— Qui parle de complication ? Il m'est très aisé de deviner le genre de rêves que tu as faits. Et je peux même affirmer qu'ils sont très satisfaisants pour nous deux.

Alarmée par l'intensité de son regard, elle recula de quelques pas. Puis elle croisa les bras, comme pour se protéger, et assura :

— Je ne *veux pas* coucher avec toi, Jared !

Il leva un sourcil septique.

Et elle comprit trop tard qu'elle venait de lui

adresser un nouveau challenge. Décidément, elle accumulait les maladresses !

— Comme tu le sais, je n'exigerai rien que tu ne sois prête à me consentir.

— Et qu'es-tu en train de faire, en ce moment ? rétorqua-t-elle, irritée. N'es-tu pas en train d'exercer une pression sur moi ?

— Pas du tout. J'essaie juste de te faire changer d'avis sur le sexe. D'ailleurs, je n'ai pas besoin de dormir avec toi pour y arriver.

— Vraiment ? fit-elle, mal à l'aise.

— Je t'assure ! affirma-t-il.

Elle le croyait sur parole. N'était-il pas l'un des meilleurs avocats d'Atlanta ? Il ne reculerait devant aucune arme pour la réduire à l'impuissance. Et pour l'instant il misait sur sa voix suave, son regard de braise et son corps athlétique tendu de désir.

Un nœud se forma dans la gorge de Dana.

— Tu es opiniâtre, marmonna-t-elle.

— Sache que je n'abandonne jamais une bataille, Dana, répondit-il.

« A son grand dam, pensa-t-elle alors. Encore que… » Une partie d'elle-même était curieuse de savoir comment il pourrait lui prouver sans coucher avec elle que le sexe était surfait.

Au diable l'hypocrisie ! Oui, elle était bel et bien tentée d'accepter la proposition. A croire que, sous le sortilège de ses beaux yeux, elle avait perdu tout bon sens.

— Voilà, reprit-il d'un ton tranquille, je te propose un jeu. Es-tu prête à jouer avec moi, Dana, à défaut d'être prête pour autre chose ?

— Je t'écoute, concéda-t-elle, un rien agacée.

Jared sourit.

— Il n'y a pas un détail chez toi qui ne me plaise pas. J'aime ton sourire, ton corps, ton esprit, et jusqu'à ta détermination. Je ne coucherai pas avec toi contre ton gré, bien sûr ! En revanche, nous pouvons tester ta résistance. Me fais-tu confiance, Dana ?

— Oui, répondit-elle, comprenant qu'elle venait de sceller un pacte avec le diable.

— Parfait !

Sans ajouter un mot, il la prit dans ses bras et se dirigea vers sa chambre.

— Jared ! se récria-t-elle en se débattant. Tu avais promis que…

— Du calme ! Nous n'allons pas coucher ensemble. Juste nous livrer à un petit jeu.

— Quelle sorte de jeu ?

— Ma version à moi de « Un deux trois, soleil », rebaptisée « Feu vert, feu rouge ».

— Oh…

*
* *

Avec un petit sourire entendu, Jared la déposa sur le lit, d'où il fut heureux de constater l'absence de Tom. D'ailleurs, afin que le félin ne vînt pas interrompre leur petit jeu, il prit soin de fermer la porte de la chambre.

Se tournant vers Dana, il lut une expression d'incertitude sur son visage.

— Tu peux encore te raviser, observa-t-il.

A quoi cela servirait-il d'avoir une partenaire terrorisée ? Par ce jeu, il n'entendait pas servir ses propres besoins, mais au contraire l'introduire aux subtilités de l'amour.

Dana se cala contre la tête du lit tandis qu'il essayait de faire abstraction de ses longues jambes qu'elle venait de croiser. Difficile…

— Non, je n'ai pas changé d'avis, assura-t-elle avec un petit air dédaigneux.

— Parfait, dit-il en retirant sa veste qu'il accrocha au dos d'une chaise. La règle du jeu est très simple. Tant que tu ne me signales pas que le feu est rouge et que je dois m'arrêter, je considère qu'il est vert. Saisis-tu l'esprit de notre petit divertissement ?

Elle hocha la tête avec lenteur, même si visiblement la seule notion qu'elle saisissait, c'était qu'il était fort séduisant… et tout aussi excité. Comment pourrait-il se maîtriser ?

Lisant dans ses pensées, il précisa :

— Il ne s'agit pas de moi, mais de toi. Pour ma part, je peux gérer la situation. Quant à la façon dont je m'y prends, cela ne regarde que moi.

— Très bien.

Jared posa alors un genou sur le matelas et, attirant Dana à lui, annonça :

— Feu vert.

Ces mots à peine prononcés, il posa ses lèvres sur les siennes…

Ce simple contact enflamma son corps. Jamais il n'aurait cru désirer une femme avec une telle ardeur. Quelle leçon pour un homme qui, comme lui, avait tendance à croire qu'elles pouvaient être interchangeables ! Aujourd'hui, il avait honte de ses pensées.

Approfondissant son baiser, il l'embrassa avec la même passion que dans ses rêves, et elle le lui rendit avec une incroyable urgence.

Tout à coup, elle détacha sa bouche de la sienne, pour s'écrier, à bout de souffle :

— Feu rouge !

Devant son regard surpris, elle précisa :

— J'avais besoin de reprendre haleine.

Il ne pipa mot, se contentant de la jauger.

Quand sa respiration fut redevenue normale, elle annonça d'une voix douce :

— Feu vert.

Sans se faire prier, il reprit possession de sa bouche, pressant son corps de façon étroite contre le sien pour qu'elle comprenne l'effet ravageur qu'elle exerçait sur lui. Soudain, il effleura ses hanches, avant de laisser sa main s'égarer sur ses cuisses. Puis entre ses cuisses...

Subitement, il s'immobilisa.

— Feu rouge, dit-il en redressant la tête.

Elle lui jeta un regard dépité.

— Puis-je enlever ton pantalon et ton T-shirt ? demanda-t-il alors, un petit sourire aux lèvres.

Elle le fixa un instant, puis opina du chef : toutes ses résistances avaient fondu sous son regard ardent.

— Feu vert, murmura-t-elle.

Il retint son souffle. Il ne s'attendait pas à une telle permission mais comptait bien la savourer !

Il lui retira d'abord son haut qu'il envoya voler sur le plancher, avant d'admirer son soutien-gorge en dentelle noire.

Qu'est-ce qui se cachait au juste derrière le voile de guipure ? pensa-t-il, gorge nouée par le désir.

Puis son regard fut attiré par ses jambes.

A cet instant, Dana releva les hanches de sorte qu'il puisse descendre son pantalon, qui alla rejoindre le T-shirt par terre. Elle portait une culotte assortie au soutien-gorge. D'un geste habile, il glissa la main dans son dos pour dégrafer son soutien-gorge. Elle laissa alors échapper un petit gémissement, sans toutefois protester.

Etait-il bien certain de contrôler la situation ? se demanda-t-il, inquiet, tandis que le soutien-gorge volait à terre.

Les seins de Dana étaient aussi beaux que voluptueux. Pleins et fermes…

Il croisa son regard. Elle le fixait avec une intensité égale à la sienne.

— Le feu est-il toujours vert ? s'enquit-il dans un murmure tremblant.

— Oui…

Se penchant vers sa poitrine, il se mit à retracer avec ses doigts le cercle de ses mamelons. D'abord l'un, puis l'autre… La respiration saccadée de Dana l'excitait terriblement.

Il captura alors l'un de ses seins dans sa bouche et se mit à le titiller jusqu'à ce qu'il durcisse.

Paupières closes, Dana se retenait de crier de plaisir.

Quand Jared passa à l'autre sein et qu'il se mit à le torturer de façon aussi délicieuse, elle se sentit happée par une brume sensuelle.

Ses rêves étaient bien en deçà de la réalité, pensa-t-elle — au moment précis où il se redressa.

Déconcertée, elle ouvrit les yeux et se heurta aux siens.

— Le feu est-il encore vert ? s'enquit-il.

Elle acquiesça, incapable de prononcer un mot.

Il lui jeta un regard langoureux avant de dessiner, avec sa bouche, un sillon allant de ses seins à son nombril. Sans oublier de caresser son entrecuisse...

Toute envie de résistance abandonna Dana. D'ailleurs, ne venait-elle pas de lui donner le feu vert ? Ce qui l'émouvait, c'était que Jared semblait animé par un seul dessein : lui procurer du plaisir.

Les doigts de Jared se firent de plus en plus pressants sur la dentelle et passèrent bientôt *sous* la dentelle, où ils se mirent à caresser doucement les replis de sa chair... Très vite, les caresses devinrent brûlantes, de plus en plus osées, finissant par lui arracher des gémissements lascifs... Alors, sans cesser de palper son intimité, il bâillonna sa bouche avec fougue.

— Jared ! cria-t-elle tout à coup d'une voix étouffée.

Il releva la tête... Et eut tout loisir de la contempler au moment où elle atteignait l'orgasme.

Quel troublant spectacle ! Elle était si belle dans l'abandon qu'il aurait voulu la garder auprès de lui pour le restant de ses jours...

« Pour le restant de ses jours » ?

Etait-il devenu fou ? Dana n'avait pas de place dans son avenir. Aucune femme n'en avait, d'ailleurs. Pourtant, en dépit du vigoureux rappel à l'ordre qu'il venait de se donner, il l'attira dans ses bras afin d'embrasser son front où perlaient d'exquises petites gouttes de sueur, tandis qu'elle revenait des rivages du plaisir.

Il luttait avec vaillance contre son propre désir qui, en l'occurrence, ne faisait pas partie du jeu. Allons, il saurait attendre son heure !

Après lui avoir donné un ultime baiser — un baiser aussi bref qu'impérieux —, il approcha sa bouche de l'oreille de Dana et susurra :

— Veux-tu sortir avec moi, demain soir ?

Elle recula un peu et lui jeta un coup d'œil étonné.

Comment pouvait-il penser à demain soir alors que son corps tremblait encore des délices qu'il venait de lui procurer ?

Elle n'aurait jamais soupçonné que de simples caresses pouvaient susciter un plaisir aussi intense. Qu'en serait-il quand ils feraient réellement l'amour ?

Elle préférait ne pas s'attarder sur la question.

— Demain ? répéta-t-elle d'une voix fluette.

— Oui. Nous pourrions aller au restaurant, puis au cinéma. Ou bien faire un tour à Stone Mountain.

Bref, rester dans des endroits publics ! Tu es une femme si tentante que la prudence s'impose.

La prudence ? Ne voyait-il donc pas qu'elle était prête à en faire bon marché, sans se soucier des conséquences ?

— Comme tu voudras, répondit-elle pourtant. Je te laisse concocter le programme.

Il se leva et, ramassant les vêtements épars de Dana, les lui tendit.

— C'était mon premier, dit-elle à brûle-pourpoint.

— De quoi parles-tu ?

Elle se mordit la lèvre. Avait-elle raison de lui faire une telle confidence ? Oh, après tout, elle lui devait bien cet aveu, après les émois qu'il venait de lui faire connaître !

— De l'orgasme que tu as provoqué.

Jared la jaugea sans mot dire, sous le choc de la révélation. Quand il eut repris ses esprits, il s'assit sur le rebord du lit, et l'attirant à lui, déclara :

— Je suis heureux de te l'avoir procuré.

— Et moi, je suis heureuse de l'avoir connu avec toi, dit-elle en souriant.

Ce fut avec tendresse qu'il vint alors cueillir un baiser sur ses lèvres. Un baiser qui émut profondément Dana...

— Je t'appelle demain, promit alors Jared.

— Entendu, dit-elle.

C'est alors que, repoussant d'un geste nerveux ses boucles dans son dos, elle ajouta d'un air détaché :

— A propos, j'ai déjeuné avec ta mère, hier.

— Ah bon ?

— Elle m'a appelée pour m'inviter chez Chase. Elle est adorable, Jared. Et l'idée de lui mentir m'est insupportable, même si c'est pour la bonne cause.

— Ne t'inquiète pas à ce sujet. Tout finira par s'arranger, la rassura-t-il.

— Je l'espère, répondit-elle dans un sourire mélancolique.

Elle était loin d'en être aussi convaincu que lui, dans la mesure où la seule chose qui ne devait pas arriver était malgré tout en train de se produire...

Elle était en train de tomber amoureuse de Jared Westmoreland.

7.

— Que voulez-vous dire ? Comment pourrait-il exister la moindre possibilité que cet enfant soit le mien ? interrogea Sylvester Brewster, furieux.

Sans sourciller, Jared sortit les documents de l'enveloppe et les posa sur le bureau sous les yeux de son client.

— Selon le rapport établi à partir de l'examen médical que vous avez subi la semaine dernière, j'ai le plaisir de vous annoncer que vous n'êtes pas stérile, déclara-t-il.

A cette annonce qui contredisait toutes ses convictions, Sylvester s'écroula sur une chaise.

— Mais alors, cette maladie infantile..., commença-t-il, le regard vide.

— D'après le Dr Frye, il se peut qu'elle ait réduit de façon transitoire le nombre de vos spermatozoïdes. Toutefois, elle n'a pas mis en péril votre fertilité.

Sylvester secoua la tête.

— Tout cela est absurde, Jared…

— On vous a mal informé. Le médecin qui a prédit à vos parents la stérilité de leur fils a établi un diagnostic erroné. Par conséquent, il est tout à fait possible que l'enfant de votre femme soit le vôtre ainsi qu'elle le prétend.

Se prenant la tête entre les mains, Sylvester déclara alors, bouleversé :

— Ah, si vous saviez tous les reproches que je lui ai adressés ! Toutes les accusations injustes que je lui ai lancées au visage.

Jared hocha la tête. Il imaginait sans peine la scène.

— Ce rapport indique certes que vous n'êtes pas stérile, reprit-il. Toutefois, il ne certifie pas de manière définitive que vous êtes bien le père de l'enfant. A cet effet, vous devez demander à votre femme de se soumettre à une amniocentèse.

— Une quoi ?

— Une amniocentèse. Il s'agit d'une intervention consistant en un prélèvement du liquide amniotique, et réalisable entre la quatorzième et la vingt-quatrième semaine de grossesse. Les analyses de l'échantillon permettent d'établir la paternité du fœtus. Il faut attendre deux semaines pour connaître les résultats.

— Non ! déclara Sylvester d'un ton catégorique.

Je l'ai assez humiliée jusque-là. Avez-vous lu les tabloïds ? Quelqu'un a dévoilé mes soupçons à un journaliste, et toute la presse les a repris. Jackie ne me pardonnera jamais mon manque de confiance.

Hélas, Jared le craignait lui aussi !

De bonne heure ce matin, il s'était entretenu avec l'avocat de Jackie Brewster qui lui avait indiqué que sa cliente était blessée et bouleversée, mais qu'elle consentait sans problème à un test de paternité. Lorsqu'il serait établi que Sylvester était bel et bien le père de l'enfant, elle entendait le poursuivre en justice et lui faire payer l'humiliation publique qu'il lui avait fait subir.

— Je vous conseille de ne rien entreprendre aujourd'hui, déclara-t-il. Emportez le rapport, lisez-le chez vous à tête reposée, et revoyons-nous la semaine prochaine pour discuter de la stratégie à adopter.

— Je ne veux pas divorcer, Jared, répondit Sylvester. Je souhaite que ma femme revienne à la maison. J'ai eu tort de ne pas lui faire confiance. Je l'aime et je compte lui présenter mes excuses.

Jared se mordit la langue pour ne pas lui rappeler que, deux semaines plus tôt, quand il était encore certain de sa stérilité, il ne lui tenait pas tout à fait le même discours sur sa femme.

— Je comprends, dit-il, hochant la tête. Néanmoins,

je doute que Jackie souhaite une réconciliation en ce moment. Selon son avocat, elle ne désire plus ni vous voir ni vous parler. C'est pourquoi je vous invite à ne pas tenter d'entrer en contact avec elle avant que nous ayons décidé tous deux de la marche à suivre.

Trente minutes plus tard, Jared, posté devant sa fenêtre, réfléchissait à l'affaire.

Sylvester s'était fourré dans un véritable guêpier. L'amour réel qu'il éprouvait pour sa femme avait été altéré par la méfiance radicale qu'il ressentait envers la gent féminine en général. Le mariage avait-il quelque chance de survivre ? Pour le salut de Sylvester, il l'espérait.

Il soupira, puis il se mit à penser à ses propres problèmes qui se résumaient à un nom : Dana Rollins. Rarement il lui était arrivé de se retrouver face à une situation aussi ingérable.

Hier, il avait été pris au piège de son propre jeu. Oui, ce qui s'était passé entre eux l'avait troublé au-delà du raisonnable. Sans même lui faire l'amour, il avait partagé avec Dana des sensations qu'il n'avait jamais connues jusque-là dans les bras d'une maîtresse.

Alors qu'il l'embrassait, la caressait, il avait eu

384

l'impression qu'il ne pourrait jamais plus désirer une autre femme…

Bon sang ! Ces prétendues fiançailles lui montaient à la tête et lui faisaient perdre tout bon sens.

Hier soir, il avait eu un mal fou à la quitter. Quand il l'avait prise une ultime fois dans ses bras, elle s'était blottie tout contre lui, et aucun d'entre eux n'avait prononcé un mot. Seuls les miaulements du chat Tom derrière la porte avaient rompu le silence. La seule pensée du corps chaud et fragile de Dana contre son torse suffisait, même maintenant, à l'exciter…

Il devait passer prendre Dana à 18 heures pour l'emmener dîner. Ce qu'il lui tardait de la voir…

Il regarda sa montre.

Nom d'un chien ! Il l'avait définitivement dans la peau !

Jared fit un geste vers la bouteille de bourgogne qui trônait sur leur table.

— Encore un peu de vin ?

— Non merci, répondit Dana, fuyant son regard.

— Es-tu prête pour ton voyage à Brunswick ?

Contrainte cette fois de le regarder, elle esquissa un sourire forcé.

— Je ne pars que pour un week-end, ma valise sera vite faite, répondit-elle.

— J'aimerais t'accompagner, déclara-t-il à brûle-pourpoint.

Dana ouvrit de grands yeux surpris.

— Pourquoi ?

Il haussa les épaules avant de s'adosser à son siège.

Bonne question ! Parce qu'il venait juste de prendre la décision de l'accompagner, tiens !

— L'idée de te savoir seule au volant pendant de si longues heures me déplaît, argua-t-il.

Dana secoua la tête en souriant.

— C'est un trajet que j'effectue deux fois par an, car je me rends également à Brunswick en septembre pour l'anniversaire de mon père, répondit-elle. La route m'est donc familière.

Ces paroles ne le tranquillisaient nullement.

— Sois équitable, dit-il alors en désespoir de cause. Tu as assisté à l'anniversaire de mon père, laisse-moi partager avec toi celui de ta mère.

Dana se mit à fixer son verre. Etait-elle troublée ? Relevant la tête, elle répondit pourtant :

— Non, Jared, je t'assure que ce ne sera pas nécessaire.

— Cela fait des années que je ne me suis pas rendu

à Jekyll Island, et j'ai très envie de revoir cette île, plaida-t-il alors de sa voix la plus suave.

Dana inspira une longue bouffée d'air.

Sa raison et son cœur menaient une lutte serrée. Jared ne pouvait-il trouver une autre occasion que cet anniversaire pour se rendre à Jekyll Island ? En l'occurrence, elle avait besoin d'être seule. Difficile toutefois de lui dire la vérité. Aussi opta-t-elle pour une approche plus diplomatique.

— Je ne pense pas que partir ensemble soit une bonne idée, Jared.

— Pourquoi ? répliqua-t-il. A cause de ce qui s'est passé hier ?

Au souvenir de leur jeu érotique, un frisson la parcourut. Toute la journée, elle avait refoulé la scène. Ou *tenté* de la refouler…

— Entre autres, répondit-elle.

En silence, elle pria pour qu'il ne la questionne pas plus avant : elle n'avait nulle envie de lui avouer qu'elle était en train de tomber amoureuse de lui.

Je sais que tu redoutes que nous ne couchions ensemble, déclara-t-il alors, compréhensif. Il me semble pourtant avoir été très clair à ce sujet : je ne te forcerai pas la main.

— Pourquoi tiens-tu alors tellement à m'accompagner ? demanda-t-elle sur un ton provocateur.

Les yeux enchaînés aux siens, il répondit d'une voix désarmante de sincérité :

— J'ai envie de passer du temps en ta compagnie. Je souhaite que nous discutions.

A ces mots, elle comprit qu'il lui cachait quelque mystère. Elle commençait à le connaître !

— Que se passe-t-il, Jared ? s'enquit-elle. Y a-t-il du nouveau au sujet de ta mère ?

Il la scruta pendant quelques instants d'un regard pénétrant.

— Mon père m'a appelé ce matin, finit-il par répondre. Ma mère a reçu un appel de l'hôpital : en raison d'une annulation, ils peuvent programmer l'intervention plus tôt que prévu. Elle aura donc lieu la semaine prochaine.

— C'est une excellente nouvelle, non ?

— Oui, mais…

Il laissa sa phrase en suspens.

— Mais quoi ? l'encouragea-t-elle.

— Rien, fit-il. Je pense que je suis encore traumatisé par les résultats de la dernière fois.

Compatissante, Dana pressa la main de Jared pour l'assurer de son soutien. Elle était émue et heureuse qu'il lui fasse part de ses peurs intimes.

— Il ne faut pas perdre espoir, Jared. Je comprends que ce soit une épreuve difficile pour toi, car je sais à quel point tu tiens à elle. Tes prétendues fiançailles avec moi en sont une preuve éclatante.

Elle aurait aimé trouver des paroles plus réconfortantes. Au fond d'elle-même, elle était convaincue que Sarah Westmoreland s'en sortirait. Toutefois, ses intuitions auraient-elles le pouvoir de rassurer Jared ? Elle en doutait.

— Comment tes parents se sont-ils rencontrés ? demanda-t-elle, désireuse de donner un tour plus gai à la conversation.

A cette question, le sourire qui effleura les lèvres de Jared lui réchauffa le cœur.

— Ma mère et tante Evelyn étaient les meilleures amies du monde. Elles ont toutes deux été élevées dans l'Alabama, à Birmingham. Une fois le bac en poche, ma tante est venue passer quelque temps dans sa famille d'Atlanta. C'est là qu'elle a rencontré oncle John. Le coup de foudre a été immédiat.

Jared fit une pause, comme pour méditer sur ses propres paroles.

— Alors, reprit-il, elle a pris sa plus belle plume pour annoncer à ma mère qu'elle était amoureuse et la prier de venir la rejoindre à Atlanta afin d'être son témoin de mariage. Et ce, alors qu'elle connaissait son fiancé depuis une semaine à peine !

Un sourire en coin éclaira de nouveau le visage de Jared, qui poursuivit :

— Ma mère a pris le premier bus pour Atlanta, bien décidée à ramener sa meilleure amie à la raison. Pour sa part, elle ne croyait pas aux coups de foudre.

Dana se mit à rire. Elle imaginait tout à fait Sarah dans ce rôle !

— Que s'est-il passé ensuite ? questionna-t-elle.

— Arrivée à Atlanta, ma mère a fait la connaissance de James, le frère de John, et elle en est immédiatement tombée amoureuse ! déclara Jared d'un ton amusé. Mes parents se sont mariés quelques semaines après mon oncle et ma tante.

Un tendre sourire éclaira le visage de Dana.

— C'est une merveilleuse histoire d'amour, commenta-t-elle.

— N'est-ce pas ? fit rêveusement Jared après avoir avalé une longue gorgée de vin. Cela faisait longtemps que je n'avais pas repensé à la rencontre romantique de mes parents. A l'époque, ils n'ont pas pensé une minute aux difficultés qui pourraient survenir par la suite. Ils s'aimaient et voulaient être ensemble, c'était aussi simple que cela ! A leurs yeux, rien d'autre ne comptait. Et leur coup de foudre perdure encore aujourd'hui…

— Et si nous allions nous promener, à présent ? suggéra Dana. La nuit est belle. Nous pourrons faire un tour dans le parc et profiter de sa quiétude. Qu'en penses-tu ?

— Excellente idée ! soupira Jared. Je savoure d'avance ce moment de paix.

Elle scruta avec attention le visage fatigué de son compagnon et comprit tout à coup qu'il aspirait à la tranquillité, tout simplement. Qu'il avait envie de fuir la grande ville le temps d'un week-end.

En un tournemain, sa décision fut prise.

— Ta proposition de m'accompagner à Brunswick ce week-end est aussi une bonne idée, finalement, ajouta-t-elle. Si tant est qu'elle tienne toujours…

— C'est bien le cas, confirma Jared en souriant.

— Parfait ! conclut-elle d'un ton jovial.

Une heure plus tard, Jared raccompagnait Dana sur le seuil de sa porte.

— J'ai passé une très bonne soirée, Dana, assura-t-il en la prenant dans ses bras.

La voix rauque et tendre de Jared l'émut, et son contact déclencha en elle une cascade de sensations.

— Moi aussi, j'ai apprécié cette soirée en ta compagnie. Veux-tu prendre un dernier verre ?

— Non, il est tard. Je préfère rentrer.

Dana expira lentement… Une partie d'elle-même

se réjouissait qu'il ait décliné son invitation, tandis qu'une autre était déçue. Au fond, elle avait envie de se retrouver en tête à tête avec lui, à l'abri des regards, afin qu'il l'embrasse encore et encore...

C'est alors que, sans prévenir, Jared lui prit la main et l'entraîna hors du cercle de lumière que projetait le réverbère, dans un recoin sombre. Puis, comme dans un ralenti au cinéma, il approcha sa bouche de la sienne et leurs lèvres se touchèrent...

Une chaleur intense, un plaisir renversant s'emparèrent d'elle lorsque la langue de Jared se mêla à la sienne. Alors, s'agrippant à ses épaules pour ne pas vaciller, elle le laissa l'emporter dans un autre monde et déguster sa bouche comme s'il s'était agi d'un festin.

Quand il détacha enfin ses lèvres des siennes, elle posa sa tête contre son épaule afin de reprendre sa respiration.

Jared Westmoreland avait le pouvoir, par un simple effleurement, baiser ou regard, de faire jaillir en elle des flammes de passion !

— Rentre, Dana, murmura-t-il.

Sa voix fébrile, voilée, trahissait son excitation. Excitation qu'elle avait d'ailleurs ressentie de manière plus concrète encore contre son ventre, lorsqu'il la tenait dans ses bras quelques secondes auparavant.

— Bonne nuit, murmura-t-elle, bouleversée, en se dirigeant vers sa porte.

— Fais de beaux rêves, Dana, lui dit-il encore. Demain soir, je dîne avec mes cousins et Reggie, mais je passerai te chercher samedi à la première heure. 7 heures, cela te convient-il ?

Elle se tourna vers lui.

Jared était revenu dans le rond de lumière, et cette lumière sublimait sa beauté. Comme il était difficile de le laisser partir !

— Je serai prête, parvint-elle à répondre.

— Bonsoir.

Une fois qu'elle eut refermé derrière elle, Dana s'adossa à la porte et écouta ses pas s'éloigner… Quelques instants plus tard, le bruit d'un moteur s'éleva dans la nuit. Au bout d'une minute, le silence était revenu à l'extérieur. Alors elle fut enfin en mesure de retrouver son rythme cardiaque habituel.

Comment allait-elle survivre à un week-end entier en tête à tête avec Jared Westmoreland ?

Jared se tenait debout près de Dana, tandis que celle-ci déposait un bouquet de fleurs fraîches sur la tombe de ses parents, à l'intention de sa mère.

Quand il était passé la prendre chez elle, ce matin, elle était déjà pleine d'entrain et enjouée. En somme, tout à fait son opposé au lever : tant qu'il n'avait pas bu au moins deux cafés, lui-même était un véritable ours.

Durant le trajet, ils avaient abordé de nombreux sujets, y compris les souvenirs d'enfance de Dana à Brunswick. Elle avait entre autres choses évoqué les petits plats que mijotait sa mère, puis elle avait parlé de son père, qu'elle attendait chaque soir avec impatience sur le pas de la porte quand il revenait de ses serres de pépiniériste.

Ils s'étaient arrêtés pour déjeuner — seule pause qu'ils s'étaient octroyée avant Brunswick. Une fois arrivés à destination, ils s'étaient mis en quête d'un fleuriste, puis s'étaient rendus au cimetière.

Jared avait alors hésité : devait-il rester dans la voiture et la laisser se recueillir seule sur la tombe de ses parents ? L'envie d'être à ses côtés, de la soutenir dans l'épreuve et de lui faire comprendre qu'elle pouvait compter sur lui avait été la plus forte.

Après avoir arrangé les fleurs, Dana se redressa, resta un instant immobile, puis de façon toute naturelle, inclina sa tête vers Jared.

L'enlaçant par les épaules, il la serra contre lui et demanda avec douceur :

— Tout va bien ?

Elle esquissa un faible sourire. Il était manifeste

qu'elle retenait ses larmes. Il resserra son étreinte, bouleversé par sa tristesse.

— Cette année, c'est un peu plus difficile que d'habitude, expliqua-t-elle, car mes parents auraient dû fêter leur trentième anniversaire de mariage. Ils s'étaient mariés le jour de l'anniversaire de ma mère.

Levant la tête, elle darda vers lui un regard embrouillé de larmes et continua :

— Maman rappelait toujours à papa qu'elle attendait deux cadeaux de sa part, ce jour-là. Et bien sûr, il ne manquait jamais de lui offrir deux présents. Ils s'aimaient beaucoup, tu sais...

Elle s'interrompit un instant, songeuse, avant de reprendre :

— Au fond, il est préférable qu'ils aient perdu tous deux la vie dans cet accident, ils n'auraient pu vivre l'un sans l'autre. Ils se connaissaient depuis le lycée et avaient toujours été très proches. Si complices... Jamais ils ne me donnaient pour autant l'impression que j'étais une intruse. Mon père avait coutume de dire que j'étais la plus belle incarnation de leur amour.

Jared hocha la tête. Il fallait bien admettre que certains mariages duraient toute une vie. Les parents de Dana, les siens, son oncle et sa tante en étaient autant de preuves éclatantes.

Après que Dana eut laissé libre cours à ses émotions, ils demeurèrent silencieux un long moment, enlacés devant la tombe.

Quelle force admirable possédait Dana pour venir deux fois par an ici, faire face à la douleur de la perte ! pensait-il. Il s'imaginait fort mal recevoir un appel de la police lui apprenant la disparition de ses parents dans un accident. Et encore, s'il devait affronter une telle tragédie, il pourrait partager sa peine en famille. Dana avait traversé seule cette terrible épreuve…

Cherchant sa main, il emmêla ses doigts aux siens.

Allons, aujourd'hui, il était avec elle ! Il se félicitait de l'avoir accompagnée, d'être à ses côtés devant la tombe de ses parents, de partager ce moment intime avec elle. Il était fier de pouvoir lui offrir son épaule, sa main.

Et tout à coup, pour la première fois de sa vie, il se sentit en danger. Ou plus exactement, il comprit que son cœur courait un grave péril : celui d'être conquis par Dana Rollins.

— Merci, murmura-t-elle tout à coup en se tournant vers lui.

— De quoi me remercies-tu ? questionna-t-il. Je suis très heureux de partager ce moment avec toi.

Souhaites-tu rester encore un peu, ou bien pouvons-nous partir ?

— Allons-y ! décréta-t-elle.

Une fois dans la voiture, il prit la direction de Jekyll Island, où sa secrétaire leur avait réservé une grande suite dans un hôtel.

— As-tu faim ? s'enquit-il.

— Non, dit-elle. En revanche, je suis épuisée. J'aimerais piquer un petit somme dès notre arrivée à l'hôtel.

Il lui sourit. Sa fatigue ne se reflétait pas du tout sur son visage. Au contraire, elle avait grande allure dans son pantalon et son pull violets. Des vêtements a priori classiques, mais qui soulignaient les formes avantageuses de sa silhouette, comme toujours...

Dana se réveilla en sursaut, le souffle court. Puis elle referma aussitôt les yeux, désireuse de retenir son rêve. Un rêve dans lequel Jared partageait son lit, pressait son corps nu contre le sien...

Elle avait senti l'humidité de sa peau sur la sienne, la perfection de sa musculature sous ses paumes, la texture de son torse contre ses seins durcis...

Oui, elle avait ressenti tout cela. Hélas, uniquement en rêve !

Se redressant sur son lit, elle aspira une profonde

bouffée d'air, puis dégagea ses cheveux de son front en sueur. Lorsqu'il l'avait raccompagnée à la porte de sa chambre, tout à l'heure, et qu'il avait porté sa main à ses lèvres pour déposer un baiser sur son poignet, elle avait compris qu'elle était perdue. Car ce baiser, un concentré de passion, lui avait laissé une marque brûlante sur la peau.

À cette pensée, elle regarda son poignet. Elle y sentait encore la chaleur du baiser de Jared. D'instinct, elle dirigea les yeux vers la porte qui communiquait entre leurs deux chambres. Une porte pour l'instant fermée. Qu'il suffirait d'ouvrir…

Jared était-il dans sa chambre ? Avait-il lui aussi fait la sieste ? Avait-il lui aussi rêvé d'elle ?

Mue par une fébrilité dont elle préférait ne pas expliciter les causes, elle bondit hors du lit.

La visite sur la tombe de ses parents lui avait rappelé à quel point la vie était imprévisible. D'un jour à l'autre, les caprices du destin pouvaient vous précipiter de vie à trépas. C'était pourquoi il convenait de profiter de l'instant. De s'en saisir quand il se présentait, puis de le savourer, de l'étirer…

L'autre soir, Jared lui avait montré tout ce qu'elle avait manqué jusqu'ici. Il lui avait donné une petite idée de ce que pouvait être le plaisir si elle consentait à s'abandonner. Depuis le début, il avait été honnête avec elle. Il ne lui avait pas caché son aversion pour le mariage et les serments. Et il s'en tiendrait à sa ligne de conduite quoi qu'il arrive, elle n'en doutait pas. Dès la semaine prochaine, s'il s'avérait que la grosseur était bénigne, il lui présenterait ses adieux. De cela, elle était aussi sûre que du lever du soleil chaque matin !

Raison de plus pour se construire des souvenirs avec lui, des souvenirs sur lesquels elle pourrait revenir à loisir, une fois qu'il aurait déserté sa vie !

Un léger coup frappé à la porte de communication la fit soudain sursauter. Jared avait devancé son initiative !

Resserrant la ceinture de son peignoir de soie, elle lui ouvrit.

L'odeur de son après-rasage envahit aussitôt son être. Une odeur masculine si troublante ! Jared avait pris une douche, comme l'indiquaient ses cheveux mouillés. Il était beau et sexy, le regard noir, impérial.

Elle sentit les battements de son cœur s'accélérer…

Que Jared Westmoreland fût vêtu d'un costume de ville ou habillé de façon décontractée, c'était le genre d'homme qu'une femme aimerait avoir constamment à ses côtés. Le genre d'homme dont on avait envie qu'il vous déshabille, vous embrasse et vous fasse l'amour avec passion. Le genre d'homme à qui n'importe quelle femme aurait été prête à donner son cœur.

Elle s'était trompée, comprit-elle tout à coup. Elle n'était pas *en train* de tomber amoureuse de Jared, elle l'était *déjà*. Oh oui ! Elle l'aimait de toutes ses forces, son sang courait dans ses veines pour lui, chacune de ses respirations lui était dédiée.

Durant ces dernières semaines, elle avait eu le temps de faire sa connaissance. Elle avait découvert en lui un homme brillant, doté d'un sens peu commun de l'intégrité. Il le lui avait d'ailleurs prouvé dès le premier jour, quand elle avait débarqué comme une tornade dans son bureau. Elle était alors si furieuse contre Luther ! De façon tout amicale, et alors qu'il ne la connaissait même pas, Jared lui avait conseillé de ne pas insister concernant la bague, évoquant l'humiliation et les frais supplémentaires auxquels elle risquait de s'exposer. Rien ne l'y obligeait alors…

Elle lui savait aussi gré de lui avoir prouvé que le sexe n'était pas surfait et que, en compagnie de la personne adéquate, ce pouvait même être une expérience satisfaisante et gratifiante.

Enfin, le fait qu'il l'accompagne à Brunswick l'avait touchée. Par ailleurs, il ne s'était pas dérobé au cimetière. Au contraire. Il lui avait prêté son épaule quand la douleur l'avait submergée…

— J'espère que je ne t'ai pas réveillée, lui dit-il.

Sa voix la ramena au moment présent. Jared regardait derrière elle, en direction de son lit aux draps défaits.

— Non, je l'étais déjà. Et toi, as-tu dormi ?

A cet instant, il lui sourit. Un sourire qui déclencha des petits picotements dans le creux de ses reins... Décidément, elle était plus que réveillée !

— Je ne suis pas parvenu à m'endormir, alors j'ai regardé un match de tennis à la télévision, répondit-il en enchaînant son regard au sien. L'hôtel te convient-il ?

Il aurait fallu être bien difficile pour ne pas apprécier l'hôtel. C'était l'un des établissements les plus huppés de l'île, et leur suite était dotée de balcons donnant directement sur l'océan !

— Tout est parfait, merci beaucoup. Je ne m'attendais pas à un tel luxe !

L'enthousiasme et la candeur de Dana réchauffèrent le cœur de Jared. Alors que la plupart des femmes auraient estimé normal, en raison de sa fortune, qu'il réserve dans un hôtel de luxe, Dana n'avait rien attendu de lui. Et pourtant, elle méritait bien mieux !

Dans son kimono de soie rouge, elle était fort sexy et ne pouvait qu'éveiller la bête qui sommeillait en lui comme en chaque homme. Sans compter ce lit défait, juste derrière eux, qui donnait envie de s'y rouler...

« Du calme, Westmoreland ! » s'ordonna-t-il. Et, pour parer à toute tentation, il lui demanda :

— Veux-tu que nous allions nous promener sur la plage, avant le dîner ? Nous pourrons ensuite soit manger au restaurant de l'hôtel, soit faire monter le dîner dans la suite.

Dana réfléchit un instant.

— Je serai ravie de me promener sur la plage. Et ensuite, dit-elle en le regardant droit dans les yeux, j'apprécierais que nous mangions dans la suite.

— Entendu.

Ils continuèrent à se jauger pendant quelques instants...

Au fond de ses prunelles, elle dut voir une certaine lueur s'allumer. Une lueur qui traduisait qu'il avait saisi le changement qui venait de s'opérer en elle. Et qu'il se préparait à prendre ce qu'elle était prête à lui accorder.

Son regard de braise la prévenait aussi en silence que, son consentement une fois donné, elle ne pourrait plus se dérober.

Qu'il se rassure ! répondaient les prunelles de Dana fixées sur lui. Telles n'étaient pas ses intentions. Le temps leur était compté. Leur bonheur

·serait de courte durée. Voilà pourquoi ils devaient en profiter pleinement.

— Je te laisse t'habiller, lui dit-il, le regard rêveur.

Mais, au lieu de se retirer dans sa chambre pour mettre ses paroles à exécution, il se pencha sur elle et captura sa bouche pour lui donner un long baiser, tendre et sensuel.

Dana gémit faiblement, repoussant de ses mains le torse de Jared en guise de protestation. Celui-ci releva la tête, ses yeux fiévreux rivés aux lèvres qu'il venait d'embrasser.

Il respirait avec difficulté… Nul doute qu'il luttait contre lui-même et se tenait sur la même corde raide qu'elle.

— Je frapperai quand je serai prête, dit-elle dans un murmure.

Il acquiesça et recula d'un pas.

Une fois qu'elle eut refermé la porte derrière lui, Dana s'y appuya un instant. Posant une main sur son cœur, elle tenta alors de reprendre le contrôle d'elle-même.

Quel fantastique baiser ! Qu'ils fussent lascifs ou fougueux, cela ne changeait rien à l'affaire : tous les baisers de Jared la désarmaient et faisaient voler sa raison en éclats. Tous contenaient la promesse de voluptés qu'elle avait à présent hâte de partager avec lui… C'était incontestable, Jared était un maître dans l'art de la séduction.

« Et un excellent professeur ! » pensa-t-elle encore en souriant. Bien sûr, il lui restait encore de nombreuses contrées à découvrir avec lui, mais le peu qu'il lui avait enseigné lui avait déjà ouvert de nouveaux horizons.

A présent, elle entendait bien les élargir.

8.

Si Jared avait eu moins de bon sens, il aurait juré que Dana essayait de le rendre fou. Fou de désir.

Allait-il pouvoir garder son sang-froid encore bien longtemps ? Il était incapable de répondre à cette question. A tout moment il craignait de craquer, de saisir le bras de Dana, de l'attirer sur ses genoux et de la déguster en dessert. Il ne doutait pas un instant qu'elle serait délicieuse.

Tout avait commencé quand elle avait frappé à la porte de communication afin de lui signaler qu'elle était prête pour la promenade sur la plage. Il était resté sans voix devant sa robe dos nu blanche, qui lui arrivait à mi cuisse. Une robe qui faisait plus que laisser deviner la forme de ses seins, celle de son ventre plat, de ses hanches toutes féminines...

Main dans la main, ils s'étaient promenés sur la grève tout en admirant le coucher du soleil sur l'océan. Ils avaient discuté à bâtons rompus de nourriture exotique, d'économie et de leurs auteurs préférés. Puis la conversation avait roulé sur la famille Westmoreland qui attendait avec impatience la naissance des jumeaux de Storm et Jayla, dans quelques mois. A l'évocation du futur événement, la voix de Dana avait trahi une certaine excitation. Malgré lui, Jared avait ressenti de la tristesse à l'idée qu'elle serait alors sortie de sa vie.

Nul doute qu'elle avait deviné ses pensées car, quand il avait tourné les yeux vers elle, il s'était heurté à son regard intense. Un regard qui semblait refléter sa propre nostalgie d'un avenir commun.

Ils avaient terminé la promenade en silence, happés par leurs propres pensées et peu désireux de les partager. Une fois de retour à l'hôtel, chacun avait regagné sa chambre afin de se préparer pour le dîner.

Une heure plus tard, un groom avait disposé les plats commandés sur la table du salon. Il avait pris soin de disposer des bougies sur la table et d'insérer un CD de musique romantique dans le lecteur de disques. De toute évidence, on les prenait ici aussi pour des amoureux.

Ce qu'ils ne seraient jamais, pensait Jared en terminant son dessert.

Pour la seconde fois de la journée, il se sentait impuissant, paralysé... L'idée que Dana et lui devraient bientôt se séparer l'obsédait. Il aurait aimé se ressaisir, refouler cette pensée pour se concentrer sur le présent — la femme sublime qui, assise en face de lui, sirotait son champagne en toute quiétude et le fixait de ses beaux yeux noirs par-dessus le rebord de sa coupe.

Que pouvait bien penser Dana en ce moment ?

Elle n'avait pas été très bavarde durant le dîner, et l'avocat qui sommeillait en lui, habitué aux silences qui précèdent habituellement les révélations, attendait avec patience qu'elle s'exprime. Ou qu'elle lui livre au moins un indice sur les sentiments qui provoquaient sa réserve.

— A quoi penses-tu ? finit-il par demander devant son mutisme persistant.

Dana reposa son verre, et un sourire mystérieux éclaira ses traits.

— A toi, répondit-elle. Je pensais que je te sais gré d'être venu avec moi et que je suis heureuse de pouvoir profiter de ta compagnie.

— C'est un sentiment partagé, lui assura-t-il.

Il était sincère. C'était la première fois de sa vie qu'il se sentait si décontracté lors d'un dîner avec une femme. Une femme si belle et si désirable…

— Tout à l'heure, déclara Dana après un silence, tu as mentionné une fête chez Thorn et Tara et tu m'as prié de te rappeler que tu voulais m'en dire davantage à ce sujet.

— Exact, confirma-t-il. Il s'agit de leur premier anniversaire de mariage. Ils prévoient d'organiser une réception le vendredi qui suit la fête des Mères. Je voulais m'assurer que tu serais libre pour y participer.

Le visage de Dana s'assombrit d'un coup.

— C'est-à-dire deux semaines après l'opération de ta mère, observa-t-elle.

— Cela présente-t-il un problème ?

— Je croyais que si, après l'opération, il était établi que la grosseur n'était pas maligne, nous ne…

Elle s'interrompit brusquement.

Lui prenant la main par-dessus la table, Jared l'encouragea :

— Nous ne quoi ?

— Nous ne nous verrions plus parce que tu aurais mis un terme à nos prétendues fiançailles.

Sur ces mots, elle le fixa avec de grands yeux désespérés.

Il se rembrunit. Dana ne venait-elle pas de lui rappeler les propos qu'il lui avait tenus au tout début de la mascarade ? Toutefois, de nouveaux éléments étaient intervenus entre-temps, et ils ne pouvaient pas en faire abstraction.

— Mes parents, et surtout ma mère, trouveraient

singulier que nous rompions juste après les résultats des analyses, expliqua-t-il. A mon sens, il serait préférable d'attendre un bon mois avant de lâcher notre bombe.

Une bombe qui n'atteindrait pas que les membres de sa famille, mais dont il recevrait aussi la déflagration en plein cœur.

— Pourquoi repousser l'échéance, dans la mesure où il faudra bien tôt ou tard mettre un terme à la situation ? argua Dana. Nous ne pouvons pas continuer à mentir ainsi à tout le monde !

Jared contempla pendant quelques secondes la main de Dana qu'il tenait toujours dans la sienne. Puis il la relâcha à regret.

— Tu as sûrement raison, concéda-t-il. Si la grosseur se révèle bénigne, ce que j'espère de toutes mes forces, il se peut que la réception de Thorn et Tara soit la dernière à laquelle nous assistions ensemble. Cette date te convient-elle mieux ?

— Oui, répondit bien vite Dana avant de détourner le regard.

Un long silence s'abattit entre eux. Le compte à rebours avait donc commencé : ils n'avaient plus que trois semaines devant eux.

— Le dîner était délicieux, déclara Dana au bout d'un moment, en s'essuyant délicatement la bouche avec sa serviette brodée aux initiales de l'hôtel.

Une bouffée d'adrénaline traversa Jared. Il aurait tant aimé, du bout de sa langue, retirer les minuscules miettes de gâteau qui étaient restées accrochées aux lèvres de Dana…

D'un mouvement brusque, il se leva. Il devait de toute urgence cesser de fantasmer sur elle !

Nerveux, il déboutonna le premier bouton de la chemise blanche qu'il avait revêtue pour le dîner et qui formait un contraste harmonieux avec la robe noire de Dana, fendue sur le côté. Un peu trop haut d'ailleurs pour sa tranquillité personnelle, avait-il pensé quand elle avait pénétré dans le salon de la suite, tout à l'heure. Il avait eu hâte qu'elle s'assoie !

Lorsque Dana se leva elle aussi de table, son calvaire recommença.

— Comme la vue est belle ! déclara-t-elle en s'approchant des portes-fenêtres pour admirer l'océan.

— Elle est magnifique, approuva-t-il de façon quasi machinale.

Mais il préférait encore, sans conteste, celle qu'il avait juste devant lui, dans le salon.

— Quand les étoiles vont s'allumer, ce sera magique, renchérit-elle.

En prononçant ces mots, elle tourna vers lui un regard brillant et ajouta dans un sourire sublime :

— Quoi de plus merveilleux qu'un ciel étoilé au-dessus de la mer ?

Cette fois, il fut à deux doigts de craquer et de lui dire que ce qui serait plus magnifique encore, c'était de faire l'amour *au-dessous* d'un ciel étoilé.

Sur une impulsion, il s'approcha d'elle en silence. Un silence rythmé par la seule respiration saccadée de Dana.

Ce fut alors que son parfum féminin envahit tout son être...

Pas la simple eau de toilette qui sort d'un flacon. Non ! Une fragrance sublimée par la peau de Dana et qui prêtait à celle-ci une senteur unique. Une odeur qu'il avait déjà sentie lorsqu'ils avaient joué à « Feu vert, feu rouge ». Une odeur bien particulière, à laquelle se mêlait le souffle contenu de la passion.

— Portons un toast !

Les paroles de Dana, brisant le silence, le firent presque sursauter.

— A quoi souhaites-tu que nous portions un toast ? demanda-t-il d'une voix rauque.

Il était toujours obsédé par des pensées érotiques, tenaillé par l'envie de plus en plus irrésistible de tomber à genoux devant Dana et de s'enivrer d'elle.

— A la vie, répondit-elle sans hésiter.

— La vie ? fit-il, en dardant sur elle un regard dubitatif.

— On ne sait jamais ce que l'avenir nous réserve, expliqua-t-elle. A tout instant et n'importe où, la vie peut nous être reprise. C'est pourquoi il faut en profiter sans attendre. Cueillir le bonheur au moment où il se présente. Parce que, quand c'est fini, c'est pour de bon. C'est irréversible.

La vie…

Comme la sienne était différente depuis que Dana y avait fait irruption, telle une tornade ! En l'espace d'à peine huit semaines, songea-t-il, il avait fait sa connaissance, l'avait présentée à sa famille qui avait cru sans difficulté à leurs prétendues fiançailles, lui avait offert un énorme diamant — qu'il n'avait pas l'intention de reprendre — et avait occupé les deux semaines précédentes à jouer vingt-quatre heures sur vingt-quatre le rôle d'un homme très amoureux.

Prétendre que Dana Rollins n'avait pas affecté sa vie eût été mentir.

— Entendu, portons un toast à la vie, dit-il enfin en prenant leurs coupes sur la table.

Il lui tendit la sienne. Et lorsque le cristal tinta, leurs regards s'attachèrent l'un à l'autre et le restèrent, tandis que chacun avalait une gorgée.

— Veux-tu te divertir un peu ? proposa soudain Dana, l'œil aussi pétillant que les bulles du champagne.

— Quel genre de divertissement envisages-tu ? s'enquit-il en sourcillant.

Un sourire illumina le visage de Dana.

— Une partie de cache-cache, expliqua-t-elle d'une voix douce. Je me cache, et tu dois me chercher.

Cette fois, Jared se mit à sourire lui aussi. Le jeu lui paraissait tout à fait plaisant.

— Et que se passe-t-il quand je te trouve ?

— Ça dépend, fit-elle d'un air à la fois amusé et mystérieux.

— De quoi ?

— De l'endroit où tu me trouves.

— Les cachettes sont assez limitées, ici, dit-il en balayant la pièce du regard.

— Nous ne nous restreindrons pas dans le salon. Nous disposons de toute la suite, c'est-à-dire aussi de nos deux chambres.

Jared fut alors tenté de lui dire que, quelle que soit sa cachette, son odeur la trahirait. Il s'en garda toutefois. L'idée du petit jeu était trop excitante.

— Parfait. Que dois-je faire ?

— Sortir dans le couloir quelques instants, répondit-elle d'un air malicieux. Quand tu reviendras, la suite sera plongée dans le noir et je pourrai être cachée dans ta chambre, dans la mienne ou dans le salon.

Jared hocha la tête. Jamais il ne s'était livré à de

tels jeux auparavant. Et s'il avait été l'initiateur du premier, il était ravi qu'elle lui en propose un deuxième. Avec Dana, la vie réservait des surprises !

— Cinq minutes, annonça-t-il. C'est le temps que je te donne pour te cacher. Ensuite, je rentre, que tu sois prête ou non.

Avant de se diriger vers la porte, il lui adressa un ultime regard. Un sourire fripon flottait sur les lèvres de la jeune femme. Un sourire renversant. Elle venait sans doute de trouver une idée de cachette…

Il referma soigneusement la porte derrière lui.

Cinq minutes plus tard, pas une seconde de plus, pas une de moins, Jared rentra dans la suite.

Dans la pénombre, il inspecta d'abord le salon… N'y tenant plus, il appuya sur l'interrupteur et, lorsque la lumière inonda la pièce, aperçut les sandales de Dana près du sofa.

Il en ramassa une, l'examina. Elle était ravissante, tout à fait adaptée à ses petits pieds et ses charmantes chevilles.

Reposant la chaussure, il jeta un coup d'œil au sofa. La sandale n'était pas le seul objet qu'elle avait laissé derrière elle, il vit une écharpe couleur vert anis abandonnée sur l'accoudoir. Celle qu'elle portait autour du cou lors de leur promenade.

Il balaya la pièce du regard, les sens en alerte. La porte de la chambre de Dana était entrouverte, il la poussa et alluma une lampe qui projeta une lumière tamisée. D'un regard circulaire, il scruta la pièce.

Rien à l'horizon, pas le moindre bruit.

C'est alors que ses yeux tombèrent sur un tas d'étoffe froissée : la robe de Dana gisait sur le sol, dans le cercle de lumière de la lampe.

Il sentit son pouls s'accélérer : ils ne jouaient donc pas à un jeu innocent ! Il l'avait pressenti depuis le début, sans soupçonner que cela prendrait si vite un tour érotique. Oh, il n'allait pas s'en plaindre ! Dana n'était-elle pas censée l'en aviser, quand elle consentirait à ce que leur relation passe à la vitesse supérieure ?

Ces vêtements savamment parsemés représentaient sa façon à elle de lui indiquer qu'elle était prête. A lui à présent de la trouver ! Il était le chasseur, et elle la proie consentante...

D'un pas déterminé, il se dirigea vers la petite cuisine qui comportait un comptoir et une table. Personne. Il ouvrit le placard. Il était vide.

Revenant sur ses pas, il alla inspecter la salle de bains de Dana. Pas de trace d'elle, à part un soutien-gorge en dentelle rouge suspendu à la tringle de la douche.

Il s'en saisit et le porta à ses lèvres. Il était de plus en plus excité.

De nouveau, il pénétra dans la chambre de Dana, s'agenouilla devant le lit, regarda dessous, mais n'y trouva rien. Il ouvrit le placard. Egalement vide. Il se rendit sur le balcon. Désert, lui aussi.

La frustration et l'excitation commençaient à former un cocktail explosif en lui... Dana allait devoir payer pour les tortures qu'elle lui infligeait, pensa-t-il tout en se dirigeant vers la porte de communication afin de rejoindre sa propre chambre.

Porte qui était *fermée*, alors qu'elle ne l'était pas lorsqu'il était entré dans la salle de bains.

Le désir étreignit ses reins.

Il posa doucement la main sur la poignée. Au contact inattendu d'un bout de tissu, il baissa les yeux : un chiffon de dentelle rouge y était suspendu. Il s'en empara.

C'était minuscule, toutefois il identifia sans peine ce que c'était et d'où cela provenait.

Fourrant le string de Dana dans sa poche, il ouvrit la porte et pénétra dans la chambre obscure. Il prit soin de bien refermer derrière lui.

Dana retenait son souffle. Jared l'avait enfin trouvée !

Elle l'avait entendu réintégrer la suite et avait suivi chacun de ses pas. Il l'avait d'abord cherchée dans sa chambre avant de venir ici. Il ne s'attendait sûrement pas à ce qu'elle ait choisi son lit comme cachette et se soit glissée nue entre ses draps en l'attendant.

Elle avait pris sa décision en connaissance de cause, pour ne pas avoir de regret le jour où il sortirait de sa vie, et pour pouvoir revivre en pensée, encore et encore, les souvenirs de la nuit qui se préparait. Elle se la rappellerait toute sa vie, elle en était certaine, car Jared était homme à laisser des souvenirs impérissables.

— Je sais que tu es ici, Dana, murmura-t-il d'une voix lascive, sans allumer la lumière.

A présent, outre ses pas, elle percevait son souffle irrégulier. Plus il se rapprochait du lit, plus elle-même éprouvait des difficultés à respirer…

Tout à coup il appuya sur l'interrupteur, et la chambre fut baignée de lumière.

Aussitôt, leurs regards s'enchaînèrent, chacun retenant son souffle. Avec lenteur, Jared laissa dériver son regard vers le drap qui recouvrait son corps nu. Puis il croisa de nouveau ses prunelles.

— Je t'ai trouvée, dit-il d'une voix râpeuse. Qu'est-ce que j'ai gagné ?

— Tout ce que tu désires, lui répondit-elle d'un ton suggestif.

Un léger sourire passa sur les lèvres de Jared, tandis que le désir obscurcissait ses yeux.

— Sans restriction ? fit-il.

— Aucune...

— En es-tu bien certaine ?

— Absolument.

Son sourire se fit plus sensuel tandis qu'il repoussait une boucle qui lui caressait la joue.

— Tu sais, je ne supporterai pas que tu me pries de m'arrêter, une fois que j'aurai commencé à te faire l'amour. Tu es vraiment prête ?

— Oui, confirma-t-elle.

— Sans regret ?

Elle prit une profonde inspiration.

Oh, elle avait saisi le sens profond de sa question... Il lui rappelait que rien n'avait changé dans leur contrat. Tôt ou tard, il la quitterait.

Eh bien, tant pis ! Elle était prête à payer le prix. Ce qu'elle voulait, c'était saisir le moment. Profiter de la vie avec lui.

— Non, Jared, lui dit-elle d'un ton catégorique. J'assumerai les conséquences.

Sur cette affirmation, elle se redressa, et le drap qui recouvrait son corps glissa.

— Comptes-tu passer la nuit à discuter ? demanda-t-elle. Ou bien allons-nous mettre à exécution ce sur quoi nous nous sommes entendus ?

— C'est-à-dire ?

— Profiter un peu l'un de l'autre.

— Un peu ?

Elle sourit.

— Pleinement, corrigea-t-elle.

Alors, sans lui laisser le temps de respirer, Jared la prit dans ses bras et unit sa bouche à la sienne, provoquant une explosion de passion entre eux. Une digue venait de céder, les émotions affluaient sans que l'un ou l'autre ne puisse ni ne veuille lutter contre. Il lui donna un baiser fougueux, impérieux. Au bout de quelques minutes, quand il releva la tête, elle était pantelante, tremblante…

Le regard intensément rivé à elle, il déboucla son ceinturon.

Une onde de chaleur traversa alors le corps de Dana pour venir se nicher entre ses cuisses.

— Cette nuit, annonça Jared dans un murmure sensuel, je vais enfin me livrer avec toi à tout ce dont je rêve depuis le début. Cette fois, tu ne seras pas seule : je t'accompagnerai et je partagerai ton plaisir.

Sur ces mots, il retira sa chemise, et elle eut tout loisir de contempler son superbe torse. Une force extraordinaire émanait de sa musculature… Jetant sa chemise sur une chaise, il entreprit de retirer chaussures et chaussettes. Puis il déboutonna son pantalon.

— Tu m'as fait attendre, Dana. Mais ma patience va être récompensée.

Elle ne répondit rien, les yeux attachés au moindre de ses gestes. Elle ne fut pas peu impressionnée par le spectacle qui s'offrit lorsque le pantalon de Jared tomba à terre.

— Intéressant, murmura-t-elle en croisant son regard.

Il se mit à rire.

— Ah bon ? C'est tout ce que je t'inspire ?

— J'attends de voir si les promesses seront tenues, fit-elle dans un rire nerveux.

Il la gratifia d'un sourire entendu.

— Ne crains rien, les apparences ne sont pas trompeuses.

La réalité de ce qu'ils s'apprêtaient à faire s'imposa soudain à eux dans la chambre silencieuse… L'intensité de leurs regards enchaînés reflétait la complicité qui liait leurs âmes.

Entièrement nu, Jared s'approcha avec lenteur du lit et s'empara de sa main. Puis il la porta à ses lèvres et l'embrassa avec ferveur.

— Ne crois pas qu'il s'agisse pour moi d'une relation charnelle de plus, dit-il alors. J'ai bien conscience que je vis une expérience extraordinaire et exceptionnelle avec toi.

A ces mots, l'amour que Dana éprouvait pour cet homme s'en trouva décuplé. Elle n'en pouvait plus de l'attendre. L'attirant vers elle, elle le fit chavirer sur le lit. Sur elle.

Leurs chaleurs se mêlèrent instantanément.

Enserrant le visage de Dana entre ses mains, Jared se mit à en étudier les traits, comme pour graver à tout jamais dans son esprit le souvenir de cet instant.

Puis, de nouveau, il l'embrassa. Avec fièvre, urgence. Il ne parvenait pas à se rassasier de sa bouche, comme s'il lui fallait prendre une revanche sur le temps perdu. Un formidable feu avait pris possession de son être, une passion qui le dépassait. Sous lui, Dana poussait de petits gémissements, tout en palpant ses épaules de ses doigts affolés…

Mu par le besoin de reprendre sa respiration — et celui de la protéger   , il détacha enfin sa bouche de la sienne et déclara, d'une voix brûlante de désir :

— Nous avons oublié un petit détail.

Il se releva alors pour aller chercher un préservatif dans la poche de son pantalon. Mauvaise pioche : au lieu d'en sortir son portefeuille, il retira le string de Dana.

— Jolie petite chose ! observa-t-il sans se laisser décontenancer.

— Ravie qu'elle te plaise ! répondit celle-ci dans un éclat de rire mutin.

Il fouilla alors dans son autre poche et en sortit cette fois ce qu'il recherchait. Sous le regard attentif de Dana, il mit le préservatif…

— Je te plais, ainsi ? s'enquit-il.

— Tu me plairas davantage encore quand je ne verrai plus rien, répondit-elle d'une voix languide.

Cette réponse bien sentie le fit frémir d'impatience. Décidément, il ne se reconnaissait plus ! Pourtant, il était catégorique : ce manque de contrôle n'était pas dû à une abstinence trop longue, mais bien à la femme qui allait se donner à lui.

S'allongeant sur le lit, Jared attira le corps chaud de Dana contre lui. Des émotions nouvelles, troublantes le submergèrent aussitôt. Il l'embrassa à pleine bouche, avant de se saisir de ses seins pour les titiller et les caresser avec une égale ardeur. Puis il glissa sa main vers la partie la plus intime de son corps…

Comme dans ses rêves les plus fous, elle était prête pour lui. Avec lenteur, il se laissa glisser contre sa peau chaude et humide, et sa bouche épousa bientôt la fleur de son intimité…

— Jared !

La façon urgente dont elle avait crié son nom le

bouleversa. Sans attendre, il se redressa et, recouvrant son corps avec le sien, plongea en elle.

Une fièvre insensée les consuma tous deux quand il se mit à chalouper au-dessus d'elle. Les sensations qu'il ressentait étaient si vives qu'elles en devenaient irréelles. Incapable de ralentir le rythme, il allait et venait en elle à une cadence folle...

Soudain, Dana rejeta la tête en arrière, terrassée par la volupté. Il enfouit alors la tête dans son épaule délicate, et les spasmes de la passion secouèrent tout son corps.

Lorsque le plaisir reflua peu à peu, Jared se rendit compte qu'il n'avait jamais partagé un transport si extatique avec une femme. L'envie de la serrer très fort contre lui et de la posséder de nouveau l'envahit alors...

Une terrible vérité le frappa soudain : quand l'heure viendrait de se séparer de Dana, il devrait affronter l'épreuve la plus difficile de sa vie.

Peu après minuit, Jared, nus pieds et vêtu de son simple caleçon, était appuyé contre la balustrade du balcon. Le flux et le reflux des vagues, sur la grève, s'accordaient avec le halètement de son souffle et le battement accéléré de son cœur.

Il tentait tant bien que mal de se remettre de ses émois.

Dana et lui s'étaient étreints à plusieurs reprises, dévorés chaque fois par le même feu. Toutefois, il n'était pas dupe : au-delà des étreintes physiques, c'était son cœur que Dana avait atteint. Et s'il ne s'était agi que de son cœur ! Elle avait même su creuser un chemin jusqu'à son âme — d'où elle n'était pas repartie.

Lorsque tous deux avaient été à bout de force, il s'était étendu sur le dos, tandis que Dana sombrait dans le sommeil. Longtemps encore, il avait ressenti les soubresauts du plaisir. Quand il avait tourné la tête vers la belle alanguie à ses côtés, il avait été surpris et ému par la sérénité qui émanait d'elle.

Loin de partager son calme, en proie à des sentiments qu'il ne parvenait pas à identifier, il s'était levé et avait enfilé son caleçon pour venir s'abîmer dans le spectacle de l'océan. Avant de franchir le seuil de la porte-fenêtre, il s'était retourné une dernière fois pour contempler Dana : la lumière argentée de la lune baignait son corps, l'entourant d'un halo quasi surnaturel. On aurait dit la Vénus d'un tableau de la renaissance italienne.

Revenant au présent, Jared soupira.

Peu importait le nombre de femmes qu'il avait connues avant Dana et toutes celles qu'il connaîtrait après, c'était désormais dans les bras de cette seule enchanteresse qu'il ressentirait un plaisir total.

Il se retourna, sentant tout à coup la présence de Dana dans son dos. Sa gorge se noua lorsqu'il constata qu'elle avait revêtu sa propre chemise, qui lui couvrait à peine les cuisses.

— Quand je me suis réveillée, je me suis sentie bien seule dans le lit, lui reprocha-t-elle.

Il se garda de lui dévoiler qu'il s'était levé dans l'unique dessein d'instaurer une distance entre eux. Qu'il avait eu besoin d'être seul quelques instants afin de retrouver ses esprits. Que faire l'amour avec elle avait renversé tout son être…

— J'avais envie d'entendre le son de l'océan, de voir la lune et les étoiles, murmura-t-il.

La voix presque tremblante, toujours aveuglé par le désir violent qui ne l'avait pas quitté, il ajouta :

— Sais-tu ce que je souhaite par-dessus tout, à présent ?

— Dis-le-moi, dit-elle dans un souffle.

— Te refaire l'amour.

Il aurait aimé avoir la force de se taire, afin qu'elle regagne sa chambre et qu'ils savourent un repos bien mérité dans des lits séparés.

Trop tard ! La nuit venait de prendre un tour inattendu. Quand Dana s'avança vers lui pour se blottir contre son torse, il ne lui resta plus qu'à ouvrir les bras.

Il l'étreignit avec un empressement qui le surprit. La maîtrise de lui-même qu'il avait cru recouvrer s'était de nouveau évaporée.

Câline, Dana se pressa contre lui et noua ses bras autour de son cou. Ils demeurèrent un long moment corps et âme emmêlés, se communiquant l'un l'autre leur fièvre respective...

Tout à coup, il la souleva de terre.

Quelques secondes plus tard, ils roulaient sur le lit...

Il captura sa bouche pour lui donner un baiser sensuel et impérieux. Les gémissements pressants qu'elle laissa alors échapper lui indiquèrent qu'il était inutile de poursuivre les préludes...

D'un geste preste, sans prendre le temps de la déboutonner, il fit passer la chemise par-dessus la tête de Dana et retira son propre caleçon.

Après s'être protégé, il revint vers elle, une idée fixe en tête : lui démontrer par des caresses brûlantes, toutes plus osées les unes que les autres, le sortilège qu'elle exerçait sur lui, le désir qu'elle lui inspirait.

Oui, il avait la ferme intention de passer le reste de la nuit avec l'ensorceleuse.

Néanmoins, quoi qu'il arrive, il ne pouvait pas lui permettre de se loger définitivement dans son cœur, pensa-t-il encore, avant de plonger en elle. Quoi qu'il arrive...

9.

— Merci d'être venue, Dana.

Le visage tendu de Jared trahissait l'inquiétude qu'il nourrissait au sujet de sa mère et des résultats de son opération.

Dana lui adressa un sourire rassurant tout en glissant sa main dans la sienne et en entremêlant ses doigts aux siens.

— Ne me remercie pas, lui dit-elle. Je voulais être à tes côtés.

Elle jeta un coup d'œil à la pendule accrochée au mur de la salle d'attente. Les médecins leur avaient annoncé que l'opération serait de courte durée. Dès qu'elle serait terminée, leur avait-on assuré, on viendrait informer la famille.

Reggie avait accompagné leur père à la cafétéria, au rez-de-chaussée. Leur tante et leur oncle étaient eux aussi venus à l'hôpital. Ils attendaient dans le couloir, près de la fenêtre. Quant aux autres frères de Jared, ils appelaient toutes les cinq minutes pour s'enquérir des dernières nouvelles. En cas de crise, les Westmoreland se serraient les coudes, ce que Dana admirait.

— Veux-tu que j'aille te chercher un café ? proposa-t-elle.

— Non, merci, répondit-il en souriant. Je n'ai pas besoin de café.

Il se pencha vers elle et lui murmura à l'oreille :

— Ce dont j'ai vraiment besoin, tu ne peux pas me le donner maintenant. Nous en reparlerons plus tard.

A ces mots, elle se mit à rougir, tout en priant pour que personne ne remarque son trouble.

Depuis leur retour de Jekyll Island, Jared et elle passaient de plus en plus de temps ensemble. Il l'avait invitée à dîner chez lui, et plusieurs fois au restaurant. Ils étaient également allés au cinéma et chez Chase où, en compagnie de ses cousins, ils avaient fêté l'anniversaire de Thorn.

Et chacune de leurs nuits d'amour surpassait la précédente.

Dana adorait se réveiller dans les bras de Jared. Elle n'éprouvait aucun remords au sujet de leur liaison, mais avait plutôt le sentiment d'un accomplissement complet. Tout comme elle ne pouvait cesser de respirer, elle était incapable de résister à Jared. Ils partageaient désormais une intimité profonde et bien particulière. Quand elle y pensait, elle en avait les larmes aux yeux.

Il l'avait de nouveau invitée à dîner chez lui ce soir, et elle s'en réjouissait.

Pourvu qu'ils puissent fêter de bonnes nouvelles ! pensa-t-elle en croisant les doigts.

Le père de Jared était revenu de la cafétéria et faisait à présent les cent pas dans le couloir. Toutes les têtes se tournèrent vers le Dr Miller quand il déboucha du bloc chirurgical, l'air impénétrable.

James Westmoreland et ses deux fils allèrent à sa rencontre.

Jared était incapable de sortir quelque son que ce soit de sa gorge.

— Comment va-t-elle ? demanda son père d'une voix étranglée.

Un sourire éclaira le visage du médecin.

— Votre femme se porte bien, déclara-t-il en posant une main rassurante sur l'épaule de celui-ci. Les premiers résultats confirment qu'il ne s'agissait que d'un amas adipeux. Dès que les effets de l'anesthésie se seront dissipés, elle pourra rentrer à la maison. Bien sûr, elle devra venir en consultation la semaine prochaine pour une visite de contrôle.

Jared poussa un énorme soupir de soulagement. A côté de lui, Reggie rayonnait.

— Merci, docteur, dit James. Merci mille fois.

— Je vous en prie, répondit ce dernier.

Se tournant vers Jared et Reggie, il demanda alors :

— Lequel d'entre vous est fiancé et doit bientôt se marier ?

— Moi, répondit Jared en sourcillant. Pourquoi ?

— Parce que votre mère ne cessait de parler de votre futur mariage avant que l'anesthésie ne fasse effet, expliqua le Dr Miller en riant. Cette perspective la remplissait de bonheur, et elle se disait impatiente de se lancer dans les préparatifs. Félicitations !

Sur ces mots, le médecin prit congé.

Jared se tourna alors vers Dana qui était restée assise dans la salle d'attente vitrée, ne souhaitant pas jouer les intruses dans le cercle familial.

Au moment où leurs regards se croisèrent, il la vit serrer plus étroitement la bandoulière de son sac à main.

Geste inconscient et révélateur, pensa-t-il. Dana avait accepté de façon complaisante de poursuivre la mascarade pendant deux semaines supplémentaires. Il mesurait toutefois à quel point la situation devenait pesante pour elle.

D'ailleurs, ne l'était-elle pas tout autant pour lui ? se dit-il, frustré. Après la « rupture », les souvenirs continueraient de le hanter et ne lui laisseraient aucun moment de répit.

Prenant sa respiration, il la rejoignit.

— Maman va bien, annonça-t-il.

— Oui, je l'ai compris, répondit-elle dans un doux sourire.

Incapable de résister à la tentation, il se pencha et lui posa un bref baiser sur la bouche.

— Je vais finir par croire que la prédiction de ta mère va s'avérer ! claironna tout à coup James Westmoreland dans son dos.

Jared pivota.

— Quelle prédiction ? demanda-t-il, bien qu'il soupçonnât à quoi son père faisait allusion.

Après avoir souri à Dana, son père dirigea de nouveau son regard vers lui.

— Le fait que, selon elle, nous célèbrerons un mariage Westmoreland avant la fin de l'été !

Dana était tombée amoureuse du domicile de Jared dès qu'elle en avait franchi le seuil, il y avait tout juste une semaine. La maison, à l'image de son propriétaire, était fascinante. Située dans l'un des quartiers les plus chic d'Atlanta nord, spacieuse et lumineuse, elle possédait un nombre impressionnant de pièces. Chacune d'elles était décorée avec

432

goût, et le mobilier provenait des boutiques les plus cotées de la ville. Les plafonds en forme de voûte, les tapis épais, les toiles coûteuses qui recouvraient les murs, les antiquités, tout indiquait l'aisance, sans pour autant être ostentatoire. Il était manifeste que Jared aimait les belles choses.

Elle avait enfin visité le fameux « cinéma permanent » dont elle avait tant entendu parler. En revanche, elle n'avait pas encore découvert la piscine intérieure.

Ce serait pour bientôt, avait promis Jared.

— Fais comme chez toi, lui dit celui-ci en la débarrassant de sa veste.

La soirée venait juste de commencer. Ils avaient passé la majeure partie de la journée chez les parents de Jared, une fois sa mère sortie de l'hôpital.

— Puis-je t'aider à faire quelque chose ? proposa-t-elle en voyant Jared se diriger vers la cuisine.

— Non, tout est déjà prêt.

— C'est-à-dire ? questionna-t-elle en riant. Hamburger et soda ?

— Allons, je n'offre pas ce genre de nourriture à mes invités ! répondit-il, d'un air mi-offusqué mi-amusé. C'est une recette de chez Chase : un poulet à la créole. Je l'ai préparé ce matin avant de partir pour l'hôpital. Je n'ai plus qu'à confectionner une salade et ouvrir une bouteille de vin.

Cet homme était décidément parfait, pensa Dana, mélancolique, en le regardant sortir le plat du réfrigérateur puis dresser la table.

— Tu es bien certain que je ne peux pas t'être utile ? insista-t-elle.

Lors de sa dernière invitation, il avait tout acheté chez le traiteur.

— Je t'assure, je n'ai pas besoin d'aide, dit Jared en lui adressant un beau sourire. D'ailleurs, tu en as fait bien assez pour aujourd'hui. Je te suis si reconnaissant d'avoir pris un congé pour être présente à l'hôpital. Ton geste a beaucoup touché ma famille. Surtout ma mère…

Il s'interrompit un instant, la gorge visiblement nouée par l'émotion, avant de conclure :

— Je suis si heureux qu'il n'y ait pas de récidive ! En toute honnêteté, je m'étais préparé au pire.

Dans un élan de compassion, elle lui pressa le bras.

— Allons, le cauchemar est terminé.

Jared hocha la tête, tandis que les doigts de Dana communiquaient une chaleur excessive à tout son corps. Leurs regards s'enchaînèrent, et un silence ambigu s'abattit dans la cuisine.

Pourquoi éprouvait-il toujours une envie si forte d'étreindre Dana ? se demanda-t-il.

Les images de leur nuit d'amour précédente lui

revinrent à la mémoire. Ils étaient allés au cinéma, et dès leur retour, la porte à peine fermée, le désir s'était emparé de sa personne. Un désir irrépressible... Comme s'il était possédé par une force qu'il ne maîtrisait plus.

La soulevant de terre sans prévenir, il avait emporté Dana dans sa chambre, lui avait arraché ses vêtements, avait administré le même sort aux siens avant de recouvrir son corps du sien et de lui faire l'amour.

Tout comme il en avait envie à présent.

Au moment où il allait s'approcher d'elle, le sort en décida autrement : la sonnerie du micro-onde se mit à retentir. « Et zut ! » s'exclama-t-il pour lui-même.

Un sourire déconfit aux lèvres, il déclara :

— Je suppose qu'il est l'heure de passer à table.

— Je le suppose aussi, répondit-elle d'un ton fataliste.

Hum, hum ! Dana avait vu clair en son jeu, conclut-il en posant le plat sur la table.

— Et si nous piquions un plongeon ? proposa-t-il une fois qu'ils eurent fini de dîner. Es-tu une bonne nageuse ?

— Mes parents m'ont appris très tôt à nager, lui

répondit-elle. De sorte qu'à quatre ans, j'étais déjà un véritable petit poisson. Il faut dire que nous habitions près de la mer, ce qui a facilité mon apprentissage. Seulement, il y a un petit problème.

— Lequel ?

— Je n'ai pas de maillot de bain.

— Ne t'inquiète pas, lui assura-t-il. Je vais t'en prêter un.

A ces mots, Dana se rembrunit.

Comprenant qu'elle se méprenait sur la présence de ce genre d'article chez lui, il s'empressa de préciser :

— Ne fais pas cette tête ! Je t'assure que ce n'est pas ce que tu crois. Il s'agit du maillot de bain de Delaney. Elle le laisse toujours ici pour pouvoir profiter de la piscine à son gré.

L'attirant à lui, il ajouta :

— Ma cousine est la seule femme avec qui j'ai nagé dans la piscine.

Jamais, nota-t-il, troublé, il n'avait éprouvé auparavant le besoin de se justifier. Avec Dana, toutes ses habitudes se trouvaient bouleversées...

A cet instant, elle se dégagea de son étreinte.

*
* *

Jared ne lui devait aucune explication, se dit Dana. Ce n'était pas comme s'ils étaient *réellement* fiancés.

— Désolée, je n'ai aucun droit d'exiger des comptes, jeta-t-elle. Ce que tu fais ne me regarde pas.

— Inutile de t'excuser, dit-il en rivant sur elle un regard de braise.

Elle sentit alors le souffle chaud de son haleine contre sa joue. L'instant d'après, les lèvres de Jared effleuraient les siennes, et il lui susurrait d'une voix languide :

— Cela étant, tu peux tout aussi bien te passer de maillot de bain...

— Jared ! se récria-t-elle, gênée, avant de marmonner : Je n'ai jamais fait de naturisme.

L'espace d'une seconde, un frisson d'excitation la traversa cependant.

— Ne dit-on pas qu'il y a un début à tout ? argua Jared.

Il la jaugea avec malice, avant d'ajouter d'une voix enjôleuse :

Viens nager avec moi, Dana !

Et, passant un bras autour de sa taille, il l'entraîna alors à l'étage inférieur.

Elle se laissa guider sans protester. Dans cette maison enchantée, en compagnie de cet homme magique, elle avait l'impression de vivre un rêve.

L'odeur du chlore titilla ses narines comme ils traversaient un passage voûté plongé dans l'obscurité. Jared appuya sur l'interrupteur, et la lumière révéla un espace fourmillant de verdure au centre duquel s'étendait une piscine d'un bleu presque fluorescent.

Des murs en brique et un plafond de verre servaient d'écrin à ce havre nautique. La lune et les étoiles scintillaient au-dessus, lui prêtant une atmosphère féerique.

— Veux-tu mettre le maillot de Delaney ou préfères-tu nager en tenue d'Eve ? questionna Jared.

— Je me sentirai plus à l'aise avec un maillot, répondit-elle pudiquement.

Jared lui adressa un regard en coulisse.

Elle comprenait sans peine le sens de ce regard. Etait-elle bien la même femme qui avait joué à cache-cache avec lui dans leur suite de Jekyll Island ? Elle avait alors fait preuve de toutes les audaces. Pourquoi jouait-elle ce soir les effarouchées ?

— Autant te prévenir : j'ai la ferme intention de te le retirer à la première opportunité, lui dit-il avant de mordiller le lobe de son oreille.

Dana laissa échapper un petit soupir, puis ferma les paupières. Heureusement qu'il la tenait par la taille, sinon elle aurait vacillé !

— Je me doutais que tu m'attirais dans un piège, dit-elle en souriant.

— Au moins, je ne te prends pas en traître.

Il la conduisit ensuite vers le vestiaire.

— Tu peux te changer ici. Tu trouveras des serviettes et la tenue de bain de ma cousine.

— Et toi ? Ne te changes-tu pas ?

— Non, répliqua-t-il, l'œil malicieux. Je préfère nager en tenue d'Adam.

Sur ces mots il tourna les talons, et elle l'entendit peu après plonger dans la piscine.

D'une main fébrile, Dana dégrafa les boutons de son chemisier tout en inspectant le vestiaire.

Les murs et le plafond étaient tapissés de miroirs, de sorte qu'elle se voyait sous tous les angles. Une banquette-lit occupait un coin de la pièce.

Avec combien de femmes Jared avait-il fait l'amour dans cette pièce aux cent miroirs ? Peut-être qu'aucune n'avait nagé avec lui dans sa piscine, ainsi qu'il l'affirmait. En revanche, elle avait tout lieu de croire que cette banquette avait servi à des étreintes amoureuses.

Refoulant de son esprit les images affreuses de Jared avec ses maîtresses, elle fit glisser sa jupe à terre. Inutile de se torturer ! Elle n'avait aucun droit sur la vie privée de Jared Westmoreland, compris ?

Hélas ! La raison était impuissante devant la force

de ses sentiments : elle l'aimait tellement que l'envisager dans les bras d'une autre lui brisait le cœur.

Bon, il était urgent qu'elle pense à autre chose.

Elle se rappela le délicieux poulet à la créole qu'il lui avait confectionné, et le vin léger et fruité qui l'accompagnait.

Jared était de merveilleuse humeur, ce soir. Depuis qu'il savait sa mère à l'abri d'une nouvelle tumeur, il était bien plus détendu, délivré d'un fardeau. Durant le dîner, il avait redoublé de sourires et de prévenance, et le bonheur s'était mélangé au désarroi dans son propre cœur : force lui était d'admettre qu'elle ne contrôlait plus rien.

Et puis il y avait ses beaux yeux sombres, si profonds, si intelligents, qu'il n'avait cessé de darder sur elle pendant le repas… Oui, Jared était un homme brillant. Il avait fait fortune sans l'aide de personne, à la seule sueur de son front. Il méritait le faste dans lequel il vivait. Il avait su se battre sans que cela ne l'ait pour autant endurci, car il possédait également une grande sensibilité.

Jamais elle ne pourrait l'oublier, conclut-elle, nostalgique. Elle l'aimerait toute sa vie.

En soupirant, elle attacha ses cheveux. Elle devait garder les idées claires et ne surtout pas spéculer sur un avenir que Jared ne pouvait pas lui offrir.

Quelques instants plus tard, en tenue de bain, elle se contemplait dans les miroirs.

Jared n'avait pas précisé qu'il s'agissait d'un Bikini. Et quel Bikini ! Il dévoilait plus de chair qu'elle n'en avait jamais montré à la piscine.

Jared l'avait déjà vue nue, pourquoi se sentait-elle si timide en sa compagnie, ce soir ?

Peut-être était-ce à cause du désir ardent qu'elle lisait dans ses yeux chaque fois que leurs regards se croisaient. Sans compter les propos qu'il lui avait tenus concernant le maillot de bain qu'il lui retirerait à la première occasion… Elle en frissonnait d'avance.

Se saisissant d'une serviette, elle s'enroula dedans et sortit du vestiaire.

Jared avait diminué la lumière. Il se tenait à l'autre extrémité de la piscine, dans l'eau jusqu'à mi-corps, les coudes sur le rebord, à l'affût de son arrivée.

Le savoir nu attisa le feu qui couvait en elle.

Enlève cette serviette, Dana, ordonna-il.

Sa voix de velours était aussi troublante que son regard brûlant. Avec lenteur, elle s'approcha du bord, les yeux rivés sur lui.

— Et si je n'obtempère pas, que se passera-t-il ? demanda-t-elle sur le ton de la fausse naïveté.

Il esquissa un sourire.

— Dans ces conditions, je devrai sortir de l'eau et te la retirer moi-même, prévint-il. J'en profiterai alors pour enlever ton Bikini.

— N'est-ce pas ce qu'on appelle une menace, cher maître ? fit-elle en rejetant la tête en arrière, mains sur les hanches.

A cet instant, Jared disparut sous l'eau. Quelques secondes plus tard, il en émergeait tout près d'elle.

— Ce n'était pas une menace, nuança-t-il alors, mais une promesse.

Elle recula d'un pas tandis qu'il se hissait sur le rebord. C'est alors qu'elle remarqua le préservatif qu'il cachait dans le creux de sa paume… Il avait donc une idée bien précise en tête !

Tout ruisselant, Jared se tenait à présent devant elle. Sans prononcer un mot, il se pencha vers sa bouche qu'il captura gentiment tout en dénouant sa serviette.

Elle la sentit tomber à terre avec un ravissement et un effroi mêlés. Néanmoins, elle était bien trop occupée par leur baiser pour se préoccuper de ses états d'âme. En vérité, elle éprouvait une sorte de joie à laisser Jared mettre ses menaces à exécution.

Détachant ses lèvres de celles de Dana, Jared fit glisser son regard le long de son corps.

— Comme tu es belle, murmura-t-il. Et ce Bikini te sied à merveille. Même si tu ne vas pas le porter longtemps.

D'une chiquenaude, il retira le haut du maillot de bain, puis fit courir sa langue sur les épaules nues de Dana. Il imprima ensuite quelques baisers à son cou, avant de capturer ses seins avec sa bouche.

Avec méthode, il fit ensuite rouler le bas de son maillot sur ses hanches, tout en s'agenouillant devant elle.

— Ton corps me laisse sans voix, Dana, chuchota-t-il entre deux baisers sur son ventre… Sans parler de ton parfum, ajouta-t-il en levant les yeux vers elle.

Elle scrutait le moindre de ses gestes et de ses caresses. Ce qu'elle pouvait être excitante ! En avait-elle seulement conscience ?

— J'adore t'embrasser partout, poursuivit-il.

Il l'entendit gémir quand sa bouche se referma sur son intimité. Et lorsqu'elle se cambra contre lui, il redoubla de caresses.

Jared !

Son cri le stimula et, quand les frissons du plaisir parcoururent le corps de Dana, il se redressa pour la serrer dans ses bras.

— C'est trop… Trop fort, Jared.

— Comment dois-je le prendre ?

— Comme un compliment, j'imagine.

Jared se mit à rire, et ce rire sensuel fit frémir Dana.

— Comment cela ? fit-il mine de s'insurger. Tu n'en es pas certaine ?

— Donne-moi le temps de retrouver mes esprits, répliqua-t-elle en nouant ses bras autour du cou de son tortionnaire. Alors, je pourrai te répondre.

— Hors de question ! trancha celui-ci. J'ai trop envie de toi…

De nouveau, il lui donna un baiser ravageur, brûlant.

— Viens, allons nager, ajouta-t-il.

La température de l'eau était douce et agréable, comme l'océan sous les tropiques.

Ils effectuèrent une première longueur, puis une deuxième. Et, avant qu'elle n'ait le temps de reprendre son souffle, elle se retrouva dans les bras de Jared, sa bouche unie à la sienne, son corps collé contre le sien.

Cet homme allait la rendre folle !

— Enroule tes jambes autour de ma taille, lui murmura-t-il.

Sans hésiter, elle obtempéra et chercha son regard.

Un regard qu'il soutint tandis qu'elle se refermait

sur sa virilité. Alors il se mit à aller et venir en elle, et elle se donna à lui avec passion.

Un torrent d'émotions et de plaisirs déferlait en elle, emportant son âme vers des contrées magiques. Lorsqu'il se mit à chalouper de façon plus violente contre elle, elle lui emboîta le pas, prête à toutes les turbulences...

Elle s'agrippait aux épaules de Jared, enfonçait ses doigts dans sa chair, sentant le plaisir monter avec une force inouïe en elle...

Soudain, elle poussa un cri voluptueux et, à son tour, Jared s'abandonna au vertige, murmurant son nom d'une voix tremblante tandis que les flammes de la passion consumaient son regard.

10.

— Je veux que ma femme revienne, Jared ! s'écria Sylvester Brewster. Elle refuse de me voir ou de me parler. Que me conseillez-vous de faire ?

Jared soupira.

Comment Sylvester pouvait-il attendre une réponse de sa part, alors que lui-même avait des problèmes personnels épineux à résoudre ?

Presque deux semaines s'étaient écoulées depuis l'opération de sa mère, et Thorn et Tara donnaient leur réception ce soir. En d'autres termes, le dernier acte de la pièce que Dana et lui jouaient depuis quelque temps allait se dérouler dans une dizaine d'heures. L'acte de la rupture…

— Jared ! M'écoutez-vous ?

Il tourna la tête vers son client qui arpentait nerveusement son bureau et grimaça.

Si Sylvester pensait qu'un avocat détenait la clé de ce genre de problème, il se trompait. Il était spécialisé dans les divorces, pas dans l'art de sauver un mariage.

— Avez-vous essayé la supplication ? demanda-t-il avec lassitude.

La dernière fois qu'il s'était entretenu avec l'avocat de Jackie Brewster, ce dernier avait affirmé que sa cliente avait hâte d'exaucer le vœu initial de son mari, à savoir divorcer, car elle refusait de rester l'épouse d'un homme qui l'avait accusée à tort d'infidélité.

— Jared, je suis sérieux, fit Sylvester en sourcillant.

— Moi aussi ! Selon l'avocat de votre femme, celle-ci réclame le divorce et affirme qu'il n'y a aucune chance de réconciliation entre vous.

A ces mots, Sylvester s'effondra sur la chaise la plus proche, accablé.

— Je ne peux pas la perdre, commença-t-il. Je l'aime et je suis prêt à tout pour sauver mon mariage. J'ai eu tort. Elle a toujours été une excellente épouse et je regrette d'avoir tiré des conclusions hâtives et erronées sur sa conduite. En réalité, j'avais du mal à admettre qu'une femme puisse m'aimer à ce point et m'être toute dévouée.

Derrière son bureau, Jared s'adossa à son siège.

Qu'il était singulier de voir Sylvester abattu à cause d'une femme ! Dans le passé, celui-ci mettait bien vite un terme à une relation et passait à la suivante, en général parce qu'une remplaçante attendait de prendre la place de la précédente. Ce n'était pas le cas aujourd'hui. Il était manifeste que Sylvester était amoureux de sa femme.

« Amoureux ». Ce mot éveillait en lui l'image de Dana…

Assez ! Il refusait de se laisser entraîner sur ce terrain-là. Ce qu'il ressentait pour cette femme, c'était du désir, un désir si fort qu'il en était effroyable. Mais de là à s'engager dans une relation stable avec elle… Non, il était temps de rompre !

— Que puis-je faire, Jared ? Je suis désespéré.

Jared sursauta. Sylvester était son client, il avait besoin de ses conseils.

— Ecoutez, commença-t-il, je vais tenter d'organiser une rencontre privée entre Jackie et vous, sans ma présence ni celle de son avocat. Je ne peux rien vous promettre, cependant je vais faire l'impossible. Lors de ce tête-à-tête, il ne tiendra qu'à vous de la convaincre que vous êtes digne de son pardon.

A ces mots, une lueur d'espoir s'alluma dans les yeux de Sylvester, et l'optimisme se lut de nouveau sur ses traits.

Jared n'eut alors plus aucun doute sur les sentiments que son client nourrissait pour sa femme.

*
* *

— Tout va bien, Dana ? s'enquit Cybil après l'avoir scrutée avec attention pendant une bonne minute.

Dana leva la tête du document qu'elle consultait et esquissa un sourire forcé.

— Oui, merci.

Puis elle détourna bien vite les yeux, sachant qu'elle ne pouvait pas cacher longtemps ses émotions à quelqu'un comme Cybil.

— Si tout va bien, peux-tu me dire pourquoi tu as pleuré ? insista celle-ci.

— Je n'ai pas pleuré, se défendit Dana, tête plongée dans son document.

— Allons, ne fais pas l'enfant ! Je ne supporterai pas que Jared Westmoreland te brise le cœur.

Nerveuse, Dana se leva pour aller se poster devant la fenêtre. Elle se mit à fixer le spectacle de la rue et, quand elle fut certaine que sa voix ne tremblerait pas, elle reprit la parole.

— Je n'ai pas le cœur brisé, protesta-t-elle. J'ai apprécié chaque moment passé en compagnie de Jared.

— Et tu es folle amoureuse de lui, compléta son amie d'un ton fataliste.

A cet instant, Dana virevolta brusquement et avoua sur un ton presque rageur :

— Oui, je suis amoureuse de Jared ! Je ne recherchais pas l'amour, c'est arrivé malgré moi. J'aime Jared de tout mon cœur et je ne regrette rien.

— Parfait ! Et maintenant, que comptes-tu faire ?

— Nous voilà arrivés au bout du chemin, lui et moi, répondit-elle en se mordant la lèvre. Ce soir nous mettons un terme à nos prétendues fiançailles, et demain je serai de nouveau célibataire.

Comme elle prononçait ses mots, Dana sentit son cœur se pincer de douleur.

Comment retrouver la sereine solitude qui était la sienne autrefois, après avoir connu six semaines de bonheur avec Jared ? Pas uniquement avec lui, d'ailleurs, mais avec tous les membres de la tribu Westmoreland, qui avaient comblé son besoin d'appartenir à une famille.

— Ben et moi allons dans les îles Amelia ce week-end, pour assister à un tournoi de tennis. Viens avec nous ! proposa Cybil.

Dana lui adressa alors un sourire rassurant.

— Je survivrai, ne te fais pas de souci, assura-t-elle, avant d'ajouter dans un rire : Ce n'est pas la première fois que je fais face à une rupture.

— A la différence près que, cette fois, la séparation ne te laisse pas indifférente.

— C'est vrai, concéda Dana.

— Et seras-tu prête à répondre aux questions qui

t'attendront lundi au bureau ? Aux commérages ? Aux spéculations ?

Dana soupira en se passant la main dans les cheveux. La perspective n'avait rien de réjouissant, néanmoins elle donnerait le change.

— Je suis capable de faire front, Cybil, déclarat-elle dans un sourire.

Pourtant, en prononçant ces mots, elle comprit qu'elle proférait un mensonge.

— Pourquoi ai-je l'impression que tu n'es pas en forme, ce soir ?

Jared adressa un sourire en coin à son cousin Storm qui venait de lui poser la question, puis il porta sa coupe de champagne à ses lèvres.

— Je ne sais pas, répondit-il pour gagner du temps. Pourquoi, à ton avis ?

Storm émit un petit rire.

— On m'a toujours dit que si l'on veut une réponse directe, il ne faut pas s'adresser à un avocat.

Moi aussi, j'ai entendu cet adage, confirma-t-il d'un air distrait.

Il balaya alors la pièce d'un regard circulaire.

Thorn et Tara avaient convié de nombreux invités à leur premier anniversaire de mariage. Au bout d'un an, il ne s'était toujours pas accoutumé à l'idée que Thorn était marié. Il n'aurait jamais cru qu'il existât une femme assez courageuse pour supporter le caractère bourru de son cousin. Il avait aujourd'hui la preuve qu'il s'était trompé. Tara semblait avoir maîtrisé l'ombrageux Thorn, et il était manifeste que le couple était amoureux.

Le mariage de Storm, six mois auparavant, avait constitué une autre surprise, et il repensa à toutes les modifications intervenues depuis dans la vie de ce dernier. Lui qui était l'un des célibataires les plus volages de la ville et qui jurait ses grands dieux qu'il ne se marierait jamais, que lui était-il arrivé ? Storm était à présent un époux comblé, sur le point d'être père de famille. Bon sang, il allait devoir passer aux aveux.

— Que s'est-il donc passé ? questionna-t-il à brûle-pourpoint.

— De quoi parles-tu ? fit son cousin, intrigué.

— De ton mariage. Tu avais juré que tu ne tomberais jamais sous la coupe d'une femme. J'aimerais savoir ce qui s'est passé pour que tu changes d'attitude de façon si radicale.

Un large sourire barra alors le visage de Storm.

— Comme tu es toi-même fiancé et que tu vas te marier, je ne comprends pas réellement le sens de ta question, commença-t-il. Toutefois, si tu veux

452

comprendre la logique de certains mécanismes, la réponse réside en un mot : l'amour.

A cet instant, les yeux de Storm pétillèrent.

— J'ai tout simplement rencontré une femme sans qui je ne peux pas vivre, poursuivit-il. Au début, je pensais qu'il s'agissait d'une attirance physique très forte entre nous. Et puis, j'ai dû me rendre à l'évidence : nous avions dépassé ce stade. J'appréciais sa compagnie, j'aimais sortir avec elle, la voir sourire, échanger des idées avec elle. Elle était différente de toutes les femmes que j'avais connues auparavant.

Un sourire rêveur passa sur les lèvres de son cousin tandis qu'il continuait :

— Il m'a fallu du temps avant de comprendre la véritable nature de mes sentiments. De mesurer ce que je risquais de perdre si je m'enfermais dans le déni. J'ai donc décidé de me laisser guider par mes sentiments. J'avais besoin d'intégrer Jayla à ma vie, sa présence m'était aussi vitale que l'air que je respirais.

Troublé par son discours, Jared observa :

— Tu étais vulnérable.

— J'étais amoureux, c'est tout. Je ne pouvais et ne voulais pas me soustraire aux filets de l'amour, car Jayla avait donné un nouveau sens à ma vie. Et il me semble bien qu'il t'arrive la même expérience avec Dana ! Cela saute aux yeux, jamais je ne t'ai connu si prévenant envers une femme. Tu l'aimes, mon vieux. Il va falloir t'y habituer.

Songeur, Jared avala un long trait de champagne.

Comment son cousin réagirait-il s'il lui avouait que ses fiançailles avec Dana n'étaient qu'une mascarade ?

Alors qu'il allait répliquer, Tara et Dana surgirent sur le patio.

La maison du couple était terminée depuis peu, et Tara, qui en était très fière, avait invité Dana à faire le tour du propriétaire.

— Voici ta fiancée, Jared ! commenta Storm avant de conclure sur un ton confidentiel : Si tu es aussi intelligent que je le crois, quels que soient les doutes qui se sont formés dans ton cerveau, ils vont vite se dissiper. Dana est une véritable perle. A ta place, je n'hésiterais pas une seconde à lui passer la bague au doigt de manière définitive.

— Et que penses-tu du risque encouru ?

— Quel risque ?

— Le divorce !

— Ta profession déforme ton jugement, Jared ! s'exclama Storm. La vie est une succession de risques. Chaque fois que je quitte la caserne pour aller éteindre un feu, je cours un danger. A trop se questionner sur ce qui *pourrait* arriver, on finirait par ne plus rien faire. Prendre des risques en vaut parfois la peine. Sur ces mots, laisse-moi te fausser compagnie pour retrouver ma chère épouse.

Perdu dans ses pensées, Jared le regarda s'éloigner, avant de reporter son attention sur Dana qui lui adressa un sourire. Un sourire qu'il lui rendit, comme si tout était naturel entre eux. Comme s'ils étaient le couple idéal que sa famille voyait en eux...

La rapidité avec laquelle Dana s'était intégrée à la famille Westmoreland était troublante. Aujourd'hui, à la voir discuter avec les membres féminins de la tribu, on la prenait sans peine pour une des leurs. Oui, elle semblait tout à fait à sa place ici.

Le regard toujours attaché à Dana, il eut alors une révélation : Storm *avait raison*. Même s'il l'avait nié jusque-là, la vérité était criante, il était amoureux ! Il avait besoin que Dana partage sa vie et désirait demeurer pour le restant de ses jours à ses côtés.

Durant les six dernières semaines, il avait dû se répéter sans cesse que tous deux jouaient la comédie. Et que, même s'il appréciait la compagnie de Dana, il devrait un jour mettre un terme à leur relation, réintégrer son existence de célibataire et fréquenter de nouveau des femmes peu désireuses de s'engager pour la vie.

Combien de fois n'avait-il pas été tenté d'oublier que ses fiançailles étaient factices ! Pourtant, la lucidité l'avait chaque fois rappelé à l'ordre : ne constatait-il pas chaque jour les désastres qu'engendraient les mariages malheureux ? Pourquoi vouloir s'engager lui-même dans cette voie ?

Et malgré tout, Storm avait raison : certains risques en valaient la peine. Qui plus est, imaginer Dana dans les bras d'un autre représentait une pensée inacceptable.

Oh, il avait bien tenté de résister, de se persuader qu'il confondait désir et amour. En vain ! Il savait désormais que ce qu'il ressentait pour elle, c'était bel et bien de l'amour. Un amour d'une rare pureté. D'ailleurs, pour être honnête avec lui-même, il devait admettre qu'il était tombé amoureux d'elle dès l'instant où elle était entrée en trombe dans son bureau.

Quels étaient toutefois les désirs intimes de Dana ? L'aimait-elle ?

Il n'y avait qu'une seule façon d'en avoir le cœur net : le lui demander. Si Dana l'aimait, tout serait simple. Si tel n'était pas le cas, il devrait s'appliquer le conseil qu'il avait donné à Sylvester ce matin même : recourir à la supplication.

Oui, s'il le fallait, il la supplierait, car il n'avait nulle intention de la laisser partir. Qu'il doive faire appel à la raison ou à la séduction, il ferait tout ce qui était en son pouvoir pour gagner son cœur à tout jamais.

Ce soir-là, quand Jared raccompagna Dana chez elle, elle n'eut pas à le prier d'entrer. Il lui emboîta le pas sans mot dire, de manière toute naturelle.

Elle en fut soulagée. Ils allaient donc passer une ultime nuit ensemble, et elle comptait bien graver des souvenirs magiques dans son cerveau. Après quoi, elle lui redonnerait la bague et tout serait fini.

Tout à l'heure, après qu'elle eut visité la maison avec Tara, Jared lui avait paru changé. En quoi, elle n'aurait su le dire… En tout état de cause, pour un homme qui s'apprêtait à annoncer de façon imminente à sa famille qu'il avait rompu ses fiançailles, il s'était montré bien trop prévenant ce soir pour être crédible par la suite. Par ses baisers répétés, ses tendres enlacements, il avait au contraire donné l'impression qu'ils formaient un couple tout à fait amoureux. Et puis il y avait eu ces regards qu'il n'avait cessé de darder sur elle. Des regards pénétrants, insistants… Au cours d'une conversation, il s'était même arrêté de parler pour enchaîner ses prunelles aux siennes, avant d'enserrer son visage entre ses mains et de l'embrasser avec langueur devant toute sa famille.

C'était alors qu'il lui avait murmuré de façon lascive à l'oreille :

— Rentrons…

Et voilà ! Ils étaient à présent seuls au monde pour la dernière fois, chez elle.

Qu'avait-il en tête ? s'interrogea-t-elle lorsqu'il referma la porte derrière eux. Quoi que ce fût, elle était bien décidée à ne pas perdre la face. Non, elle ne s'écroulerait pas quand il lui dirait au revoir, tout à l'heure. Au revoir pour toujours…

— C'était une belle réception, n'est-ce pas ? fit-elle en tâchant de prêter un tour convenu à la conversation.

Appuyé contre la porte, Jared la jaugea d'un regard pensif.

— Effectivement, elle était réussie, répondit-il.

— Thorn et Tara ont l'air si heureux ensemble. Leur bonheur fait plaisir à voir.

— C'est vrai. Tous mes cousins sont heureux en amour.

— Penses-tu que Chase va lui aussi suivre leur exemple ?

— Je le crois, quand il aura trouvé la femme qui lui convient.

Dana hocha la tête. Et lui Jared, changerait-il un jour d'avis au sujet de l'amour et du mariage ? Ou bien laisserait-il l'influence de son milieu professionnel dicter pour toujours sa vie privée ?

Bah, à quoi bon s'appesantir ?

Sur une impulsion, elle retira sa bague et la lui tendit.

— Il est temps que je te la redonne, lui dit-elle.

Jared prit la bague qu'elle lui tendait… Et la lui repassa aussitôt au doigt.

— Non, garde-la.

— C'est impossible, répliqua-t-elle, à la fois choquée et incrédule.

— Pourquoi ? Tu voulais bien garder celle de Cord, il me semble.

— C'était différent. J'entendais la revendre pour faire face aux dépenses engagées pour le mariage. En revanche, nos prétendues fiançailles ne m'ont rien coûté.

« A part son cœur », ajouta-t-elle en silence, tout en se mordant la lèvre.

Alors un flot d'émotions la submergea, parmi lesquelles le désespoir. Était-il possible que, dans quelques minutes, quelques heures, Jared franchisse pour la dernière fois le seuil de sa porte ? Allons, du calme ! Elle ne devait pas gâcher leur ultime soirée. Leur relation n'était pas placée sous le signe de la mélancolie…

Interrompant là ses réflexions, Jared se pencha vers elle pour unir d'autorité sa bouche à la sienne.

Tout de suite, elle nota une différence. Oh, ce baiser était aussi passionné que les autres ! Il déclenchait autant de frissons sur sa peau. Et pourtant, il comportait un élan de tendresse qui lui alla droit au cœur, lui faisant venir les larmes aux yeux...

Quand Jared détacha sa bouche de la sienne, elle manqua vaciller. Son cœur battait à toute allure dans sa poitrine.

— Jouons à un dernier jeu, proposa-t-il d'une voix rauque.

La proposition était tentante. Et les prunelles de Jared l'étaient tout autant.

— Lequel ? demanda-t-elle la gorge serrée.

— « Vérité ou défi ? » Le connais-tu ?

— Oui, j'y jouais à l'université.

— Inutile, donc, que je t'en explique les règles ?

Elle secoua la tête, tout en supposant que Jared avait sa propre version du jeu.

Quel genre de défi allait-il inventer ? Quant à la vérité... Parviendrait-elle à mettre son cœur et son âme à nu devant lui et à répondre avec sincérité à ses questions ?

— Nous pouvons donc commencer, décréta Jared. A toi l'honneur.

— Vérité ou défi ? demanda-t-elle en prenant une large inspiration.

— Vérité, dit-il dans un grand sourire.

Après un court instant de réflexion, elle demanda :

— Qu'est-ce qui t'a plu le plus ce soir, chez Thorn et Tara ?

— Ta compagnie.

Sa réponse inattendue lui coupa le souffle. Avant qu'elle ne retrouve ses esprits, il enchaîna :

— Vérité ou défi ?

— Vérité.

— Qu'est-ce qui t'a plu le plus ce soir, chez Thorn et Tara ?

Elle qui espérait qu'il ne lui retournerait pas la question. Manqué ! Si elle avait apprécié la soirée dans son ensemble, elle avait tout de même une préférence pour un moment précis.

— Quand tu m'as embrassée devant tout le monde…

Le regard de Jared parut s'assombrir, son souffle se faire plus lourd.

— Vérité ou défi ? demanda-t-elle à son tour d'une voix fluette.

— Défi.

Dana déglutit avec difficulté.

— Je te mets au défi de m'embrasser comme si

j'étais l'unique femme au monde que tu désireras jamais, déclara-t-elle alors.

Le désir cingla les reins de Jared.

Dana avait-elle conscience de sa beauté, de sa sensualité à cet instant précis, alors qu'elle proférait ce défi ? Un défi qui n'en était pas un, puisqu'il ne pourrait plus jamais désirer une autre femme qu'elle.

Si elle ne le savait pas encore, il était temps qu'il le lui apprenne.

Avec douceur, il l'attira à lui. Puis, sans transition, il prit possession de sa bouche avec toute la passion et toute la fièvre qui le dévorait. Il l'entendit gémir gentiment, la sentit frémir. Il l'avait souvent embrassée durant ces six semaines, mais cette fois tout était différent : il embrassait la femme avec qui il souhaitait passer le reste de son existence, et il était bien déterminé à lui transmettre le message à travers son baiser.

Toute la soirée, il avait rêvé de l'embrasser de cette façon. Le baiser qu'il lui avait donné en public avait juste été destiné à apaiser ses sens. A le faire patienter. Son cœur débordait d'amour et son corps vrillait de désir, ingrédients qui lui donnaient des ailes.

Lorsque Dana enfouit ses doigts dans ses cheveux, il glissa la main sous son chemisier, puis sous son soutien-gorge. Ses seins se hérissèrent sur-le-champ, et elle se cambra contre lui. Ses petits gémissements sensuels déclenchèrent un véritable brasier en Jared. A bout de souffle, il détacha ses lèvres des siennes.

Pantelants, ils se jaugèrent quelques secondes.

— Vérité ou défi ? fit-il.

— Défi, lança-t-elle.

— Donne-moi ton slip.

Dana cligna des yeux. L'atmosphère de la pièce parut aussi lourde que sensuelle quand sa jupe glissa à ses pieds.

Soutenant son regard, elle retira son string, en fit une boule et le lui tendit.

— Merci, dit-il sur le ton d'un gentleman.

— Vérité ou défi ? renchérit-elle immédiatement.

— Défi, répondit-il d'une voix sourde.

Une lueur de malice s'alluma dans les yeux de Dana.

— Donne-moi le tien ! dit-elle.

Un bref rire échappa à Jared tandis qu'il débouclait son ceinturon.

Le regard de Dana resta attaché à chacun de ses gestes, jusqu'à ce qu'il lui tende son caleçon noir.

— Vérité ou défi ? questionna-t-il à son tour.

Elle releva les yeux vers lui et lui adressa un sourire entendu.

— Défi !

— Je te mets au défi d'enlever le reste de tes vêtements, dit-il sur un ton impérieux.

Le regard de Dana ne faiblit pas tandis qu'elle déboutonnait son chemisier. Elle le laissa tomber par terre, puis dégrafa son soutien-gorge... Un long frisson parcourut Jared lorsque son regard empreint de convoitise glissa sur son corps nu.

De façon curieuse, elle semblait prête à toutes les audaces.

— Vérité ou défi ? chuchota Dana d'une voix langoureuse.

— Défi, répondit-il, la gorge nouée.

— Déshabille-toi !

Sans prendre le temps de déboutonner sa chemise, il la fit passer par-dessus sa tête.

— Vérité ou défi ? interrogea-t-il d'une voix voilée.

Chaque parcelle de sa peau était incandescente, son sang courait comme un fou dans ses veines.

— Vérité ! annonça-t-elle.

— Maintenant que nous sommes nus, que veux-tu que nous fassions ?

Sans hésiter, elle déclara :

— Je veux que tu me fasses l'amour ! Sur-le-champ. Sans retenue.

Cette vérité ne s'apparentait-elle pas à un défi ?

pensa Jared. Un flot d'amour l'envahit alors, amour qui vint alimenter son désir ardent.

Attirant Dana à lui, il lui donna un fervent baiser avant de la faire basculer sur le tapis…

Il l'étreignit, la palpa avec fébrilité, consumé par une ferveur inconnue. Dana n'était pas en reste ! Ses mains caressaient son corps avec la même impatience. Des mains qui s'acharnaient à présent sur une partie bien précise de son anatomie…

— Assez ! s'écria-t-il avant de lui saisir les poignets.

Il avait atteint la limite de son self-control. Recouvrant le corps de Dana, il la pénétra puis se mit à ondoyer sur elle avec une frénésie désespérée. Haletante, elle s'adapta à sa cadence… Le plaisir prit possession de son corps plus vite qu'il ne s'y attendait.

— Jared ! cria-t-elle.

Puis elle s'abandonna aux vibrations qui cascadaient en elle, l'emportant vers des rivages insensés. Impatient de l'y rejoindre, Jared cria à son tour son prénom, et quelques fractions de seconde plus tard, un orgasme d'une force sidérale le faisait basculer dans l'extase.

Jamais il n'aurait cru que l'amour physique puisse susciter un tel séisme en lui ! pensa-t-il quelques minutes plus tard. Dana était unique, ils étaient faits l'un pour l'autre. Il en était convaincu, l'enchantement ne cesserait jamais.

Roulant sur le dos, il l'entraîna sur lui.

— Vérité ou défi ? demanda-t-elle d'un ton saccadé.

— Vérité, répondit-il dans un souffle.

— A quoi penses-tu ?

— Je pense que nous venons de partager un moment unique, et que chaque fois que nous faisons l'amour, c'est fantastique, lui dit-il. Je pense que tu es magnifique, sexy, et que je veux que tu sois à moi dans tous les sens du terme, au lit et en dehors… Je suis aussi en train de penser que nous avons oublié de nous protéger, mais je m'en fiche. Car je ne souhaite pas que les choses s'arrêtent entre nous ce soir.

Qu'est-ce que Jared était en train de lui dire, au juste ? se demanda Dana en caressant son torse de façon distraite. Lui proposait-il de rester son amant ?

Si tel était le cas, comment expliquerait-il à sa famille qu'elle ait rétrogradé du statut de fiancée à celui de maîtresse ? En outre, elle ne pourrait pas se contenter de tenir ce rôle bien longtemps. Non, mieux valait se séparer maintenant afin d'éviter de souffrir cruellement plus tard.

— Vérité ou défi, Dana ?

Elle leva les yeux vers lui, hésitante.

— Vérité.

— A quoi pensais-tu ?

— Je pensais que je ne voulais pas avoir une liaison avec toi, dit-elle, le souffle tremblant.

— Cela tombe bien, moi non plus.

Devant le regard confus de Dana, il se redressa, et l'attira contre lui.

— Je veux davantage qu'une liaison avec toi, expliqua-t-il alors. Je veux que tu sois la femme auprès de qui je rentre chaque soir.

Dana sourcilla. Encore une fois, avait-elle bien saisi le sens de ses paroles ?

— Je ne comprends pas…

— L'heure est venue de baisser les masques et de parler en toute franchise, Dana. Ces six dernières semaines ont été les plus belles de ma vie. Ce soir, quand je me suis rendu compte que nous allions y mettre un terme, certaines vérités se sont imposées à moi. Et je me suis aperçu que j'étais tombé amoureux de toi.

Elle écarquilla les yeux sous le choc de cette révélation.

— Je suis sincère, poursuivit Jared dans un sourire amusé. Je désire par-dessus tout que nos fiançailles soient réelles. Bien sûr, tout dépend des sentiments que, de ton côté, tu éprouves pour moi.

A cet instant, elle sentit des larmes se former dans ses yeux.

— Je t'aime, Jared, dit-elle à son tour. Moi aussi je voudrais vraiment être ta fiancée.

Celui-ci poussa un véritable rugissement d'allégresse. La serrant contre lui, il demanda d'une voix presque solennelle :

—Dana Rollins, veux-tu m'épouser ? Devenir ma femme, la mère de mes enfants et être mon amour pour toujours ?

Enserrant son visage ému dans ses mains, il poursuivit :

— Garderas-tu la bague que tu portes déjà au doigt comme symbole de mon amour et de mon engagement ? Et me croiras-tu si j'affirme que je te respecterai, te protègerai et t'aimerai toute la vie ?

Une larme coula sur la joue de Dana tandis qu'elle laissait échapper un petit rire.

— Oui, Jared, je te crois. Je veux être ta femme et j'accepte toutes tes promesses.

Jared parut se détendre enfin complètement et lui sourit lentement.

— Outre un futur mari, tu as désormais une véritable famille, Dana, lui dit-il encore.

Entre rire et larme, elle répondit :

— Je m'étais attachée aux Westmoreland et j'aurais eu le cœur brisé de ne plus les voir.

Alors, nichant sa tête dans le creux de son épaule, elle ajouta :

— Sais-tu que tu es maître dans l'art de faire des propositions alléchantes, Jared Westmoreland ?

— Sais-tu que ce n'est pas là mon seul talent ? renchérit-il avec malice.

— Vraiment ? Je te mets au défi de me le démontrer, répondit-elle le regard pétillant.

En un rien de temps, il la fit rouler sous lui sur le tapis et enchaîna son regard au sien.

Ils savaient désormais qu'ils s'aimeraient jusqu'à la fin de leurs vies.

Telle était la vérité nue.

Épilogue

Deux mois plus tard

Ainsi que Sarah l'avait prédit, il y eut un mariage dans la famille Westmoreland avant la fin de l'année.

En descendant les marches de l'église, Dana inclina sa tête contre l'épaule de Jared tandis qu'une pluie de riz ruisselait sur eux.

Du coin de l'œil, le marié aperçut ses parents.

Un mouchoir à la main, sa mère essuyait des larmes de joie. Il n'était toutefois pas dupe. Du haut de son bonheur, Sarah n'oubliait pas les cinq autres fils qu'il lui restait à marier. D'ailleurs, même son cousin Chase n'échapperait pas à ses ambitions, pensa-t-il amusé. Autant que cela se sache : personne, dans l'entourage de Sarah, n'était à l'abri du mariage.

Lorsque Dana et lui se furent engouffrés à l'arrière de la limousine, il la prit dans ses bras et lui donna un baiser enfiévré. Décidément, jamais il ne se rassasierait du délicieux goût de sa bouche, pensa-t-il en emmêlant sa langue à la sienne.

Ils se rendaient à présent au Hilton où un immense buffet avait été dressé dans la salle de restaurant sur les instructions vigilantes de sa mère et de sa tante Evelyn. Un orchestre les y attendait également. Jared était médusé par les dons d'organisatrices des deux femmes. Elles les avaient juste priés de fixer une date pour la cérémonie, leur assurant qu'elles prenaient tout en charge.

— Crois-tu que nous créerions un scandale impardonnable si je demandais au chauffeur de nous conduire directement à l'aéroport afin d'attraper le premier vol pour Saint-Martin ?

Un sourire amusé éclaira le visage de la mariée.

— Ta mère et ta tante ne nous le pardonneraient jamais, Jared, répondit-elle d'un ton fataliste.

— Hélas, tu as raison ! enchaîna-t-il sur le même ton. Nous sommes bien obligés de faire une apparition à notre fête de mariage.

— Je crois que c'est plus raisonnable.

Il lui jeta un regard en biais.

Dana était décidément très belle dans sa robe en dentelle blanche, se dit-il. Cybil avait été son témoin, tandis que Dare avait accepté d'être le sien. Naturellement, la famille Westmoreland au grand complet et en grand apparat avait assisté à l'échange de leurs vœux.

Sylvester Brewster, qui figurait lui aussi parmi la liste des invités, avait tenu à chanter au cours de la soirée en signe de gratitude envers Jared. Le fameux tête-à-tête organisé le mois précédent avait en effet débouché sur une réconciliation, et les heureux futurs parents étaient bien décidés à oublier le fâcheux épisode.

Levant la main, Dana admira ses bagues, son diamant de fiançailles et son anneau en platine. Puis elle regarda l'alliance en or qui brillait au doigt de Jared, avant de lever les yeux vers lui.

— Ce soir, chuchota-t-elle, quand nous serons seuls, je te proposerai un nouveau jeu.

— « Vérité ou défi ? » n'était-il pas censé être le dernier ? demanda-t-il.

— Pourquoi nous arrêter en si bon chemin ? Les jeux auxquels nous nous sommes livrés jusque-là nous ont tellement divertis ! Celui auquel je pense sera tout aussi amusant.

Elle avait piqué sa curiosité.

— De quoi s'agit-il ? interrogea-t-il.

— Du jeu du tapis…

Une version revisitée risquait en effet d'être drôle, pensa Jared le sourire aux lèvres.

— Entendu, dit-il.

— J'étais certaine que tu n'aurais rien contre un nouveau jeu, susurra Dana en se penchant vers ses lèvres.

Nul doute que jouer les faux fiancés avec elle avait été la meilleure décision de sa vie, admit-il, le cœur débordant de joie.

Le nouveau visage
de la collection Or

◆

AMOURS D'AUJOURD'HUI

Afin de mieux exprimer sa modernité et de vous séduire encore davantage, votre collection Or a changé de couverture et de nom depuis le 1er mars 1995.

Rassurez-vous, les romans, eux, ne changent pas, et vous pourrez retrouver dans la collection **Amours d'Aujourd'hui** tous vos auteurs préférés.

Comme chaque mois, en effet, vous y attendent des héros d'aujourd'hui, aux prises avec des passions fortes et des situations difficiles...

**COLLECTION
AMOURS D'AUJOURD'HUI :**
Quand l'amour guérit des blessures de la vie...

Chère lectrice,

Vous nous êtes fidèle depuis longtemps?
Vous venez de faire notre connaissance?

C'est pour votre plaisir que nous avons
imaginé un rendez-vous chaque mois
avec vos auteurs préférés, vos
AUTEURS VEDETTE dans les
collections Azur et Horizon.

Les **AUTEURS VEDETTE** vous
donneront rendez-vous pour de
nouveaux livres vedette.

Pour les reconnaître, cherchez
l'étoile... Elle vous guidera!

Éditions Harlequin

COLLECTION
HORIZON

Des histoires d'amour romantiques qui vous mènent au bout du monde!

Découvrez la passion et les vives émotions qu'apportent à la Collection Horizon des auteurs de renommée internationale!

Captivantes, voire irrésistibles, ces histoires d'amour vous iront assurément droit au coeur.

Surveillez nos trois nouveaux titres chaque mois!

La COLLECTION AZUR

Offre une lecture rapide et

- ☑ *stimulante*
- ☑ *poignante*
- ☑ *exotique*
- ☑ *contemporaine*
- ☑ *romantique*
- ☑ *passionnée*
- ☑ *sensationnelle!*

COLLECTION AZUR...des histoires d'amour traditionnelles qui vous mènent au bout monde! Cinq nouveaux titres chaque mois.

GEN-RP-R